CW00537054

La memoria

1202

DELLO STESSO AUTORE
in questa collana

Pista nera
La costola di Adamo
Non è stagione
Era di maggio
Cinque indagini romane per Rocco Schiavone
7-7-2007
La giostra dei criceti
Pulvis et umbra
L'anello mancante. Cinque indagini di Rocco Schiavone
Fate il vostro gioco
Rien ne va plus
Ah l'amore l'amore
Gli ultimi giorni di quiete

nella collana «Il divano»

Sull'orlo del precipizio
Ogni riferimento è puramente casuale

Antonio Manzini

Vecchie conoscenze

Sellerio editore
Palermo

e-mail: info@sellerio.it
www.sellerio.it

2021 luglio terza edizione

Questo volume è stato stampato su carta Arena Ivory Smooth prodotta dalle Cartiere Fedrigoni con materie prime provenienti da gestione forestale sostenibile.

Manzini, Antonio <1964>

Vecchie conoscenze / Antonio Manzini. - Palermo: Sellerio, 2021.
(La memoria ; 1202)
EAN 978-88-389-4192-4
853.92 CDD-23

CIP - *Biblioteca centrale della Regione siciliana «Alberto Bombace»*

Vecchie conoscenze

Lunedì

Secondo giorno di neve. Fioccava e gonfiava d'ovatta soffice tetti, pali della luce e attutiva i rumori della città con quella capacità che ha la neve di silenziare il paesaggio. Le auto procedevano lente lasciando un binario grigio sull'asfalto bianco. Per terra orme di zampe feline segnalavano cammini randagi e i passeri si nascondevano al riparo delle grondaie. Rocco guardava i batuffoli leggeri e continui attraversare il fumo della sigaretta. Le nuvole coprivano i monti e il cielo, la città era stretta in un assedio nebbioso. Da un mese come febbraio non c'era altro da aspettarsi.

L'una e dieci. Qualche bullone allentato sbatteva dentro la pompa di calore, un ritmo sincopato e ipnotico che alla lunga stancava. Lupa dormiva accucciata sul divanetto di pelle. La questura era silenziosa, nessuno in mattinata aveva bussato alla sua porta, il telefono era rimasto muto, la giornata si trascinava verso il suo naturale epilogo con una stanchezza ottuagenaria. Gettò la cicca dalla finestra e andò alla scrivania. Da Natale non aveva avuto più notizie di Sebastiano, l'amico fraterno, scomparso ormai da mesi dagli arresti domiciliari. Brizio e Furio avevano provato a cercarlo per qualche settimana, poi a metà gennaio avevano mollato il colpo. «Se deve torna', torna!» aveva sentenziato Brizio, e in fondo Rocco pensava avesse ragione. Chissà, si chiedeva Schiavone, magari era all'estero, magari aveva rinunciato a cercare Enzo Baiocchi e a portare a termine la sua vendetta, magari... non ci credeva neanche lui. Prendere l'infame era diventata l'unica ragione di vita di Sebastiano. Rocco ancora conservava il biglietto che gli aveva lasciato sul letto d'ospedale, quella notte poco prima di Capodanno, e la foto che si era scattato appropriandosi per gioco del cellulare del vicequestore. Ogni tanto la osservava e sorrideva. Nonostante Rocco fosse un uomo abituato alla perdita, le armi che usava per reagire, per non sprofondare nel pozzo dei ricordi, erano spuntate. Ci ricascava sempre, bastava un profumo, una frase, uno sguardo o una somiglianza per ritrovarsi in un luogo fuori dal tempo, in uno spazio vago e sbiadito dove giacevano frammenti della sua vita.

«Se tiri su la serranda della finestra famo casino...», Rocco parla sottovoce a Sebastiano, stanno nascosti nel buio del vicolo mentre Brizio di guardia all'angolo fuma dandosi un tono, a 13 anni.

«Guarda e impara, Rocco» gli risponde Sebastiano alzando la serranda, non un cigolio, non un gemito, e poi entra nel negozio di alimentari, ingoiato dalla finestra. Prima la testa, poi il torso, poi le gambe. Lui lì, a tenere ferma la serranda sennò ricade giù, fa un rumore d'inferno e sveglia tutti. È aprile, ma un aprile romano, dove la notte basta un maglioncino per non sentire freddo. Dalla finestra del negozio di alimentari spunta il cosciotto di prosciutto. «Pijalo!» gli dice Sebastiano con la voce strozzata, pare uno spettacolo di marionette.

«Se lo pijo vie' giù la serranda, deficiente, io du' mani ho! Lascialo cade'».

«Pe' tera?».

«E c'ha la cotica, 'gne succede niente!».

«Vero!».

Tunf. Il cosciotto si schianta sui sampietrini. «Daje Seba, che me tremano i muscoli delle braccia».

Sebastiano scavalca di nuovo la finestra del pizzicagnolo, poi insieme cauti riabbassano la serranda senza farla cigolare, recuperano la refurtiva e via!, insieme a Brizio a casa di Furio, che ha la febbre. «Ma che ce famo co' un prosciutto?».

Colpa del panino sulla scrivania, mangiato per metà, dal quale spuntavano brandelli rossastri di crudo. «Sei stato tu?» lo accusò Rocco. Lo afferrò, lo guardò, poi fischiò. Lupa tirò su le orecchie, le lanciò il resto del pranzo che la cagna ingoiò senza masticare.

«Che palle!» mormorò il vicequestore. Si alzò dalla poltrona, si stiracchiò. «Lupa, è l'una passata, dobbiamo andare» disse infilandosi il loden. Uscì dall'ufficio, attraversò il corridoio, si affacciò nella sala degli agenti. C'erano solo D'Intino e Ugo Casella. «Io vado un'oretta a casa» disse.

«Va a mangiare?» chiese D'Intino, ma Rocco non gli rispose. L'agente abbassò gli occhi, l'embargo non era ancora finito. Il vicequestore non gli rivolgeva la parola da dicembre, da quando aveva scoperto che il colpo che gli aveva fottuto il rene era stato sparato proprio dalla pistola d'ordinanza dell'agente abruzzese.

«Dotto'» disse Casella per rompere quel silenzio d'imbarazzo, «posso andare a pranzo a casa?».

«Basta che rimane uno, per me potete fare come vi pare» rispose Rocco. «Antonio Scipioni?».

«È giù alle denunce» rispose Casella.

«Deruta?».

«Oggi è il suo giorno libero».

«E Italo?».

Ugo Casella guardò D'Intino, poi alzarono le spalle contemporaneamente. «Non lo sappiamo...».

«Non lo sapete? Quello fa come cazzo gli pare... Vabbè Ugo, vai a casa. Qui un agente c'è, mi pare, no? Sempre che 'st'attrezzo lo sia, un agente di pubblica sicurezza».

D'Intino annuì mentre Rocco lasciava la stanza. «Niente, ce l'ha ancora con me».

«D'Inti', ringrazia che non ti hanno buttato fuori. Mo' stattene tranquillo, non ti far vedere troppo e vedrai che prima o poi gli passa».

«Io gli volevo chiedere un permesso di una settimana. Devo andare a Mozzagrogna...».

«Ecco, eviterei» gli suggerì Ugo Casella.

Rocco scavalcava pozzanghere e cumuli di neve per proteggere le Clarks già inzuppate. I fiocchi si intrufolavano nel colletto del cappotto, si spalmavano sul viso, gli bagnavano i capelli. Lupa era già ridotta a uno straccio. Almeno un ombrello, pensò girando l'angolo con via Croix de Ville. Le strade erano deserte, incrociò solo un uomo incappucciato che portava un carrello carico di casse di acqua. C'era odore di legna bruciata, che a Rocco piaceva, e di brodo. Arrivò sotto casa, alzò gli occhi. Non aveva voglia di entrare, ma era l'una e mezza e aspettare non poteva.

Michele Deruta era ancora steso sul letto. Sonno arretrato ne aveva da vendere, fra i turni di lavoro in questura e quelli al panificio. Era curioso osservare quel corpo enorme costretto in un letto a una piazza. Ma Deruta aveva la prerogativa di dormire restando fermo per tutta la durata della notte. Non sognava, non aveva incubi, il suo sonno era una lunga striscia nera e senza pensieri. Solo ogni tanto lo stomaco lo riportava alla realtà e, seguendo l'istinto più che la ragione, lo strappava dal materasso per condurlo davanti al piccolo frigorifero del bilocale e fargli addentare tutto quello che c'era di commestibile. Poi tornava a letto senza ricordare quelle sortite mangerecce notturne. Aprì gli occhi quella mattina e la prima cosa che vide fu il cavalletto con sopra un paesaggio alpino che da tre mesi non riusciva a terminare. Non era un granché quel quadro, a dire il vero nessuno degli oli di Deruta lo era, ma gli piaceva perdersi dentro l'immagine e dipingere era un modo per rifugiarsi in un posto suo, diverso e chiuso alla realtà. Si alzò con fatica dal materasso e guardò fuori dalla finestra il panorama che gli si apriva davanti, una serie di casermoni coperti di neve e le montagne avvolte da nuvole basse e grassocce. Aveva smesso di fioccare. Il panificio dove aveva lavorato fino alle quattro, dopo un appostamento inutile con D'Intino che era andato avanti fino alle due, era aperto. Vide una signora chiudere l'ombrello ed entrare nel negozio. Aveva fame. Tornando a casa, aveva portato quattro brioche e un litro di latte. Si sedette al piccolo tavolino dell'angolo cottura e cominciò a masticare i dolci. Erano buoni, e buono era l'odore di crema che si mischiava a quello dei colori a olio. Oggi avrebbe potuto dedicarsi un po' al paesaggio alpino. Due mucche in alto, su un pascolo tra gli abeti, lo stavano facendo impazzire. Sgraziate, i colori a furia di ripassare s'erano pasticciati, somigliavano più a due carapaci di tartaruga. Scolò due bicchieroni di latte e andò a lavarsi. Era un uomo glabro, e questa era una fortuna perché la barba poteva farla due volte a settimana. Anche i capelli, radi, crescevano molto lentamente. Invece sulle gambe aveva una foresta di peli neri e ricci da scimmione, sin da quando aveva sedici anni. Il resto del corpo pareva il guscio di un uovo, ma i gamboni neri e villosi erano da sempre stati un problema. Mai aveva portato i pantaloni corti e le poche volte che era andato al mare teneva cosce e polpacci nascosti sotto la sabbia.

Bussarono. Michele uscì dal bagno con un asciugamano legato intorno alla vita e le pantofole di lana ai piedi. Mise l'occhio nello spioncino, sorrise e aprì. «Amore mio, buongiorno» disse e abbracciò la persona con la quale condivideva il panificio e la vita da più di sei anni.

Federico entrò chiudendosi la porta alle spalle. «Tieni, ti ho portato due cornetti!» gli disse. Aveva ancora indosso la giacca del panificio, bianca e immacolata. Federico era la persona più pulita che Michele Deruta avesse mai conosciuto, educato dalla madre bavarese e dal lavoro in un forno dove tutto doveva essere lindo e ordinato. Gli consegnò il pacchetto e lo baciò.

«Li avevo già presi, grazie».

Il panettiere andò a guardare il quadro. Sotto le sopracciglia bionde gli occhi azzurri erano vivi e attenti. «Non ti viene, eh?» disse serio indicando il paesaggio sulla tela.

«No, oggi volevo lavorarci un po'».

Federico si sedette sul letto. «Io e te dobbiamo parlare».

Lo sapeva, Michele, se lo sentiva che Federico aveva un problema. Era stato silenzioso e serio fino all'alba, c'era qualche tarlo che lo rodeva.

«Niente di grave?» chiese Deruta.

«No. Però...», si poggiò sui gomiti e stese le gambe sul letto. «Però non va bene, Michele».

L'agente sentì un vuoto d'aria nella pancia. «Cosa ho fatto?», il senso di colpa regnava sovrano nella vita di Michele Deruta, lo accompagnava come un amico sincero fin da bambino.

«Io e te, così, non va bene. Helmut se ne va...».

Helmut era il cugino tedesco che da mesi occupava una stanza nell'appartamento di Federico. «E insomma, io ho pensato, credo sia venuto il momento che tu venga a vivere da me». Deglutì e guardò Deruta.

«E come facciamo?».

«Facciamo che disdici questo appartamento, prendi le tue quattro cose e le porti a casa mia, ecco come facciamo».

«Tu hai pure il coso lì, il lupo cecoslovacco».

«A parte che Zanna Bianca è addestratissimo, se ne sta per i fatti suoi, poi tu e Zanna andate d'accordo».

In realtà il cane era l'ultimo dei problemi. Anzi, forse era uno sprone per andare a vivere insieme, a Deruta piaceva ogni tanto portarlo in giro a fare i bisogni, ci chiacchierava e quello pareva starlo a sentire. Bastava dirgli «Seduto!» e quello si sedeva, «Morto!» e quello si buttava a terra pancia all'aria. Più che un lupo sembrava un barboncino addomesticato. Il problema era un altro.

«Insomma» fece Deruta, «è una parola!».

«No, Michele, non è una parola. È facile. Vieni da me, ti prendi la stanza di mio cugino e la usi per i tuoi attrezzi», indicò il cavalletto e i colori aperti in una scatola di legno poggiata sulla vecchia sedia.

Deruta ebbe un brivido. «Aspetta che vado a lavarmi», e sparì in bagno. Si chiuse la porta alle spalle e una volta davanti allo specchio si guardò negli occhi. «Come faccio a dirglielo?» pensava. «Lavoro in questura, sono un poliziotto». La città era piccola, un buco, non avrebbe fatto in tempo a entrare nell'appartamento di Federico e tutti l'avrebbero saputo scoprendo che Concetta Calogero non era la vera proprietaria del panificio e neanche era sua moglie. Concetta Calogero era una che ogni tanto lavorava per Federico, unico e vero proprietario del negozio. I colleghi lo avrebbero tenuto a distanza come un appestato, bene che fosse andata, o peggio avrebbe perso il lavoro, oppure...

Caghineri.

Quella parola gliela avevano detta la prima volta a 15 anni. Era giugno, la scuola quasi finita, gli amici volevano fare una spedizione coi motorini a guardare le chiappe delle tedesche in spiaggia. Michele aveva detto che non gli interessava, preferiva starsene a casa a guardare un po' di tv. «Caghineri» gli aveva detto Pietro Satta, ridendo e dando pacche sulla schiena di Stefano che da grande voleva fare il calciatore.

Michele ci restò secco, come se fosse arrivato qualcuno a togliergli le coperte calde in pieno inverno esponendolo al freddo della notte.

Caghineri. Omosessuale. Frocio.

«Lo sanno!» si era detto, e tremando era tornato a casa.

Michele lo nascondeva anche a se stesso, ma lo aveva capito da quando aveva 12 anni. Lui le donne non le guardava. Non gli facevano nessun effetto. E si sforzava, si chiudeva in bagno con i settimanali di sua madre parrucchiera e cercava di masturbarsi sulle tette nude della starlette o le cosce dell'attrice in posa sotto l'ombrellone. Ma non succedeva niente. Gli veniva da piangere, proprio non ce la faceva. Sudava e si masturbava e piangeva. Lui voleva essere uguale ai suoi compagni. Parlava di donne come se parlasse di calcio, altro argomento di cui era all'oscuro, neanche la differenza fra terzino e centrocampista, tanto a lui ciccione e sgraziato lo mettevano sempre in porta, ed era un ruolo facile da comprendere. «Belle tette, che culo, madonna che gli farei a Elisabetta!». Era semplice, bastava dire sconcezze sull'altro sesso e se la cavava. Ma quella mattina di giugno, quando aveva rifiutato la gita alla spiaggia, Pietro era scoppiato a ridere e gliel'aveva detto in faccia: «Caghineri!». «Caghinu» aveva aggiunto Stefano, che poi il calciatore non lo fece mai.

Bollato per sempre. La X rossa in fronte, non poteva più nascondersi. Aveva passato i restanti anni del liceo in disparte, al banco senza un compagno, nessuno degli amici gli parlava più. E non lo invitavano neanche a fare le partitelle in piazza o alle gite al mare.

«Ma è vero 'sto fatto che sei frocio?» gli disse una volta Nico.

«Io? Ma sei matto?» gli aveva risposto Michele.

«Perché non hai una fidanzata? Non vai manco sulla spiaggia a vedere le tette nude?».

«Non ce l'ho la fidanzata perché sono grasso e non mi vogliono. Ma uno di questi giorni dimagrisco, Nico, e me le scopo tutte».

«Beato chi ci crede!».

Prese la maturità per miracolo. Finita la scuola qualcuno sotto la sua finestra quell'epiteto lo scrisse con la vernice bianca.

Caghineri.

«Chissà con chi ce l'hanno?» si era chiesta sua madre. «Con quello del primo piano» diceva il papà di Michele. «Si veste come una femmina, non l'hai visto?».

Non poteva certo dirgli: «Babbo, mamma, ce l'hanno con me! Sono io, vostro figlio, quello che stanno offendendo!». Non poteva. Non a 19 anni. E poi suo padre sarebbe morto d'infarto. Una volta, mesi prima, un giornalista di Cagliari che stava facendo un'indagine sociologica, gli aveva chiesto: «Ma se lei scoprisse che suo figlio è omosessuale, cosa farebbe?». «Gli zacco una bussinara che l'uccido!» aveva risposto il babbo senza pensarci due volte.

Michele Deruta restò un ragazzo solo. Era entrato in polizia e l'avevano mandato a Milano. E fu lì, in un bar dalle parti di Lambrate, che gli successe la prima volta. Aveva 21 anni, l'altro una trentina. In un cesso al piano seminterrato, in silenzio, nascosti come due profughi mentre il cassone dell'acqua gli gocciolava sulla testa. Non gli era piaciuto. Non era quello che Michele pensava dovesse essere un rapporto. Lui se l'era sempre immaginato su un bel letto matrimoniale con la luce soffusa e *Lei verrà* di Mango in sottofondo. Non nel bagno del bar con le mattonelle muffite, la ceramica del water segnata da una striscia di ruggine, lo specchio sbreccato e i cazzi disegnati col pennarello. Non gli era piaciuto, ma si era convinto che se lo meritava. Così gli avevano insegnato a scuola, o al gruppo di preghiera con Don Sandro, così gli avevano detto i suoi compagni. L'amore naturale è uomo e donna, il resto, uomo-uomo, donna-donna, qualunque altra accoppiata era contro natura e Dio non la voleva.

E si vergognava. Dopo la prima volta nel bar di Lambrate era tornato nell'alloggio e si era fatto una doccia lunga due ore. Mai più, si era detto, mai più. E invece lo rifece. Sempre in quel bar, sempre con quel trentenne, sempre nel cesso puzzolente.

Tanti anni dopo aveva conosciuto Federico, ad Aosta, in una scuola di salsa che frequentava per perdere peso, e la vita era cambiata. Federico era gentile, premuroso, lo amava e gli diceva le parole più belle che gli avessero mai detto. Fare l'amore con Federico era dolce, non c'era niente di sporco, si facevano i regali al compleanno e a Natale, e litigavano pure, proprio come gli altri, i normali, quelli che andavano bene a Dio e agli uomini. Ma la X rossa era ancora lì, sulla fronte, e Michele la teneva ben nascosta perché non voleva mai più tornare in un cesso di Lambrate o della stazione centrale. Federico voleva tenerselo stretto al cuore, ma non sapeva come. E adesso in un giorno di un inverno qualunque, con il cielo coperto da nuvole grigie, quello s'era deciso, gli aveva chiesto di andare a vivere insieme. Così succedono le cose nella vita, Deruta lo sapeva, all'improvviso. All'improvviso ti trovi davanti al bivio più difficile da affrontare, oppure davanti a scuola ti bollano con un marchio indelebile. La vita non avverte, picchia senza preavviso. Finì di asciugarsi, si infilò una maglietta e tornò in camera. Federico era sempre steso sul letto e sfogliava un giornaletto di Topolino. «Ci vuole tanto a rispondermi?» gli chiese.

«Senti, Federico...».

«Ho capito. Fermati, non dire altro. Bastava dire sì. Se cominci con: senti Federico, conosco già la risposta.

Lasciamo perdere. Continuiamo a vivere come due vermi sottoterra». Poggiò il fumetto sul comodino. «Però mi devi rispondere: che vita è?». Si alzò dal letto. Michele non tentò neanche di fermarlo. Il panettiere arrivò alla porta di casa e la aprì. Senza voltarsi gli disse: «Continui a dire che il panificio è di tua moglie?».

«Sì...».

«Insomma, devo aspettare che vai in pensione per vivere insieme a te?».

«Io non so...».

«Torno al negozio. Stanotte non venire a fare il turno, evita anche di chiamarmi. Voglio stare da solo». Si girò di scatto. «Da solo. Come sempre». Uscì di casa senza sbattere la porta, la chiuse gentilmente lasciando appena una scia di profumo di pane e di crema. O forse era l'odore che veniva dal sacchetto di dolciumi poggiato sul tavolino. Deruta si sedette sul letto, si mise le mani fra i capelli e chiuse gli occhi. La sua vita somigliava a quelle due mucche pasticciate sul pascolo. Inerti, confuse, macchie di vernice senza un segno preciso.

Gabriele e Cecilia seduti al tavolo avevano finito il pranzo. Ospiti a casa di Schiavone da mesi, erano ormai pronti per lasciare l'appartamento. Rocco non si aspettava una violenta stretta allo stomaco appena vide i bagagli pronti all'ingresso. Le valigie chiuse sono definitive e a Rocco non erano mai piaciute. «Allora, come va?» chiese prendendo posto a tavola mentre Lupa si sgrullava acqua e neve dal pelo. Gabriele mangiava una mela tenendo gli occhi bassi, Cecilia si sforzava di essere allegra. «Benissimo. Abbiamo finito e, insomma, guardiamo avanti».

Rocco sorrise e carezzò la testa di Gabriele. «Oh! E fattela 'na risata».

«E perché dovrei? Stiamo partendo per Milano, mica per le Seychelles. E non per una settimana o due, dunque dov'è che dovrei farmi una risata?».

«Innanzitutto Milano è una grande città. Vedrai, Gabrie', i primi tempi saranno duri, ma poi neanche ti ricorderai più com'è fatta Aosta».

Il ragazzo alzò la testa ma non guardò Rocco, bensì la madre, come a farle pesare quella scelta, e lasciarle sulle spalle la responsabilità del suo pessimo umore. Uno sguardo carico di ore e ore di discussioni, ricatti, colpi bassi. «È un fallimento» disse Gabriele.

«Un fallimento? Tua madre ha trovato lavoro in un posto bellissimo, no? Dov'è il fallimento?».

Gabriele si alzò di scatto trascinando via la sedia ma Rocco lo bloccò stringendogli un braccio. «Stammi a sentire, pische', tu ora sei triste perché lasci le amicizie, Margherita, i compagni di scuola. Ma credimi, è la cosa giusta da fare. Qui non c'è niente per un ragazzo come te. Milano ti cambierà la vita, e in meglio, credimi».

Gabriele annuì. «Lo so, non fate altro che dirmi questo da mesi. Però...», il viso prese colore, aggrottò le sopracciglia e si scansò il ciuffo davanti agli occhi. «Diciamoci la verità. Se lei non si fosse giocata anche l'anima alla roulette, tutto questo non sarebbe successo», e lo disse calmo, senza alzare la voce. «Ditemi che sbaglio, dimostratemi che sbaglio, e vi do ragione».

I due adulti restarono in silenzio, Gabriele con un sorrisino andò in bagno. Rocco guardò Cecilia che stropicciava un lembo di tovaglia. «È vero» disse la donna ora che erano soli. Rocco le prese la mano. «Considerala come una seconda chance, Cecilia, non la sputtanare».

«Ce la metterò tutta...».

«Vabbè, comincio a caricare le valigie giù in macchina. Tu dai ancora un'occhiata in giro se ti sei scordata qualcosa. Le chiavi lasciale pure sul mobile».

«Grazie» gli disse con un filo di voce, «per tutto quello che hai fatto per me, per noi».

Rocco si alzò senza dire niente, afferrò due trolley, un bustone di plastica e uscì di casa.

Aveva smesso di nevicare. Il vicequestore studiava spazi e ingombri, le valigie in attesa di essere caricate erano sette e l'auto piccola. Gabriele uscì dal portone trascinando due sacche che depositò a terra. «Mica c'entrano».

«Dobbiamo sistemarle per bene. Non è facile».

«Per niente» convenne il ragazzo.

«Cominciamo con questa grande».

«Puoi schiacciarla, ci sono vestiti».

Rocco la caricò sul pianale. Prese poi un trolley. «Ora questa».

«Questa attenzione che dentro c'è la PlayStation».

«E famo attenzione... mo' passami quella piccola».

«Ah sì, tieni... che devo fare?».

«Che devi fare? Passarmi quella piccola».

«Non parlavo delle valigie, Rocco».

Schiavone prese un respiro e si sedette sull'interno del bagagliaio. Si accese una sigaretta, guardò il cielo. Qualche nuvola chiara scorreva veloce su altre più scure. «Vivi».

«Altro?».

«Da me? E cosa vuoi che ti dica? Guardati in giro. Ti sembra un bel mondo questo? E sai chi l'ha ridotto così? Quelli della mia età. Dunque che vuoi che ti dica? Qualsiasi consiglio sarebbe sbagliato, perché mi sembra che il risultato qui sia disastroso. Semmai fai il contrario di quello che abbiamo fatto noi. Cominciando a non accettare consigli da chi ti ha preceduto e t'ha lasciato 'sta monnezza. Vivi, amico mio, sbaglia, correggiti, ridi, scopa e fai quello che ti piace. Lasciati alle spalle i vecchi, che conoscono tutto e non sanno un cazzo. Se sapessimo tutto, Gabrie', non vivresti in questo letamaio. Spero di essere stato chiaro».

«Chiarissimo» disse Gabriele con le lacrime agli occhi. Rocco lo abbracciò, lo strinse con tutte le forze che aveva, tanto che gli sembrò di sentire il battito del cuore di Gabriele. «Mi mancherai, pische', sei l'unica cosa bella che ho trovato qui».

«Anche tu mi mancherai. Però verrò a trovarti».

«E certo, io t'aspetto. Non litigare con mamma».

«Hai appena detto che non devo ascoltare i tuoi consigli».

«Vero!».

«Comunque non ci litigo. Io le voglio bene. Anche a te. Rocco, mi prometti una cosa?».

«Se posso».

«Ti trovi una ragazza?».

Rocco lo guardò stralunato. «Ma che ti frega?».

«Non mi piace pensarti qui da solo. Non meriti di stare da solo».

«Non sono solo. C'è Lupa».

Gabriele scuotendo la testa si abbassò a carezzare il cane. «Ciao Lupa, mi mancherai pure tu!», si chinò per baciarla sul muso, poi si tirò su, aveva gli occhi rossi. «Rocco, m'hai insegnato un sacco di cose fighe, e non me lo scorderò mai».

«Pure tu me n'hai insegnate, pische'. Senza volerlo, ma me l'hai insegnate».

«E che ti ho potuto insegnare io?».

«Pensaci mentre vai a Milano».

Restarono in silenzio. Poi il vicequestore riprese a caricare le valigie nel bagagliaio.

«Mai avrei pensato che sarebbe arrivato questo momento schifoso». Con un gesto delicato Gabriele si aggiustò due ciocche di capelli dietro le orecchie e cominciò a cantare con voce incerta: «*Check ignition and may God's love be with youuuuu*».

Rocco si voltò e cantarono insieme:

Three, two, one! This is Major Tom to Ground Control
I'm stepping through the door
And I'm floating in a most peculiar way
And the stars look very different today!

Non aspettò di vederli partire. Tornò in questura accompagnato da Lupa fumando due sigarette in poche centinaia di metri. Prima di entrare si fermò sugli scalini. Alle sue spalle la strada inzaccherata di neve, sopra la bandiera italiana e quella europea che schiaffeggiavano l'aria, davanti giorni grigi e tutti uguali.

Salì dalla grondaia, conosceva bene la strada, si attaccò alla rientranza del muro, superò la ringhiera e si ritrovò sul poggiolo dove il legno della finestra era fradicio e le ante non chiudevano alla perfezione. Bastava spingere un po' per trovare il passaggio. Si guardò intorno, non c'era anima viva. Il pendolo batteva le ore, il rubinetto gocciolava. Atterrò sul lavello, due piatti, una forchetta e un pentolino scuro sguazzavano nell'acqua putrida. Saltò sul pavimento. Il frigorifero chiuso, giusto qualche mollica di pane sulle mattonelle. In salone la tavola sembrava apparecchiata. Si arrampicò aggrappandosi alla tovaglia. Vide solo un bicchiere vuoto, altre molliche di pane, uno sbaffo di burro su un piattino, un coltello sporco di marmellata, ma lui aveva imparato a non fidarsi degli odori troppo dolci. Tornò giù scivolando sulla zampa di legno. Veloce attraversò il tappeto. Sul parquet si spandeva una macchia liquida che aveva un buon profumo. La leccò. Annusò l'aria, poi un rumore lo mise in allarme. C'era qualcuno nella stanza? Magari un cane o un gatto, non poteva rischiare. Scappò via verso la porta d'ingresso passando sulla pozza liquida, riuscì a scivolare sotto l'anta e si ritrovò sul pianerottolo. Corse verso la presa d'aria in mezzo al corridoio poco prima delle scale. Da lì poteva tornare nella tana. Era il suo palazzo, lo conosceva a memoria, si trattava di aspettare e magari poi, col buio, arrampicarsi di nuovo sulla grondaia. Ma non doveva tardare troppo. Da un paio di settimane ne aveva visti girare lì intorno una decina, anche più magri, un paio belli grossi, sicuro venivano dal fiume, ma lui avrebbe lottato con tutte le sue forze per mantenere il territorio. In quel palazzo c'era nato, aveva visto morire la madre e il padre e sei dei suoi fratelli imparando a evitare i fili elettrici, pezzi di formaggio fortuiti e tutto ciò che era troppo dolce o che avesse un lontano puzzo di essere umano. Si accucciò nel buco e cominciò a leccarsi le zampe sporche.

L'inno alla gioia risuonò nella stanza al secondo tiro di marijuana. Rocco, stravaccato sulla sedia con le gambe poggiate sulla scrivania, cercò di allungarsi per afferrare il cellulare. Sentì una punta di dolore proprio accanto alla cicatrice della nefrectomia. «Ma porca... chi scassa?». Poggiò i piedi sul pavimento e finalmente afferrò il cellulare senza leggere il display. «Chi è?» urlò.

«Sono Sandra», la voce calma della Buccellato lo accolse come un abbraccio.

«Buongiorno... come va?».

«Benone. Hai da fare?».

«Una mazza».

«Io oggi al giornale non riesco a starci. Mi va di prendere freddo, e mi va di prenderlo con te».

«Non è un invito allettante, te ne rendi conto?». Spense la cicca nel posacenere. «Dove vuoi andare?

Guarda che è gelato, e ho le scarpe già ridotte un cesso». Le Clarks bagnate poggiate sul termosifone testimoniavano a favore di quell'affermazione.

«Ecco, hai avuto l'idea, ti accompagno a comprare un paio di scarpe nuove. Poi prendiamo un caffè, poi...», abbassò il tono di voce, «... andiamo a casa mia».

Qualcosa si mosse dietro la chiusura lampo dei pantaloni di Rocco. «Sì, mi sembra un programma buonissimo».

«Allora muoviti e ci vediamo... dov'è che compri le scarpe tu?».

«A via Frattina».

«Deficiente».

«Ma che ne so come si chiama la strada? Ci vediamo in piazza fra dieci minuti».

La vide arrivare chiusa nel cappotto color cammello stretto in vita, stivali neri e mani in tasca, il bavero alzato a coprire le guance, appena lo vide gli sorrise. Rocco l'attendeva sotto i portici. «Ciao» gli disse col fiato che era una nuvola, e lo baciò abbracciandolo. «Sai di erba».

«Può essere».

Gli agganciò il braccio. «Allora andiamo a comprare le scarpe, le tue sono davvero da buttare nella pattumiera».

Si incamminarono. Sandra Buccellato profumava di miele. «È lo shampoo» gli disse.

«Possiamo evitare il negozio di scarpe e passare direttamente a casa tua?».

«No, se non le cambi ti prendi la broncopolmonite. Se ne sono andati Gabriele e la madre?».

«Sono partiti poco fa».

«E come ti senti?».

«Bah», Rocco alzò appena le spalle. «Ho la casa libera».

«Domani è il compleanno di mia cugina, ci vieni a cena?».

«Neanche sotto minaccia di tortura».

Aumentarono il ritmo del passo. «Perché? È una mia cugina col marito, sono scrittori, persone divertenti».

«Non mi azzarderei a mettere nella stessa frase il sostantivo scrittori e l'aggettivo divertenti».

«Lui scrive gialli, lei invece libri di inchiesta».

«Peggio me sento».

Sandra si fermò e lo guardò negli occhi. «E se ti dicessi che ci tengo?».

«E se ti dicessi che ci tengo a non venire?».

La giornalista strizzò un poco gli occhi. «Lo sai che è difficile stare con te?».

«Dillo a me!». Rocco riprese a camminare. Entrarono in un vicolo che uno spazzaneve aveva appena ripulito. Si sentivano solo i tacchi di Sandra risuonare sui muri dei palazzetti. «Mi sembra che...».

«Ascolta, Sandra» la interruppe Rocco, «stiamo camminando, siamo leggeri, fa freddo, chiacchieriamo del più e del meno, possiamo proseguire così?».

«Come vuoi. Sei peggio di queste montagne».

«Che significa?».

«Basta un alito di vento e si coprono».

Rocco non rispose.
«Io ci tengo a te».
«Anche io, Sandra».
«Perché non ti lasci andare?».
«Perché non ho niente per cui lasciarmi andare».
«Grazie!» disse Sandra, risentita.
«Vuoi che ti dica una bugia? Che è solo un momento, poi tutto passa? Vuoi che ti dica che non vedo l'ora di andare a fare una vacanza con te su un'isola dei Caraibi? Che vorrei vivere con te? Dividere i giorni e le gioie e i dolori? Vuoi che ti dica questo?».
«Sei uno stronzo», Sandra mollò il braccio di Rocco e tornò sui suoi passi. «Compratele da solo le scarpe».
Rocco rimase nel vicolo. Attese che la donna sparisse dietro l'angolo e poi riprese la strada verso la questura.

Martedì

Dopo quasi cinque mesi la signora Rebecca Fosson riusciva a scendere le scale senza l'aiuto della stampella. L'intervento chirurgico al perone era riuscito e la fisioterapia aveva completato l'operazione. Con il carrello della spesa stretto nella sinistra e la destra sul corrimano guardava con attenzione i gradini vecchi e lisci per non rifare lo stesso capitombolo di fine settembre, quando era ruzzolata per le scale insieme alle mele e al pane. Era stato un periodo difficilissimo, e doveva ancora ringraziare la sorella Benedetta che era venuta ad aiutarla con il figlio. Ancora un gradino e la rampa per arrivare al primo piano era scesa. Sul pianerottolo tirò un bel respiro di sollievo. «E un piano è fatto» si disse. Guardò le mattonelle bianche, la porta della professoressa Martinet e tirò dritto. C'erano dei disegni sul pavimento che non aveva mai notato. Sembravano piccoli fiorellini rossi. Una fila di fiorellini rossi che uscivano dalla vecchia porta della professoressa e finivano nella presa d'aria. Si infilò gli occhiali per guardare meglio. Non erano fiorellini, erano orme di piccole zampette. Un topo! Eppure l'amministratore aveva fatto la derattizzazione! Il topo era uscito proprio dalla casa della Martinet per intrufolarsi dietro la grata e ora chissà dov'era. Bussò. Attese. Non venne nessuno. «Dottoressa Martinet? Sono Rebecca, del piano di sopra... mi sente?», aveva 73 anni la dottoressa, forse un po' dura d'orecchio, allora insisté col campanello. «Dottoressa Martinet? Sono Fosson, del secondo piano!». Poggiò l'orecchio sull'anta vecchia e screpolata. Dall'interno nessun rumore. Guardò le orme sulle mattonelle. Rosse. Ci passò il piede sopra e ne sbavò un paio. «Cosa può essere?» si chiese. Marmellata di ribes? Le venne un dubbio, orrendo e improvviso. Una vita passata a mettere flebo, lavare pazienti, disinfettare le ferite le chiarì subito le idee. Quella non era marmellata. Si chinò con prudenza aggrappandosi alla maniglia della porta di casa Martinet. Passò un dito sul liquido e lo annusò. L'ex infermiera Rebecca Fosson dell'ospedale Parini di Aosta non ebbe dubbi. Quello che macchiava il polpastrello del suo indice era sangue.

La pompa dell'aria calda non riusciva ad asciugare le scarpe di Rocco. Lupa s'era addormentata pancia all'aria con mezzo osso fra i denti, le orecchie all'insù, sembrava stesse precipitando da un aereo. Un negozio vuoto, era l'immagine che gli veniva in testa. «Questo sono» pensava, «un negozio vuoto». Al quale si rivolgevano ancora le persone alla ricerca di quel prodotto o di un succedaneo, ma ogni volta che mostrava gli scaffali vuoti, scusandosi quasi, quelli se ne andavano stizziti rimproverandolo coi loro silenzi e gli sguardi accusatori. Il motivo era semplice. Se il negozio resta aperto, sebbene privo di merci, si dà una delusione, perché le persone possono entrare con qualche aspettativa. L'esercizio andava chiuso, con la serranda, il lucchetto e un cartello fuori che ne annunciava il fallimento. A quel punto nessuno sarebbe più entrato, nessuno sarebbe rimasto deluso e scottato dagli scaffali vuoti. Era colpa sua, illudeva gli altri.

Un solo colpo deciso alla porta annunciava il viceispettore Antonio Scipioni. «Avanti!» gridò, e infatti quello si affacciò. «C'è un fatto curioso a via Ponte Romano».

«Quale?».

«Una ex infermiera ha telefonato spaventata. Dice che sul pianerottolo della palazzina al primo piano ci sono orme di sangue lasciate da un topo».

Rocco si morse le labbra. «Da un topo, dici».

«Sì. Pare, così ha spiegato, che escono da sotto la porta di una vicina, tale professoressa Martinet, e finiscono accanto a una presa d'aria. Lei bussa da un quarto d'ora ma dalla vicina nessuna risposta».

«Non ci posso credere... un topo». Rocco era rimasto inchiodato all'informazione precedente.

«Un topo» confermò Scipioni.

«E noi che dovremmo fare?».

«Provare a entrare».

«Allora sentimi bene. Prendi chi ti pare, vai a via Ponte Romano, apri la porta e quando troverete sul pavimento le fettine di vitella scongelate rosicchiate dal sorcio, salutate la ex infermiera e tornate a fare i poliziotti».

«Signorsì» fece Antonio.

«Ah, Antonio!».

Quello rispuntò sull'uscio. «Dimmi».

«Se qualcun altro chiama per un gatto incastrato su un ramo dell'albero, avvertite direttamente la Criminalpol».

Il viceispettore sorrise e sparì di nuovo.

«Hai sentito, Lupa? Vuoi andare tu a cercare il topo?».

Inerte e immobile, come il cane di Pompei, Lupa continuò a seguire i suoi sogni canini.

Antonio Scipioni e l'agente Ugo Casella arrivarono davanti al portone di via Ponte Romano. Una donna che aveva superato da un po' la settantina li attendeva, accanto a lei un tipo vestito con un curioso grembiule blu. Parlavano e guardavano le finestre del primo piano. La palazzina una volta doveva essere un piccolo gioiello Art Nouveau. Dei dipinti sotto la grondaia, che raffiguravano volti di donna, cesti di frutta, onde marine ormai cancellati dal tempo, erano rimaste delle vaghe macchie marroni; anche le colonnine e i fregi in pietra intorno alle finestre e al portone sembravano aver subito morsi e graffi di una bestia feroce, c'era da rifare il tetto e il balconcino del secondo piano sembrava potesse crollare al prossimo acquazzone. «Buongiorno, sono il viceispettore Scipioni». La donna si avvicinò lasciando l'uomo col grembiule vicino al portone. «Vi ho chiamati io...», aveva gli occhi chiari e spaventati, i capelli tagliati corti viravano verso una impercettibile nuance rosa. «Sono Rebecca Fosson. Come ho spiegato al telefono...».

«Va bene, signora, ci accompagni» disse Antonio. Appena gli passarono accanto, l'uomo col grembiule li salutò. «Lei è?».

«Io sono Fausto Belardinelli».

«Abita qui?» gli chiese Antonio.

«No. Ho la bottega dietro l'angolo. Faccio il ciabattino e duplico chiavi. Sono amico della signora da tanto. Era spaventata e mi ha chiamato».

Antonio lo superò ed entrò nel palazzo insieme a Casella. C'era la cassetta delle lettere con soli quattro interni, una bella macchia d'umidità accanto a una porta di metallo e due vasi vuoti e sbreccati vicino alle scale. «Io non salgo, sono appena stata operata... È al primo piano» disse Rebecca Fosson. Scipioni e Casella fecero una rampa di scale aggrappandosi alla ringhiera di ferro battuto che imitava una vite ricca di grappoli d'uva. Arrivati al pianerottolo sentirono la signora sgolarsi. «Davanti alla porta centrale... quella più vecchia e screpolata. L'altra più nuova è quella dei Sibetti».

I poliziotti obbedirono. Subito notarono le orme. «Signora, ma chi lo dice che è sangue?» urlò Casella.

«Ho fatto l'infermiera per più di cinquant'anni» fece di rimando Rebecca Fosson.

Antonio bussò alla porta. «Inutile», ancora la signora Fosson dal piano terra, «non risponde. Io ho bussato per mezz'ora. Dovete entrare».

«Che facciamo?» chiese Ugo a Scipioni.

Antonio provò a scuotere la vecchia porta che scricchiolava e dondolava come un dente che sta per cadere, ma non cedeva.

«Anto', secondo me se gli dai una spallata cede».

«E proviamo allora». Il viceispettore tentò una volta, aumentò la spinta una seconda, alla terza ci mise tutta la forza che aveva e la porta si spalancò.

Si ritrovarono nell'ingresso della casa che si apriva direttamente sul salone. Videro subito il corpo steso a terra, una pozza di sangue vicino alla testa. «Porca puttana» mormorò Antonio Scipioni mentre Casella prendeva il cellulare.

«Allora? Che avete trovato?» fece Rebecca Fosson dai piedi delle scale.

«Non salga, signora Fosson, resti lì» le rispose Antonio uscendo dall'appartamento e accostando la porta. Si accorse che non aveva indossato i guanti. Il sostituto della scientifica Michela Gambino l'avrebbe evirato.

Il vicequestore Rocco Schiavone arrivò in auto accompagnato da D'Intino. Durante il breve tragitto non gli aveva rivolto la parola e quello aveva rispettato il silenzio. Davanti alla palazzina c'era Casella che parlottava con l'uomo in grembiule, a Rocco pareva un bidello. «Allora, Ugo?».

«Piano di sopra». Rocco annuì. «Dotto', non era una fettina scongelata, è una rottura di coglioni di decimo livello».

«E te pareva! Perché?» gli chiese.

«Cosa perché?».

«Perché?» ripeté Schiavone. «D'Intino, resta in macchina. Avete chiamato la Gambino?».

«Certo. E il procuratore e Fumagalli» rispose Casella, «insomma tutta l'allegra famiglia».

Rocco salì le scale. Antonio era a braccia conserte accanto alla porta dell'appartamento. «E meno male che era una fettina di vitella scongelata» lo redarguì appena lo vide.

«Anche i geni toppano, Antonio. Chi è?».

«So solo che si chiama Sofia Martinet».

«Si chiamava».

«Per amor di precisione, direi di sì».

Ringhiando maledizioni all'intero creato si infilò i guanti di pelle ed entrò nell'appartamento. Il corpo giaceva prono sul pavimento, il sangue aveva macchiato anche un tappeto persiano liso e polveroso. Capelli bianchi, un cardigan marrone, la gonna di lana grigia al ginocchio, una pantofola ancora infilata, l'altro piede invece nudo. Tutt'intorno al salone correva una libreria alta fino al soffitto gonfia di volumi. Mobili antichi che avevano perso smalto arredavano l'ambiente. In un angolo del salone c'era uno scrittoio con un piccolo computer portatile. Ovunque Schiavone volgesse lo sguardo, libri e solo libri. Sul salone si apriva la porta della cucina. Ordinata, le suppellettili e gli attrezzi risalivano ad almeno quarant'anni prima. Il lavello di marmo, pentole di alluminio, coltelli con la lama annerita e il manico di legno scheggiato. Dall'altra parte del salone un piccolo corridoio, anche quello invaso dai libri, portava al bagno e a due camere. Una affacciava sulla strada, l'altra in un chiostro interno. La camera da letto, anche lì le librerie erano state montate in ogni spazio sfruttabile, odorava di fiori secchi e polvere. Una testiera nera decorata con fiori e foglie dominava un'intera parete. Nell'altra stanza, quella che dava sul chiostro, un letto singolo con una sovraccoperta gialla, un imponente armadio antico a due ante alto fino al soffitto e libri poggiati anche sul pavimento. Il vicequestore controllò l'infisso. Era intatto. Aprì la finestra. Dava sul retro di un palazzo di tre piani, nel cortile c'erano una vecchia motocicletta e due botti senza coperchio. Tornò in salone. Antonio era rimasto sull'uscio. Una lampada col cappello di vetro verde giaceva frantumata a terra, qualche libro aperto era caduto dallo scaffale, un cassetto del settimino vicino alla cucina vomitava pezze e tovagliette, un bicchiere s'era fracassato al lato del mobile. «Qui hanno litigato» disse Rocco.

«Sembra di sì».

«Finisco di controllare gli infissi, ma chiunque sia stato non è passato dalla finestra».

«Entrare dalla porta non era difficile, Rocco. È mezza fradicia».

Rocco osservò bene l'anta. C'erano una catenella e una chiave infilata nella serratura. «L'hai sfondata tu?».

«Per entrare» rispose Antonio. Rocco continuò a ispezionarla. La catenella che penzolava dal gancio era stata dipinta di bianco insieme al legno della porta, ma la testa di ottone, il pezzo che scorreva all'interno del binario per assicurare la chiusura, aveva perso la vernice, segno che veniva usata spesso dalla signora Martinet. «Chi ha chiamato in questura?».

«La signora Rebecca Fosson. Abita al piano di sopra, ora è rientrata in casa».

«E il bidello chi è?».

«Il bidello?» fece Antonio.

«Quello che parlotta con Casella giù al portone».

«Ah, sì, è un ciabattino che ha la bottega qui dietro, pare sia molto amico della Fosson».

«Mi tocca andare da 'sta Fosson. Tu e Casella aspettate gli altri. Dove cazzo sta Italo?».

«Non ne ho la più pallida idea».

«Chiamalo e digli di correre qui altrimenti lo prendo a calci in culo fino a Orvieto».

«Perché Orvieto?».

«Non lo so, Anto', è la prima città che m'è venuta in mente». Lasciò il viceispettore e salì la rampa di scale che l'avrebbe portato al secondo piano.

La porta della Fosson era blindata, nuova, con lo spioncino, lo zerbino riportava la scritta «Bienvenue» in nero. Rocco bussò. Attese pochi secondi, poi sentì una chiave girare nella serratura. «Buongiorno» salutò la signora coi capelli quasi rosa.

«Vicequestore Schiavone...». Rebecca fece entrare Rocco. L'appartamento era l'opposto di casa Martinet. Non c'era un libro, un grande televisore dominava incontrastato la stanza, un divano grigio piazzato davanti; era ordinata, riluceva come uno specchio. Nel camino ardeva legna che profumava tutta la casa. C'erano fotografie di un uomo sui 70 anni in divisa, doveva essere il marito della signora. «Esercito?» chiese Rocco.

«Alpini» rispose la donna a bassa voce, come se fosse un segreto. «Giulio è morto che sono quattro anni ormai».

«Mi dispiace...».

«Prego, si segga».

«Sembra che dalla sua vicina ci sia stata una mezza lite».

«E quando?» chiese la donna sempre a voce bassissima.

«Questo ancora non lo sappiamo. Lei non ha sentito niente?».

«Niente, macché, altrimenti mi sarei allarmata. Posso offrirle un caffè?».

«No, grazie, signora Fosson...», presero posto intorno al tavolo.

«Un biscotto? Dell'acqua?» chiese con un soffio di voce.

«Nulla, davvero. Perché parla a voce bassa?».

«Mio figlio, Dario, sta dormendo e non lo vorrei svegliare».

«Comprendo. Vive con lei?».

«Non potrebbe fare diversamente. È il mio vero pensiero, giorno e notte. Quando me ne andrò, Dario cosa farà?».

Non conoscendo il problema, Rocco non si sentì in grado di suggerire una soluzione. «Vive qui da sola con suo figlio Dario, giusto?».

«Giusto. Fino a tre settimane fa era qui con me anche mia sorella, vede, mi sono operata e mi potevo muovere poco, così mi aiutava con Dario».

«Chi era la Martinet?».

«La professoressa Martinet» lo corresse Rebecca. «Una studiosa, aveva la cattedra all'università di Torino».

«Ah, e cosa insegnava?».

«Storia dell'arte, una delle massime esperte di Leonardo. Conosce?».

«Non di persona».

«E ci credo, è morto quasi cinquecento anni fa!» fece Rebecca sorridendo.

«Signora, era una battuta».

«Ah».

«La professoressa viveva sola?».

«Sì. Aveva divorziato dal marito tanti anni fa, un suo collega che insegnava alla Normale di Pisa. Si chiamava, o si chiama... Pietro Carqualcosa... Cardellino, Cardarelli, boh... ha un figlio che si vede pochissimo, non so neanche dove abita. Forse a Milano?».

«Non lo so, signora, lo sta chiedendo a me?».

Il verso di un uccello notturno irruppe nel salone, acuto e sgraziato. Rocco si spaventò, la donna si alzò di scatto. «Si è svegliato Dario. Mi scusi...», si allontanò con passo incerto e un po' claudicante e imboccò il piccolo corridoio. La pianta dell'appartamento era identica a quella del piano di sotto. Sentiva la donna parlare con un tono amorevole e la voce incomprensibile di un maschio gorgogliare e smozzicare parole. Dopo qualche minuto la signora Fosson rientrò in salone, aggrappato al braccio sinistro portava un uomo sulla quarantina, non molto alto, la barba lunga di qualche giorno, sovrappeso, la pancia nuda e pelosa rollava fuori dalla felpa, teneva la bocca aperta in una smorfia e gli occhi spenti puntati sul soffitto. Indossava una tuta blu e un paio di ciabatte da piscina. «Ecco, Dario, questo signore è della polizia». Rocco si era alzato, Dario restava impalato accanto alla mamma e voltava il viso verso la finestra e il lampadario. «Olizia...» disse.

«Salve, sono Rocco Schiavone».

«...olizia. Olizia!» fece ancora Dario. Spinto dalla madre si avvicinò al divano. «Ecco, mettiti qui... vuoi da mangiare?».

«Firgotti!» gridò alzando le braccia. La donna gli sorrise. «Biscotti? Vuoi i biscotti? La mamma te li porta subito», e si diresse verso la cucina. «Con calma perché mamma s'è fatta male e ci vuole tempo».

«Folini!» ordinò Dario.

«I frollini, sì amore mio».

«Ma che ha?» le chiese Rocco.

«È così dalla nascita. Non vede, è molto indietro. Capisce poco... ha una lingua sua. Cioè, non è proprio una lingua, distorce molto le parole, ma io ormai ci sono abituata».

Rocco annuì. Tornò a guardare Dario. Teneva gli occhi sul soffitto e la bocca sempre aperta in un rictus strano. Un filo di bava gli colava di lato. «Ecco i frollini per Dario», la donna gli consegnò un pacco intero che quello si mise a scartare con le dita grosse come würstel. «Ora per un po' mangia e starà tranquillo».

«Folini!» disse ancora Dario eccitato riempiendosi la bocca di biscotti che a malapena riusciva a masticare.

«Non c'è stato niente da fare. Un ritardo, un po' di ossigeno in meno al cervello, e poi anche il problema degli occhi. È stato sfortunato, Dario».

«Anche lei...».

«Anche io e mio marito, sì».

«Valuma' stass cheva!» gridò Dario.

«Che vuol dire?» chiese Rocco.

«Non lo so. Non l'ho mai sentito. Ogni tanto grida cose senza senso».

«Drubisci tu!», sputava granelli di biscotto, se ne era cosparso la giacca della tuta.

«La lascio, signora. Chi vive accanto a lei?».

«L'interno accanto al mio è disabitato. Al piano di sotto c'è una coppia giovane. Si chiamano Elena e Mario Sibetti. Elena sta alla cassa di quel supermercato sulla strada per l'aeroporto... aeroporto, quello schifo, quella cattedrale inutile nel deserto sulla quale hanno mangiato soldi a quattro ganasce».

«Valuma' stass cheva!».

«Ora gli è preso di urlare così, chissà a che pensa».

«Chissà. Se avessi bisogno ancora di lei?».

«Sono qui, a sua disposizione, dottore. Povera professoressa. Lo sa? Un po' mi vergogno».

«E di cosa?».

«Che non mi vede piangere per Sofia. La conoscevo poco, ma io lacrime non ne ho più».

Alberto Fumagalli, distratto dalle librerie, leggeva le coste dei volumi. «Dio bono se ci sono cose importanti qui» disse appena percepì lo sguardo di Rocco sulla nuca.

«Ti dispiacerebbe metterti a fare il tuo lavoro?».

«Sicuro» rispose. «Ci sono le prose di Pietro Bembo, stampa del 1745! Roba da collezionisti... e guarda qua! Una storia italiana del Guicciardini del 1824... ma ti rendi conto?».

«Ripeto, ti dispiacerebbe metterti a fare il tuo lavoro?».

«E vai, va'», finalmente Alberto si girò a guardare il corpo della studiosa. «Se non sapete cosa farne, li prendo tutti volentieri».

«Ci saranno gli eredi. Ha un figlio».

«Ma, nel caso... pronto a fare un'offerta».

«Ma mettete a lavora', fa' il favore», e lo lasciò nella camera. Scese le scale e si ritrovò in strada. Si accese una sigaretta. Casella stava con le braccia dietro la schiena come intento a controllare un cantiere. «Che si dice?».

«Niente, dottore, neanche l'ombra di un giornalista».

«Si hanno notizie di Italo?».

«Macché, ha il telefono staccato».

«Allora, come vanno le cose con Eugenia?».

«Bene...», a Rocco parve di vedere l'agente arrossire. «Insomma, non viviamo insieme, tanto siamo a una rampa di scale di distanza. Io sto sempre da lei, casa mia è un po' triste, la sua è bella e piena di colori».

«Dove lo fate?».

Casella arrossì. «Dotto', queste cose non si dicono. E poi io comincio ad avere un'età».

«Ricordati, Ugo: mai sconfitta ci sarà nel cuore di chi lotta!».

Un rumore di ferraglia distrasse i due poliziotti. Apparve la macchina verde vomito di Michela Gambino che arrancava sull'asfalto. Dal tubo di scappamento usciva un fumo nerastro. «Dotto', ma secondo lei è una macchina d'epoca?».

«Case', non so manco se è una macchina».

L'auto montò sul marciapiede, un ultimo rantolo e il motore si spense. La portiera si aprì con un cigolio sinistro perdendo pezzi di ruggine e apparve Michela Gambino. Era in tenuta battaglia di Stalingrado. Il colbacco di pelo, un cappotto di lana grigia stretto con una enorme cinta intorno alla vita, guanti rossi e stivali di pelle nera al ginocchio. «Pare un elemento del coro dell'armata rossa» disse Rocco.

«No dotto', che mi ricordi di donne nel coro dell'armata rossa non ce ne stanno».

«Una spia sovietica oltre cortina».

«Tipo KGB?».

«E buona giornata pure a voi!» esordì Michela. «Co' 'stu friddu 'e moriri, gela pure il sangue. A proposito di sangue, dov'è?».

«Su» rispose Rocco, «primo piano. I tuoi?».

«Ora arrivano. Chi c'è?».

«Fumagalli».

«Avete messo la plastica alle scarpe?».

«No. Ma sono entrato solo io e ho solo dato un'occhiata all'appartamento».

Michela alzò gli occhi al cielo. «Posso dire? Avete rotto i coglioni. Quando vedete arrivare i miei, mandateli su. Io tempo con voi da perdere non ne ho», e il sostituto entrò nel palazzo.

«Però è brava» commentò Casella.

«Questo è vero. Lo vedi quel bar che fa angolo laggiù?».

«Lo vedo sì!».

«Rocco Schiavone si reca al chiuso a prendere un caffè. Se riesci a farti dare il cambio, offre la casa», e si allontanò saltando due cumuli di neve e una pozzanghera di melma grigiastra.

«Ciao Alberto».

«Ciao Michela».

L'anatomopatologo era chino sul corpo senza vita della professoressa Martinet.

«Bella casa» fece Michela mettendosi i guanti di lattice.

«Sì, piena di libri meravigliosi. C'è roba da collezione».

«Da quanto sta lì?».

«Mah... sto controllando la temperatura. Che ore sono?».

«Adesso?». Michela cercò l'orologio da polso sotto il cappotto e i maglioni. «Faccio le 15 e 22. Perché?».

«Ho fame. Schiavone è giù?».

«Aspe', te lo chiamo...», Michela si affacciò alla porta. «Rocco?» gridò. Le rispose l'agente Ugo Casella. «Dottore', è andato al bar all'angolo».

Michela si rivolse di nuovo a Fumagalli. «Sentito? È andato al bar».

«E fa bene». Con una penna controllò la ferita. «Ecco, dai un'occhiata... le hanno sfondato il cranio con un colpo secco...», si guardò intorno. «Sarebbe bello se i tuoi trovassero l'arma... a spanne è un oggetto spigoloso, un parallelepipedo insomma».

Michela si avvicinò al camino spento. Guardò l'attizzatoio e le pinze per la legna. «No, questa roba è pulita».

«Una statuina? Un pestello per il pepe?».

«Cercheremo, Albe', cercheremo... io stasera con questo freddo a cena fuori non vengo».

«No, Miche', ce ne stiamo a casa tua... ci guardiamo un film e ci addormentiamo mentre fiocca la neve».

«Non ti riesce».

«Cosa?».

«Meglio se mi dici la verità».

«Allora ci divertiamo a cercare tutte le cazzate che dicono su C.S.I.».

«Ora mi piaci! Amunì» gridò al primo agente in tuta bianca che aveva posato a terra la valigetta entrando nell'appartamento. «Mettiamoci al lavoro».

Il caffè era una ciofeca, il bar squallido e pieno di alluminio anodizzato. Rocco tornava verso il palazzetto di via Ponte Romano quando scorse l'uomo col grembiule che si avviava verso l'auto. «Salve...».

«Salve...».

Ci aveva azzeccato già la prima volta che l'aveva adocchiato. Il padiglione delle orecchie sporgenti, il naso rincagnato rivolto all'insù, l'assenza di muso, i canini sottili, gli occhi tondi e neri, le braccia e le mani secche includevano l'uomo col grembiule nella famiglia dei chirotteri, i pipistrelli. «Mi dica».

«Vicequestore Schiavone... conosceva la dottoressa Martinet?».

«Sì, ogni tanto veniva da me. Le ho fatto le copie delle chiavi più di una volta, le perdeva sempre. Mi dispiace da morire, era una brava donna. Si faceva i fatti suoi, studiava, ogni tanto partiva per delle conferenze... era un cervellone».

«Ricorda l'ultima volta che l'ha vista?».

Il pipistrello alzò gli occhi al cielo con una smorfia delle labbra che mise in mostra la chiostra dentaria aguzza. «Qualche giorno fa, non le saprei dire con certezza. Aveva parcheggiato davanti al negozio. Vede quella Ford bianca? È la sua macchina».

«Grazie signor...?».

«Fausto Belardinelli».

«Grazie, signor Fausto. Qualsiasi cosa le venga in mente, mi chiami».

«Certo, certo, dottore».

Poi non poté fare a meno di chiederglielo: «Lei gira spesso di notte?».

«Come?».

«Dico, lei di notte va in giro?».

«Veramente no. Quasi mai. Poi d'inverno men che meno».

Non ricordava se i pipistrelli andassero in letargo. «Bene, a presto», e riprese a camminare verso il palazzo. «Certo che ci vanno» disse ad alta voce ricordandosi la prerogativa di quei mammiferi volanti. «In gruppo però!».

«Quale gruppo, dotto'?» chiese Casella.

«Ti stai per congelare. Perché non entri dentro? Tanto i giornalisti non vengono, era una professoressa, mica una presentatrice».

Con sorpresa sulla porta di casa trovò Italo che chiacchierava con Antonio Scipioni. «Allora sei vivo. Dove cazzo eri?».

«Mi dispiace, non m'è suonata la sveglia, Rocco...» rispose Pierron.

Rocco lo squadrò. «Invece di stare qui a non fare niente, vai a dare il cambio a Casella che è lì fuori da un pezzo». Italo sbuffando si diresse verso le scale. «Anto', qui non mi servi. Recati solerte in questura e comincia a vede' chi era questa Sofia Martinet. Ma prima voglio la squadra, eccetto Italo che resta di guardia, cercate le telecamere qui in giro. Farmacie, banche, negozi. Prendete i filmati e portateli in questura».

«Che cerchiamo?».

«Cazzo ne so? Ma possono sempre tornare utili». Antonio annuì mentre Rocco entrava nell'appartamento.

Due agenti della scientifica erano al lavoro. Michela Gambino osservava dei fogli accanto al piccolo scrittoio col marocchino graffiato e strappato negli angoli. Fumagalli invece stava rimestando nella sua borsa di pelle. «Questa è morta 24 ore fa» disse a Rocco senza alzare lo sguardo. «Minuto più, minuto meno... ora me la porto via, la studio e ti saprò dire meglio. Vieni, avvicinati» disse. Rocco fece due passi nella stanza e subito Michela lo redarguì. «Le soprascarpe!», e gli indicò il mobile all'ingresso. Sopra giaceva un pacco di buste di plastica con l'elastico da infilarsi ai piedi. Rocco eseguì.

«Guarda il cranio, Rocco. Ha preso la botta fra lo sfenoide e il parietale». Con la matita Fumagalli indicava una massa scura di sangue e capelli. «Colpo secco, qualcosa di pesante, ti saprò dire di più. Solo che l'arma non l'abbiamo trovata. Questo che ci fa pensare?».

«Dipende... l'ha colpita con un oggetto che si è portato via, oppure era di sua proprietà. La professoressa Martinet conosceva il suo, barra, sua assassina... la vittima aveva cucinato e messo il piatto e un pentolino a lavare, ma non ne ha avuto il tempo. Forse stava lavorando su qualcosa che Michela sta controllando laggiù, allo scrittoio?».

«Vero» si unì Michela e alzò un cellulare, «e aveva un telefonino vecchio coi numeri grossi, quindi...».

«Fa pensare che ci vedesse poco» continuò il vicequestore. «Viveva da sola, talmente sola che abbiamo scoperto il cadavere grazie a un sorcio, e l'assassino, barra, assassina se n'è andato dalla porta di casa che non era chiusa a chiave né con il paletto, dettaglio che ha permesso al viceispettore Scipioni di sfondarla con estrema facilità».

«Quindi era in casa e si conoscevano?».

«Quindi era in casa ed è molto probabile si conoscessero. Tu Michela hai trovato segni di effrazione sulle finestre?».

«No. Solo quella della cucina ha il legno rosicchiato in basso, ma può essere usura o il sorcio di cui sopra» rispose la Gambino.

«Giusto, per ora non mi viene in mente altro» disse Fumagalli.

«Grazie del riassunto», la voce del magistrato Baldi li fece voltare verso la porta d'ingresso.

«Buongiorno dottore. Sì, più o meno questo è quello che sappiamo».

«Prendiamo un po' di informazioni sulla signora, conto in banca, proprietà, lavoro, famiglia, amici, cani, gatti e affini» disse il magistrato che restava sull'uscio.

«Entri pure, dottore» disse Michela, «basta che si mette le soprascarpe».

«È fuori questione. Avete trovato una cassaforte?».

«No» rispose la Gambino. «Un paio di cassetti in camera da letto sono stati perquisiti, ma niente di più».

«Viene spontanea una domanda».

«Spari pure» disse Fumagalli.

Baldi si mise a braccia conserte. «Non sembra una donna molto ricca, quindi eviterei il furto come movente. Perché uccidere una donna di più di 70 anni? Una docente all'università, una studiosa, un topo da biblioteca?».

Nessuno rispose. «Vabbè, forse è prematuro, ma mi concentrerei su questo concetto e su quel computer portatile», indicò il notebook poggiato sullo scrittoio.

«Michela?» fece Rocco. «Hai trovato chiavi di un'auto?».

«E certo» rispose il sostituto. «Giù c'è un agente che sta operando».

«Con permesso», e il vicequestore uscì dall'appartamento sfiorando il magistrato.

«Allora Fumagalli, qualche altro dettaglio?» sentì dire a Baldi scendendo le scale.

Dentro il portone Italo pallido in volto si soffiava sulle mani per scaldarle. «Devo stare qui molto?».

«Hai altri impegni?» gli chiese Rocco.

«Piuttosto che stare qui, andrei a spalare la neve».

«Non lo ripetere, il tetto della questura è bello gonfio e minaccia di crollare», e uscì in strada.

La macchina della vittima era a pochi metri. All'interno un agente della scientifica stava rilevando impronte digitali. «È dura lavorare con la Gambino, eh?» gli chiese Rocco.

Quello si voltò. Aveva le stecche degli occhiali tenute con l'elastico sul cappuccio di plastica. «Se a uno interessano gli aspetti più oscuri delle patologie psichiche, no», e sorrise. «Vuole vedere che c'era dentro l'auto, dottor Schiavone?».

«Hai trovato roba interessante?».

Il tecnico gli allungò un'agenda. «Qui ci sono appunti della vittima. Qualche scontrino che sto catalogando, ma è tutta cianfrusaglia dell'anno scorso. Se vuole può fotografare questi due biglietti da visita». Rocco prese il cellulare ed eseguì. «Altro di interessante non c'è. Giornali, riviste, un ombrello».

«Nel bagagliaio?».

«Due bottiglie vuote e uno straccio che porto al laboratorio per esaminarlo».

«Grazie mille» fece Rocco e cominciò a sfogliare l'agenda. La vittima non aveva molti impegni, ogni tanto il nome di una città e un orario. Notò una lettera, la J, appuntata e sottolineata in parecchie pagine. «Quando mi puoi dare l'agenda?».

«Appena analizzata, col permesso della Gambino».

Rocco gliela restituì. «Stammi bene».

«Sofia Martinet» esordì Antonio Scipioni, «era una tizia importante. Una cascata di pubblicazioni su riviste di studi sull'arte, materia che non conosco. Ha preso premi, onorificenze, prima della pensione insegnava a Torino e faceva l'ira di Dio di conferenze».

Rocco e Casella ascoltavano in silenzio, ognuno con un bicchierino di caffè in mano. «Nata a Pont-Saint-Martin nel 1940, ha lasciato la cattedra nel 2005 ma ha continuato a frequentare l'ambiente degli studi. Era sposata con Pietro Cardelli, anche lui un professore, di fisica però, alla Normale di Pisa, si sono separati nel 2002. Lui ora convive con una ricercatrice, tale Annamaria Billotti, sempre a Pisa».

«Lo dobbiamo sentire» mugugnò Rocco. «Che palle...».

«Hanno avuto un figlio, Gianluca Cardelli, domiciliato a Biella».

«Professione?» chiese Rocco.

«Qui dice libero professionista».

«Non fa niente» intervenne Casella. «Di solito quando uno scrive libero professionista non fa niente dalla mattina alla sera, sennò ci metteva avvocato, giornalista, notaio, commercialista...».

«Vabbè, è chiaro, Ugo. Va' avanti, Anto'».

Ma Casella non era ancora soddisfatto. «È come quando uno ti dice: mi occupo di import-export. Che significa?».

«Casella, per favore, la tua osservazione è lampante. Possiamo lasciare proseguire il viceispettore Scipioni?».

«Ma io 'ste notizie già le so, le abbiamo cercate insieme!».

«E io no!» gridò Rocco. «Case', mi spieghi perché alterni momenti di rara lucidità a baratri di deficienza assoluta?». L'agente non rispose. «Forza Antonio, altro?».

«Sì, sempre nel mondo degli studi, ha avuto un sacco di polemiche negli anni con mezza Europa. Era un tipino energico. Specializzata su Leonardo... da Vinci credo».

«Maddai?» disse Rocco. «Pensavo a un amico suo».

«Sì, infatti» fece Casella.

«Bene, ora tutte queste informazioni le dai al questore, e siccome quello ti spaccherà le palle in particelle microscopiche per saperne di più, telefona all'università di Torino, fatti dare dettagli, materiale che Costa userà nella conferenza stampa. Invece cerchiamo di rintracciare il figlio e farlo venire ad Aosta. Ci voglio parlare, e anche con l'ex marito».

«Rocco, i filmati?».

«Quali filmati?».

«Quelli che abbiamo raccattato in giro. Ben tre telecamere. Una farmacia, un garage, proprio dietro casa della Martinet, e una banca all'angolo con via Ponte Romano».

«Metteteli da parte. Poi li controlleremo, semmai dovessero tornare utili».

Kevin rimise le fiches nella scatola mentre Santino portava i bicchieri e i posacenere in cucina. «Anche oggi non male» fece, succhiando il bocchino della pipa. Italo fumava e osservava le mani cicciotte del compagno di giochi che riordinavano e impilavano i gettoni di plastica dentro una specie di forziere di legno laccato. «Adesso per un po' di tempo stiamo calmi».

«Motivo?».

«Non dobbiamo esagerare, Italo. Non viviamo a New York, aspettiamo qualcuno che capita in città raramente, altrimenti la voce gira e più gira la voce più rischiamo». Chiuse la serratura della scatola delle fiches. «È chiaro?».

«Quanto tempo?» chiese Italo.

«Almeno un paio di settimane. Perché? Sei al verde?».

«No, Kevin, non sono al verde. Solo voglio potermi fidare».

Santino era rientrato nella stanza da gioco. «Che vuoi dire? Fidarti di che?».

«Magari volete solo eliminarmi e vi inventate questa bugia della sospensione».

Kevin e Santino si scambiarono uno sguardo. «Te a forza di fare il poliziotto vedi il marcio ovunque. No, non ti stiamo prendendo in giro, credimi, uno stop ci vuole. In più Santino deve scendere a Isernia per una settimana».

«Si opera mia madre» confermò.

«Un paio di settimane?».

«Esatto. Poi mi rifaccio vivo io. Stai tranquillo, Italo, puoi resistere quindici giorni, no?».

Italo si alzò dalla sedia, prese i soldi dal tavolo, si infilò il giubbotto e uscì dalla villetta senza salutarli.

Non era l'attesa a spaventarlo, ma l'abitudine. Se giocava ogni due sere non ci pensava, non aveva il tempo di riflettere e prendere una decisione. Così invece, quindici giorni di astinenza, la testa avrebbe cominciato a girare, a dubitare, a fargli cambiare idea e lui di giocare non voleva smettere. Avrebbe impegnato quei giorni coi tavoli da poker veri, quelli dove rischiare denaro e far valere le proprie abilità. Soldi in banca ne aveva.

Quando la sera Rocco rientrò in casa c'era un vuoto rumoroso. L'appartamento aveva ripreso la forma di sempre, i mobili riposizionati com'erano prima dell'arrivo di Gabriele e la madre. Il divano era tornato divano e non più giaciglio di Cecilia, in bagno non c'erano trucchi e rimmel né lo spazzolino della Marvel di Gabriele. Spariti i vinili, i giornaletti e i libri di scuola. Il frigo era ancora pieno, grazie all'ultima spesa fatta da Cecilia, sarebbe durato qualche giorno, poi il processo di desertificazione avrebbe ricominciato il suo cammino inesorabile lasciando un paio di limoni e una confezione di burro scaduto. Sul tavolo della cucina c'era un foglietto. Rocco lo prese, sperando in un messaggio del ragazzo. Invece era la nota della donna delle pulizie che gli ordinava in maniera tassativa di comprare lo sgrassatore. Si sedette sulla poltrona accanto alla finestra. Dunque ci risiamo, pensò. Ancora una casa vuota. Certo era diverso, un ragazzo e sua madre non potevano valere Marina, ma sempre vuota era.

«Ci hai abitato per mesi in questo appartamento, da solo... ti ricordi i primi tempi? Odiavi che fossero venuti qui, anche se eri stato tu a offrirgli ospitalità». Marina è a braccia incrociate appoggiata al lavello della cucina.

«Hai ragione... ma è la solita storia, vecchia e ritrita, che t'accorgi di una persona solo quando se ne va».

Ride. «Allora ti sei accorto di me quando sono morta?».

«Cretina!», è cretina, non può fare a meno di provocarmi. «Io mi sono accorto di te sempre, si può dire?».

«No, in italiano no, ma il concetto è chiaro. Perché non te ne vai da questa città? Non ti piace, non ti è mai piaciuta».

«Ci sto pensando sul serio a chiedere un trasferimento. Ma col culo che mi ritrovo questi mi mandano in Barbagia».

«Pensa se ti mandassero a Mozzagrogna» dice.

«Cos'è Mozzagrogna?».

«La città che ha dato i natali al tuo amico, l'agente D'Intino», e scoppia a ridere.

«Se so' tutti come lui almeno il lavoro è facile».

«Poi passa».

«Cosa, Mari'?».

«Questa malinconia per Gabriele, passa. È una sensazione che il tempo può curare. Anche se il tempo io non

me lo ricordo. Il tempo è come un'orma sulla spiaggia, fa' conto che per me è passata l'onda e la sabbia è tutta uguale. Non distinguo più neanche i granelli».

«Una liberazione...», lei non mi guarda. E allora ripeto. «Una liberazione?».

«In un certo senso sì. E se ci pensi anche le ombre non hanno più senso. L'ombra segna il tempo, s'allunga e s'accorcia, vuole la luce, hai mai visto un'ombra senza luce?».

«No» le dico.

«E questo è importante. Anche la luce non so più cosa sia. E non so dov'è il buio. Non mi riguardano più. Se uno non ha più gli occhi, nessuna luce può essere importante, no?».

«Ora mi vedi?».

«Sei tu che vedi me» mi dice.

«E tu no?».

Sorride. «Ma che ti sei messo in testa, Rocco? Una favoletta? Non c'è niente di fiabesco, niente di quello che tu possa anche lontanamente immaginare, cosa devo vedere? Potrei immaginare, ma l'immaginazione è luce e qui luce non ce n'è. E visto che giochiamo con le parole, ne ho una nuova per te. Telamone».

«Uffa che palle» le dico. «Che vuol dire?».

«Bella, eh? Passa i giorni come meglio puoi, amore mio, a te le impronte sulla sabbia restano. Cammina lungo tutta la spiaggia».

«Difficile se hai a che fare con gli omicidi».

«No, non aiuta. Sai che cosa aiuterebbe?».

«No».

«Esci e vatti a mangiare il pesce al Grottino. E bevi. Pa-

recchio. Fidati». Alzo gli occhi e non c'è più. È come la fiamma di una candela, Marina, un soffio e se ne va.

Il ristorante gli sembrava l'unica soluzione, quel silenzio denso e irreversibile non lo poteva sopportare. Seduto sul divano spense l'ennesima sigaretta. E il cellulare lo avvertì che aveva un messaggio. Lo lesse e gli tornò il sorriso.

«MAJOR TOM TO GROUND CONTROL! SIAM GIUNTI IN QUEL DI MILANO. LA NOSTRA RIDENTE ABITAZIONE È IN VIA NON MI RICORDO, È VICINA A UNA FERMATA DELLA METRO CHE SI CHIAMA FAMAGOSTA, HO UNA STANZA DALLA QUALE POSSO GODERE DI UN PANORAMA CHE PUOI APPREZZARE SE TI PIACCIONO I FILM CON GLI ZOMBIE. AH AH AH! TI VOGLIO BENE MAJOR TOM TO GROUND CONTROL PASSO».

Rocco sorrise.

«GROUND CONTROL TO MAJOR TOM, SONO FELICE TU VIVA IN UN LUOGO RIDENTE E OSPITALE. SICCOME PEGGIO DI COSÌ NON POTEVA ANDARE, AVRAI SOLO DA RISALIRE LA CHINA. GROUND CONTROL TO MAJOR TOM PASSO E CHIUDO. PS. LUPA TI MANDA UN WOOF».

Mercoledì

Le nuvole scivolavano grigie, l'aria era fredda, asciutta e seccava l'interno delle narici. Quando Michele Deruta arrivò al portone di Federico, trovò un furgone blu con gli sportelli aperti. Helmut, il cugino di Federico, caricava scatoloni. Indossava una camicia a scacchi, il fiato colorava l'aria. «Ciao Helmut».

L'uomo si girò. Aveva la barba rossa e folta, gli occhi chiari e allegri, sembrava sempre felice. «Michele!», lo abbracciò con forza. «Che fai tu costì? Da Federico or sali?».

«Sì, ci devo parlare...».

Il cugino fece una smorfia. «Sicuro sei della scelta compiuta?», Helmut aveva imparato l'italiano dai libretti d'opera di cui era un fruitore compulsivo.

«Perché?».

«Gli occhi aperto ha già all'ora delle lodi. A me sembra contraddetto e adombrato. Consiglio mi preme darti. Fra poco con Zanna lui in strada scenderà. Attendilo ai giardini. La passeggiata forse più tranquillo Federico renderà e l'aria mattutina spazzerà via il suo triste cogitare».

Deruta non aveva capito una parola. «Che devo fare?».

Helmut alzò gli occhi al cielo. «Attendi che col cane in strada egli scenda, solo allora converrà con lui il favellare».

«Favellare?».

«Sprechen... parlare!».

«Faccio così?».

«Io a questo comportamento mi atterrei. Poi questo è paese libero, scegli come l'ingegno tuo meglio consiglia», e ridendo alzò una cassetta metallica e la portò al furgone.

«Cosa c'è lì dentro?».

«Le apparecchiature di fotografia... lavoro portato al termine, materiale...», si baciò la punta delle dita, «... splendido!».

«Mi sa che faccio come dici tu, Helmut. Ma torni in Germania?».

«No, ora vado in Francia. Provenza... Aigues-Mortes... servizio di moda in terra occitana... poi torno e tosto ci rivedrem, Michele!». Lo abbracciò ancora e gli mollò due pacche sulla schiena. «Conviene portare pazienza, Federico è un po'... Arschloch, ma poi capisce e il suo cor torna soave. Ciao Michele, un bel dì ci rivedremo!». Tornò a caricare il furgone blu fischiettando l'aria della *Madama Butterfly*.

Deruta ascoltò il consiglio e a passi decisi si incamminò verso via Monte Solarolo, alle mura romane. Federico faceva sempre una sosta alla Tour Neuve. E lì si mise ad aspettarlo, accanto alle pietre antiche, guardando le poche macchine che passavano. Camminava su e giù, il freddo era intenso, batteva i piedi, le mani. Ci vollero quasi venti minuti prima di vedere il suo amore svoltare da via Monte Pasubio. Camminava lento, Zanna Bianca al guinzaglio con l'andatura saltellante dei lupi guardava dritto davanti tenendo il passo del padrone, cane perfetto in quel paesaggio di neve e freddo. Deruta ingoiò un mattone di saliva. Non aveva preparato nessun discorso, non sapeva come cominciare né come provare a convincere il suo uomo. Federico lo vide e sorrise.

Buon segno, pensò Deruta, e gli andò incontro. Federico però non sembrava guardare lui, ma attraverso lui. Ormai erano a pochi metri e decisamente gli occhi del suo uomo non puntavano il suo viso. Michele Deruta ebbe la sensazione di essere trasparente. Eppure pesava 110 chili, era grosso e ingombrante, possibile che non l'avesse visto? A due metri di distanza ormai non c'erano più dubbi. Federico era concentrato altrove. Infatti gli passò accanto senza degnarlo di un saluto o di un'occhiata. Zanna voltò appena il muso e tirò dritto. Alle spalle dell'agente, a soli dieci metri, una signora con un boxer al guinzaglio si stava avvicinando. Poi si incontrò con Federico e mentre i cani scodinzolando si annusavano, lei lo abbracciò felice. Deruta colse appena qualche brandello di dialogo. «Come stai?», «Non ti vedo da un pezzo...», poi i due proseguirono la strada verso la torre dando le spalle a Michele Deruta che rimase fermo in mezzo alla strada. Zanna si voltò, Michele ebbe la sensazione che almeno lui lo salutasse. Poi riprese a trotterellare dietro il padrone.

«Non mi ha visto. Non mi ha voluto vedere, mi ha ignorato» pensò. Che fare? Seguirlo e chiedere spiegazioni? Tanto le conosceva già. Sapeva che Federico era arrabbiato marcio con lui. Che gli avrebbe potuto dire? «Non mi hai neanche salutato»? E quello avrebbe sorriso con la sua aria di sufficienza per rispondergli un semplice «no».

Brutta situazione. Imbarazzante anzi. Una voce dentro gli stava dicendo: «Così lo perdi, muoviti, vai!». Ma poi sentì bruciare la X rossa in fronte. Un uomo può fare una scenata a una donna e viceversa. Così come un padre o una madre a un figlio. Ma può un uomo in mezzo alla strada chiedere conto al suo compagno del suo atteggiamento? Cosa avrebbe pensato la signora col boxer? Una coppia definita normale agli occhi del mondo avrebbe potuto, lui e Federico no. A loro era vietato. Doveva aspettare di essere solo con lui, appartato, nascosto, per parlare della loro storia, dei loro problemi, che poi, e Michele lo sapeva, mica erano tanto diversi da quelli delle persone senza la X rossa in fronte, quelli che vanno bene a Dio e agli uomini. E intanto Federico era lontano, raggiungerlo era impossibile e ridicolo. Deruta si mise la mano in tasca. Tirò fuori un Kit Kat mezzo squagliato, lo scartò, lo finì con soli due morsi e tirò dritto verso la questura.

Aveva dormito solo qualche ora, abbastanza però per sprofondare in sogni peggiori della realtà. Il questore aveva indetto la conferenza stampa per quella mattina, a Rocco sembrò opportuno svicolare verso il suo ufficio e restarci con Lupa, chiuso a bere caffè e fumare come una ciminiera fino al termine di quell'orribile rito. Sandra sarebbe stata presente, prioritario dunque non mostrarsi in giro. Aveva sbagliato con la giornalista? La solita reazione, chiusura blindata di porte e finestre per non far entrare nessuno nella sua esistenza. «Poi ti lamenti che non hai amici» pensò. Li aveva, ma erano a Roma. Il telefono squillò mentre aggiungeva delle briciole secche di marijuana nella cartina. Finì di rollarla, ne leccò le estremità, poi rispose. «Schiavone...».

«Fumagalli...».

«Cazzo vuoi?».

«Vieni».

«Novità?».

«Alcune», e l'anatomopatologo chiuse la telefonata.

Dov'era l'accendino? Sparito dalla tasca, non era sulla scrivania e neanche nei pantaloni. «Lupa, l'hai preso tu?». La cagna non lo degnò di uno sguardo. Stravaccata sul divanetto si leccava con dovizia e precisione la zampa anteriore destra.

Le luci azzurrine dell'obitorio cadevano a piombo e dipingevano di nero le orbite degli occhi mentre la puzza di disinfettante mista a umidità prendeva alla gola. Un infermiere basso con i capelli tagliati a spazzola, stanco, con gli occhi quasi chiusi, passò accanto al vicequestore senza guardarlo. Trovò Fumagalli nel suo studio, mangiava una strana barretta ricoperta di granelli di nocciole, o forse erano semi. Sembrava cibo per canarini.

«Proteine» disse. «Devo limitare i carboidrati, l'alcol e i grassi in generale».

«E sticazzi» gli disse Rocco. Insieme entrarono poi nella morgue.

«Com'è che non porti più l'agente Pierron? Almeno ci divertivamo a guardarlo svenire».

«L'agente Pierron meno lo vedo e meglio sto» rispose Rocco.

«Fa cazzate?».

«Tante».

Fumagalli si infilò la merendina in bocca e raggiunse il lettino autoptico dove giaceva il cadavere di Sofia Martinet. La pelle grigia, i capelli bianchi, fra le palpebre socchiuse si scorgeva la pupilla spenta e senza vita. Le dita dei piedi e delle mani erano leggermente piegate dall'artrite, una voglia sulla spalla sinistra. Magra, le si potevano contare le costole. «Allora la signora è stata uccisa lunedì, fra le 12 e le 14». Alberto parlava con la bocca piena e masticava.

«Come cazzo fai a mangiare...».

«Ho fame».

«Volevo dire...».

«Qui? Ci lavoro, per me è normale», ingoiò il bolo. «E a proposito, vuoi sapere cosa ha avuto come ultimo pasto?».

«Se devo proprio» rispose Rocco.

«Riso in bianco con i piselli. Non li ha digeriti e questo aiuta per l'orario della dipartita». Fumagalli voltò appena il capo del cadavere. «Ora la ferita l'ho pulita. Vedi? Colpo secco, le ha sfondato il cranio. Sto esaminando i contorni, ma è un oggetto squadrato, direi pesante, e il colpo è stato molto violento».

«E non l'abbiamo trovato...» disse Schiavone.

«Pare di no. L'assassino si è sporcato sicuramente di sangue. Michela sta cercando con attenzione presenze ematiche sul pavimento, oltre alla pozza che la signora ha lasciato accanto al tappeto. Non si curava i denti, sono ridotti maluccio, e questo è il dettaglio più importante...», raggiunse un piano d'alluminio e prese due vetrini. «Sotto le unghie ho trovato stoffa».

«Ha lottato con l'assassino?».

«Sembrerebbe. Non proprio una colluttazione, ma un contatto c'è stato. Ora mando i campioni da Michela per saperne di più».

«Il fatto che tu e lei abbiate una storia non ti dà il diritto di chiamarla per nome. Devi dire il sostituto Michela Gambino».

«Vaffanculo, Rocco».

«Quanto era alta Sofia?».

«Un metro e sessantaquattro» rispose Fumagalli.

«Sei riuscito a capire la direzione del colpo?».

«Dall'alto in basso, direi».

«Dunque il figlio di puttana è più alto di lei».

«Direi di sì. Almeno una quindicina di centimetri».

Rocco prese un respiro profondo. «Ti posso confessare una cosa, Albe'?».

«E dimmi».

«Non ne posso più». Tornò a guardare il cadavere. «Che ci sia gente che pensa a questa come ultima soluzione ai suoi problemi. Anche i cani che fanno la caccia alla volpe a un certo punto smettono di correre. Fingono di essere parte integrante della muta, abbaiano, latrano, poi al via invece di inseguire la bestia si fanno una passeggiata per i campi. Qualcuno si perde e non torna più indietro. Ma non credo si smarriscano. Se ne vanno, tranquilli, rinunciano al cibo sicuro e a un riparo in cambio di una manciata di giorni di piena libertà perché a loro, la caccia, non li attrae più da tempo».

«Stai pensando a toglierti di mezzo?» gli chiese Alberto.

«È che ogni tanto succede che si aprono le tende, come ora, e vedo il panorama. Non è un granché».

«Mi devo ricordare quando sono triste di farti una telefonata, così mi tiri su il morale».

Rocco lo guardò negli occhi. «Tu non puoi essere triste, perché hai una mente ossessiva e deviata».

«Grazie» rispose lusingato Fumagalli.

«Prego».

«Perdona se torno a parlare di lavoro, ma ho un sacco di pratiche e poi voglio andare a prendere il caffè, altrimenti questo parallelepipedo di polistirolo che ho inghiottito mi occlude l'esofago e il cardias. Vorrei farti notare due dettagli importanti. Il primo...». Sollevò la mano destra di Sofia. «Vedi? Indice e anulare hanno vecchie macchie di inchiostro. Questo significa che la Martinet scriveva a penna».

«E tu ti stai chiedendo cosa ci faceva col computer sullo scrittoio».

«Io dire, tu trarre conclusioni. Poi il secondo dettaglio. Osserva l'anulare. Aveva un anello...».

L'impronta circolare intorno al dito era evidente. «Sì...».

«Un anello che portava sempre, guarda come ha scavato la pelle».

«Una fede?».

«Alla destra? Non si porta alla sinistra?», e Alberto indicò la mano di Rocco, la sua vera era ancora lì.

«Sì, giusto. Un'eccentrica? Comunque hai ragione, Albe', era separata dal 2002. No, non era una fede».

«Ho chiesto a Michela, ops, alla dottoressa Michela Gambino, e non ha trovato niente. Sì, gioiellini di poco conto, un paio di anelli, ma erano in un cassetto della camera da letto. No, io la vedo così: l'assassino l'anello gliel'ha sfilato dopo averla uccisa. Come mai?».

«Forse l'oggetto raccontava troppo» rispose Rocco, «ed era meglio farlo sparire?».

«L'ho pensato anche io».

«Ma ora, Alberto, azzardo».

«Buttati».

«Se era un anello che lei portava da anni, forse era complesso sfilarglielo. Si sarà aiutato? Magari con la saliva?».

Gli occhi di Fumagalli si accesero. «Ci andrebbe assai di culo, Rocco. Però tentiamo, potrebbe essere l'unica traccia che ci ha lasciato».

Era appena salito in auto quando l'inno alla gioia riempì l'abitacolo. «Pronto?».

«Schiavone, sono Baldi. Ho fatto un po' di lavoro per lei».

«Mi dica, l'ascolto».

«La vittima, Sofia Martinet, non era ricca. La casa era in affitto e sul conto in banca presso la cassa di risparmio ci sono duemila euro scarsi. Non possedeva titoli, appartamenti, beni al sole. Viveva con la pensione».

«Che è una pensione ottima ma non è certo il motivo dell'omicidio».

«È altrove. Buon lavoro, mica posso passare tutto il giorno al telefono con lei».

«Saranno due minuti che parliamo».

«E chissà perché ho la sensazione di averli comunque buttati al vento».

«Non si arrabbi, dottor Baldi, produce cortisolo, fa male alla salute».

«E me lo suggerisce lei?», e chiuse la comunicazione.

Parcheggiò di fronte all'ufficio. Scendendo dall'auto notò i giornalisti che stavano lasciando la questura. La conferenza stampa era appena finita, Sandra poteva essere nei paraggi, pensò di ritornare in macchina quando la scorse sulla soglia che chiacchierava con un altro giornalista. Alzò appena gli occhi e lei lo vide. Non ebbe nessuna reazione, seguitò a parlare con il collega dai capelli ricci. Tornare in auto non era più una soluzione credibile. Abbassò un po' la testa e salì i gradini. Quando la incrociò accennò un sorriso, e lei fece lo stesso, come due conoscenti, due vicini di casa. Appena superò la doppia porta di cristallo si pentì. Così si comportano i vigliacchi, si disse. Allora tornò sui suoi passi. Sandra aveva sceso solo due gradini, il giornalista non mollava la presa. «Dottoressa Buccellato!» la chiamò. Sandra si voltò, congedò il riccetto e risalì le scale. «Dimmi tutto» disse seria. Aveva gli occhi stanchi, le palpebre arrossate. Pallida, solo il fard dava un po' di colore al volto. «Mi devo scusare con te» disse Rocco. «Sono una testa di cazzo», e la guardò. Sandra sembrava aspettare il resto. «Mi dispiace tanto, non meriti un trattamento così. Vorrei solo, se me lo permetti, continuare a...». Sandra lo bloccò con un gesto delle mani. «Non c'è nulla da continuare, Rocco, perché nulla è mai cominciato». Lo disse con un tono gelido come una pietra tombale.

«Hai ragione. Però l'altro ieri ti ho trattata male, ma non riesco a farne a meno».

«Lo so, l'ho capito. L'unico consiglio che mi sento di darti, Rocco? Curati. Ma lo dico per te. Sei tu che stai male, che vivi male, che non ti godi neanche un singolo momento della vita». Poi abbassò gli occhi. «E vedo che le scarpe neanche le hai comprate».

«Non ne avevo bisogno. Insomma, ne ho altre due paia nuove a casa, ho solo scordato di cambiarle».

«Allora eri uscito con me solo per trattarmi come una pezza da piedi?».

«No, avevo voglia di vederti, Sandra, poi mi succede che cala un panno nero, e mi sembra di prenderti in giro».

«Ma cosa credi? Che io sia lì ad attendere una tua parola, un gesto, innamorata come una liceale? Pensavo solo si potesse avere un rapporto normale, fra un uomo e una donna diciamo così, maturi? Una storia semplice, sincera, onesta. Non volevo venire a vivere da te, non ti voglio portare all'altare, solo fare un po' di strada insieme, niente di più, senza troppi coinvolgimenti, promesse, aspettative. Leggeri, Rocco. Alla nostra età la leggerezza è d'obbligo. Ma tu leggero non sai esserlo. Anzi, non puoi esserlo. Ti saluto, vado a scrivere l'articolo su Sofia Martinet. Era una donna eccezionale, lo sapevi?».

«L'ho scoperto in questi giorni».

«Se n'è andato un pezzo di cultura del nostro paese, così intitolo l'articolo. Una donna che ci invidiava mezza Europa, conosciuta meno di un calciatore di Lega Pro. È normale. Se vuoi saperne di più magari leggi l'articolo. Potrebbe tornarti utile». Si girò e se ne andò piantando Rocco sulla porta della questura.

L'aveva preso a schiaffi col guanto di velluto. Era giusto così. Sapeva che a metà rampa di scale prima di raggiungere il suo ufficio, quella sensazione di inadeguatezza sarebbe scomparsa per lasciare il posto a un'autocompassione rabbiosa.

«Vuoi che ti elenchi i premi che ha preso?» disse Antonio con un bloc-notes in mano. Italo guardava fuori dalla finestra. «Sono tanti?» chiese Rocco.

«Quattordici. Abbiamo trovato il figlio, abita a Biella e l'ho convocato».

«Bravo Antonio. C'è altro?».

«Sì. È spuntato fuori un notaio. Ha un legato di Sofia Martinet. Pare che abbia destinato tutti i suoi libri alla biblioteca del Comune di Aosta. È un lascito importante, pare».

«Bene. Cos'è che non torna?».

I due poliziotti lo guardarono. «Insomma, era divorziata, il figlio non lo vedeva quasi mai, non era ricca, perché ucciderla?».

«Forse...» azzardò Italo, «aveva qualcosa che faceva gola a qualcuno. E quel qualcuno l'ha presa dopo averla ammazzata».

«Che può avere di prezioso una donna simile?» chiese Antonio.

«Un libro?» disse Rocco. «Un libro antico, importante, che magari vale un patrimonio?».

«E lo terrebbe a casa? Senza una cassaforte?» obiettò Scipioni.

Rocco si accese una sigaretta. «Sappiamo che è morta lunedì, fra le 12 e le 14. È presumibile pensare che ci sia stato un litigio. Ma a quell'ora in casa chi c'era nel palazzo?».

«Boh» disse Italo.

«E allora andiamo a fare quattro domande ai vicini, che ne ho già i coglioni pieni. Italo, vieni con me. Antonio, tu vedi di contattare l'ex marito, il professor Pietro Cardelli, voglio sentire anche lui». Indossò il loden e uscì dalla stanza seguito da Pierron.

Italo guidava lento fra le poche macchine in giro. Ogni tanto una stella di neve si spiaccicava sul parabrezza. «Com'è che oggi hai voluto me?».

Rocco si accese una sigaretta. «Cosa combini? Non mi dire la sveglia o altre cazzate che ti do un cazzotto».

Italo strinse un po' gli occhi, sembrava che la luce esangue e diafana gli desse fastidio. «Ho una mezza storia con una tizia, un po' complicata, mi impegna troppo. Credo che mollerò appena possibile».

«Nome?».

«Claudia».

«Professione?».

«Hostess per i convegni».

«Domicilio?».

«Nus».

«Cellulare?».

«A memoria non lo so».

«E io ti dovrei credere?».

«È la verità».

Rocco gettò la cicca fuori dal finestrino. «Ti ricordi cosa ti dissi i primi tempi?».

«Me ne hai dette tante di cose».

«Tu somigli a una faina. E io di faine ne ho conosciute tante, ma mai fra le forze dell'ordine, ricordi?».

«E mi ricordo anche che mi hai scelto per quel camion pieno di marijuana, e ci facemmo un sacco di soldi».

«Ecco, bravo. Dunque non mi prendere per il culo, non l'hai ancora capito che sono l'unica assicurazione che hai? Allora richiedo: che cazzo combini?».

«Te l'ho detto, Rocco. Ho una tipa».

«Ti ho tolto dai guai più di una volta, e io dico che tu continui a giocare. Non so in che giro ti sei messo, ma se finisci nella merda, stavolta non venirmi a chiamare».

«E perché ci dovrei finire?».

Rocco lo guardò mentre l'agente fissava la strada. Attese qualche secondo, ma Italo teneva la bocca chiusa segnata da una piccola smorfia sarcastica. «Parcheggia pure, siamo arrivati» gli disse. Prima di aprire lo sportello gli mollò una pacca sulla spalla. «Hai fatto la tua scelta, Italo. Ti auguro buona fortuna», e scese.

Rebecca Fosson stendeva la pasta col mattarello mentre Dario, seduto sul divano, guardava il soffitto dondolando il busto. «Dottor Schiavone, mi scusi ma non posso fermarmi altrimenti si incolla».

«Faccia, faccia pure. La disturbo di nuovo e le chiedo di sforzare un po' la memoria. Sappiamo con certezza che Sofia Martinet è stata uccisa lunedì, fra mezzogiorno e le due».

«Lo sa? Ancora non mi capacito che proprio sotto casa mia ci sia stato un delitto così feroce».

«Vero?».

«Stricoscino!» gridò Dario. Rocco sobbalzò, anche Pierron, che incuriosito prese a fissare l'uomo. Poi l'agente rivolse uno sguardo interrogativo a Rocco. «Lo sforzo che le chiedo, signora, è di ricordarsi lunedì da mezzogiorno alle due, dov'era?».

Rebecca fermò il mattarello, gettò un pugno di farina sull'impasto e guardò il tavolo della cucina. «Lunedì... lunedì... allora, la mattina sono andata a fare la spesa, sono rientrata verso le dieci. Ma sì, certo. Ho messo Dario a dormire e sono andata dalla merciaia, per la lana».

«Ricorda quant'è stata via?».

«Sono arrivata dalla merciaia a mezzogiorno e un quarto, lo so perché a quell'ora mi suona la sveglia del cellulare, devo prendere la pillola della pressione altrimenti me la scordo». Riprese a stendere la pasta. «Però all'una, al massimo l'una e dieci, sono rientrata. Ho trovato Dario seduto davanti alla televisione senza volume che rideva. Ho preparato il pranzo e poi abbiamo fatto il riposino».

«Valuma'!» gridò ancora Dario. Stavolta Rocco e Italo non si voltarono a guardarlo. «Cosa ha detto?».

«Mah... non lo so. Ogni tanto si inventa parole nuove».

«Aua!».

«Questa la so. Vuole bere». Rebecca prese un bicchiere e lo riempì al lavello.

«Lei non ricorda niente? Intendo, quando è passata davanti alla porta della Martinet».

Claudicante, la donna portò l'acqua al figlio che la finì con un solo sorso. «Bubunna!» fece leccandosi i baffi.

«Sì, è buona, Dario», e carezzò sulla testa il figlio che tornò a fissare con gli occhi ciechi il soffitto. «No, dottore, niente. Non ricordo niente di strano».

Rocco si alzò. «Bene, signora Fosson, lei è stata molto utile».

«Davvero? E come?».

«Ci ha appena comunicato l'ora esatta della morte della Martinet, restringendo il campo, e di parecchio. Fra le undici e tre quarti e l'una».

«Porca puttana!» disse Rocco appena salito in auto. «L'unico testimone che ho è cieco e pure ritardato... mai una cosa semplice».

«Ma che ha quel tizio?» chiese Italo.

«Agente Pierron, parlavo a me stesso. Da questo momento con te non voglio più avere niente a che fare, lavoriamo quando è impossibile restare a distanza, evitiamo discorsi personali, consigli e altre amenità. Mi pare di averti già augurato buona fortuna, no?».

«Come vuoi, Rocco. Certo non mi metto a piangere».

«E secondo te, me ne frega un cazzo?».

Italo frenò. «Ma che vuoi? Pensi di essere al centro della vita di tutti? Di essere indispensabile? Lo sai cosa sei? Un poveretto, uno che non si tira un colpo di rivoltella perché non ha neanche i coglioni per farlo. Te l'ho già detto un milione di volte, non sei mio padre, né mio fratello, e allora come dici tu, fatti i cazzi tuoi e lasciami vivere la mia vita».

Si guardarono negli occhi per qualche secondo. «Hai finito?» disse Rocco.

«Sì».

«Allora scendi e tornatene in questura con un taxi o a piedi, oppure vai a mori' ammazzato dagli amici tuoi a giocare a poker. Con te ho perso pure troppo tempo».

Italo spalancò la portiera e scese. Lo stesso fece Rocco.

«Vaffanculo» disse sottovoce Italo.

«Da questo momento qualsiasi ritardo in ufficio o assenza ingiustificata non sono ammessi. Per qualsiasi bisogno rivolgiti al tuo superiore, il viceispettore Scipioni». Rocco salì in auto e sgommando proseguì la corsa. Italo si incamminò a testa bassa verso la questura.

Le vetrine del supermercato illuminavano la strada statale, intorno il panorama era affogato dalle nuvole. Rocco parcheggiò l'auto, prese in pieno un mucchio di neve, bestemmiò un paio di santi, poi entrò. Lo accolsero un tepore piacevole e una musichetta da ascensore. C'erano tre casse funzionanti, pochi clienti in fila con i carrelli, un box di legno e plexiglass fungeva da ufficio amministrativo. «Senta un po'» disse Rocco all'uomo intento a spulciare fatture, «sto cercando...».

«Per le informazioni sui buoni e i prodotti deve rivolgersi alle casse».

«Vicequestore Schiavone, Polizia di Stato, ho la tua attenzione?».

L'uomo alzò il viso. Portava una barba lunga e nera come le sopracciglia, l'aria stanca e preoccupata. «Dica».

«Elena Sibetti».

«Cassa numero 3. Che succede?».

«Chiama il cambio, ci devo parlare».

«Sì, ma che succede?».

«Che non ti fai i cazzi tuoi, succede».

Rocco si avvicinò alla cassa numero 3 mentre la voce dell'uomo rimbombava per tutto il supermercato: «Corini alla cassa 3, Corini alla cassa 3».

Elena stava passando alcuni prodotti sullo scanner, appena sentì l'avviso alzò la testa, poi rivolse l'attenzione verso l'ufficio amministrativo. L'uomo con la barba le indicò Rocco che attendeva alla fine del piccolo nastro trasportatore. «Le devo parlare».

Elena annuì. «Finisco la cliente».

«C'ero prima io, infatti» disse la signora imbacuccata intenta a riempire le buste con la spesa.

«Si sbrighi!» disse Rocco.

«Come dice?».

«Ho detto si sbrighi, signora...».

Quella non rispose e proseguì a infilare merce nelle sporte. Dal corridoio latticini spuntò un ragazzo sui 30 anni di corsa, si avvicinò alla cassa e prese il posto di Elena. La ragazza si alzò dalla sedia imbottita e rappezzata con lo scotch e asciugandosi le mani si avvicinò a Rocco.

«Sono Elena Sibetti» disse con aria preoccupata.

«Vicequestore Schiavone» rispose Rocco.

«Ah... polizia?».

«Intuito femminile?».

Elena si guardò intorno. «Cosa posso fare per lei?».

«Lei abita accanto a Sofia Martinet, a via Ponte Romano».

«Esatto sì, è la mia vicina».

«Lei ha sentito niente lunedì, l'altro ieri, dalle undici e trenta alle tredici e trenta? Rumori sospetti, un litigio?».

«No... ma io rientro dopo le diciannove e la mattina alle otto sono già qui al lavoro. La pausa pranzo è di un'ora, ma non torno».

«Suo marito?».

«Dal lunedì al venerdì è di turno. Parte alle sei e torna alle otto e mezza. Solo il sabato e la domenica stiamo in casa, se non ci sono chiamate d'emergenza». Rocco si allontanò dalle casse facendo cenno alla ragazza di seguirlo.

«Come si chiama suo marito?».

«Mario...».

«Ci devo parlare... mi scarabocchi il suo cellulare su un foglietto», e strappò una pubblicità dalla vetrina dove offrivano 6 ammorbidenti al prezzo di 4. Elena prese una penna dal taschino del camice verde e rapida scrisse il recapito.

«La conosceva Sofia Martinet?».

«L'avrò incontrata qualche volta. Un saluto rapido, non avevamo rapporti», e consegnò l'appunto a Schiavone che prima lo ripiegò e poi lo intascò.

«Ha mai notato se riceveva gente in casa, amici, colleghi?».

«Mai. Solo una settimana fa ha fatto una cena. Lo so perché Mario l'aiutò a portare in casa le sporte della spesa e lei per ringraziarlo gli donò una bottiglia di vino. Ma noi non beviamo e allora...».

«Alt!». Rocco alzò una mano. «Al vicequestore non interessano le sue abitudini. Insomma faceva una vita riservata».

«Per quel poco che ho notato sì, direi di sì. È terribile, non trova?».

«Cosa è terribile?».

«Quello che è successo».

«Certo che è terribile, che me lo dice a fare?».

«Che succede?», una voce maschile alle spalle del vicequestore lo costrinse a una dolorosa rotazione del busto. Era quello dell'amministrazione. Ora che stava in piedi, Rocco notò la pancia enorme, respirava a fatica.

«Direttore, lui è un vicequestore».

«Lo so... posso sapere cosa succede?».

«Indagini per omicidio».

L'uomo strabuzzò gli occhi. «Omicidio?».

«Ora se ne torni al suo ufficetto e non rompa i coglioni, spero di essere stato chiaro».

Il direttore guardò Rocco. «Lei è troppo arrabbiato, dottore, non se la prenda con me o con la mia collega. Anche noi stiamo lavorando» gli disse dolcemente.

«Cos'è lei, un prete?».

«Mi creda, non ne vale la pena aggredire le persone così. Se serve sono in ufficio», si voltò e si avviò alla sua postazione. Rocco prese un respiro profondo, poi tornò a guardare Elena.

«Torniamo a lunedì? Lei per caso ricorda se per le scale ha incontrato una faccia sospetta, un rumore strano?».

Elena ci pensò un poco. «No, dottore, non mi ricordo. Ero triste, questo sì».

«Triste?».

«Sì. Domenica io e mio marito... non c'entra niente, mi scusi», gli occhi di Elena si erano gonfiati di lacrime. Prese un fazzoletto dalla tasca e si asciugò il naso. «No, non ricordo niente di strano. Solo il desiderio di uscire di casa al più presto possibile, come se scottasse».

«La casa?».

«Esatto».

«Va bene, signora Sibetti, le auguro di risolvere i suoi problemi. Se dovessi convocarla lei vola in questura, vero?».

«Certo, dottore, certo».

Fuori dal supermercato Rocco scalciò un mucchio di neve e una fitta di dolore gli attraversò il piede per fermarsi al cervello. Aveva ragione il direttore del supermercato, non ne valeva la pena. Italo non valeva la pena. Non era un suo amico, mai era entrato nel cuore di Rocco, provava solo amarezza. Amarezza per avergli mostrato luoghi segreti della sua vita, introdotto agli amici, quelli veri, di Roma, salvato più di una volta da situazioni disperate, e tutto quello che aveva avuto in cambio era una valanga di bugie. Rocco sapeva che Italo continuava a giocare d'azzardo, come se niente fosse accaduto, rifiutando ogni tipo di aiuto che lui mille volte gli aveva offerto.

«Mica è mio figlio» concluse mentre apriva l'auto. Era solo l'ennesima delusione, anche se sul cavallo Pierron aveva puntato pochi spicci. «Che t'aspetti da una faina?» si ripeté mentre metteva in moto. I primi tempi si era convinto che Italo poteva diventare se non proprio un amico, almeno una persona cui affezionarsi. Invece l'agente era a miglia di distanza e sembrava che il distacco fosse incolmabile. Italo era stato un soffio di vento, una piuma; una bolla di sapone, anzi, che scoppia e sparisce appena trova un posto dove fermarsi.

Rocco contò i soliti 34 scalini e 25 passi per arrivare al suo ufficio. Regina reginella, quanti passi devo fare per arrivare al tuo castello? Gli venne in mente la vecchia filastrocca di un gioco che facevano le sue amichette a Trastevere. Ci partecipava anche Sebastiano solo quando la regina del gioco era Rosanna, che Sebastiano amava con tale potenza da poterla chiamare adorazione, e allora si metteva in fila con gli altri. Al suo turno poneva la domanda: «Regina reginella, quanti passi devo fare per arrivare al tuo castello?». Rosanna come sempre gli concedeva sei passi da formica, Sebastiano invece avanzava fino al muro della chiesa per abbracciarla e baciarla. Rosanna scappava, lui la inseguiva, si beccava un ceffone e finalmente si poteva andare a giocare a calcio o a prendere per il culo i vecchi davanti al bar. «Buongiorno dotto'...» lo salutò D'Intino, testa bassa come un cane bastonato. «Buongiorno!» gli rispose con voce severa il vicequestore. D'Intino, paralizzato, in stato di sudditanza davanti all'ufficio agenti, osservava il vicequestore avvicinarsi alla lavagna delle rotture di coglioni e scrivere una parola brevissima, forse un numero, per poi entrare nel suo ufficio accolto dall'abbaio di Lupa. D'Intino si avvicinò al cartellone per controllare cosa avesse messo Schiavone all'ottavo livello. Lesse: Io.

Non capì il significato, avrebbe voluto chiederglielo, ma Rocco continuava a rivolgergli a stento la parola. Per fortuna vide la massa di Deruta stagliarsi nel corridoio, il suo compagno, il suo socio, l'uomo con cui aveva diviso tante disavventure, l'agente che mai lo avrebbe ignorato. «Miche'! Gna' sti' stamane?». Era triste, l'agente Deruta, e aveva il labbro superiore sbavato di cioccolata. «Non lo so, Mimmo... non bene», ed entrarono nell'ufficio. Ognuno prese il suo posto. Deruta si mise a riordinare delle denunce, anche se non era compito suo, stava facendo un favore a un collega. D'Intino invece riprese la sua partita a Campo Minato che giocava a livello principianti. «Sei pensieroso».

«Sì. Non ho nessuno con cui parlare».

«Parla con me, no?» propose D'Intino. Deruta lo guardò. Forse poteva aprirsi con D'Intino, pensò, il collega più affezionato che aveva in questura. Raccontare quello che si teneva dentro da anni e che non aveva avuto il coraggio di dire a nessuno. L'agente abruzzese aspettava la sua decisione con un sorriso. «Dimmi, Miche'...».

E Michele prese coraggio. «C'è un mio cugino» esordì. «Questo mio cugino, insomma, non sta con le donne».

«No?».

«No. Sta con i maschi».

D'Intino annuiva. Lo sguardo vuoto non lasciava supporre che stesse capendo. «Insomma, hai capito?».

«No».

«Mio cugino che si chiama, metti... Filippo?».

«Ma si chiama Filippo oppure no?».

«Sì».

«E allora di': mio cugino che si chiama Filippo».

Deruta si asciugò il sudore della fronte con la mano. «Allora, Filippo non va con le donne. Va con gli uomini».

«Dove?».

«Stizia ti pighidi, Mimmo! Non è che va in qualche posto, intendo fa l'amore!».

«Ah. So' capite».

«Hai capito?».

«È gay».

«Bravo».

«Filippo è gay. Allora?». D'Intino prese a mordicchiare una penna. Si stava concentrando nel discorso.

«Allora mo' devi sapere che Filippo ha un fidanzato».

«Come si chiama?».

«Che te ne frega?».

«Per capire meglio».

«Vabbè, mettiamo che si chiama Norberto».

«Si chiama Norberto oppure no?».

«Sì, si chiama Norberto».

D'Intino scoppiò a ridere. «Che cazzo di nome è?».

Deruta alzò le spalle e si rimise a lavorare. «Oh, dai, va' avanti» lo pregò D'Intino.

«Eh no, tu mi distrai. Ci metto un anno a raccontare il problema di mio cugino se mi interrompi sempre».

«Mo' me stenghe zitte! Promesso! Allora Filippo ha un fidanzato che si chiama Norberto».

«Esatto. Solo che non vivono insieme».

«No?».

«No. Al paese nessuno lo sa, e se andassero a vivere insieme, tutti verrebbero a conoscenza della cosa».

«Vero, giusto. Perché non lo vogliono far sapere?».

Deruta guardò D'Intino. «Perché?» gridò. «Perché poi tutti vengono a sapere che sono gay, e la loro vita è finita! Gli darebbero il tormento, li... come si dice quando ti mettono tutti da parte?».

D'Intino non rispose.

«Dai, come quando imprigionavano gli ebrei nel coso... nel ghetto. Ecco!», batté una mano sulla scrivania. «Li ghettizzano e non avranno più una vita. Capito, Mimmo? Devono vivere il loro amore di nascosto».

«Ho capito. Anche se non è giusto».

Deruta aggrottò le sopracciglia. «No?».

«No che non è giusto. Ognuno ama chi vuole e quando vuole. E poi è un errore non andare a vivere insieme perché, pensaci, prima di tutto pagano metà delle bollette, un solo affitto, e mica è poco. Poi, se tuo cugino e Norberto tengono la stessa taglia, si possono comprare la metà dei vestiti, le scarpe, tutto. Invece se vivi con una femmina no. Non è che ti puoi mettere la gonna o le scarpe coi tacchi. Giusto?».

Deruta annuiva.

«In casa tutti e due possono fare i lavori pesanti, mentre con una femmina tocca sempre al maschio sollevare i mobili, aggiusta' lu rubinetto, ripara' la persiana... l'unico problema sono i figli. I maschi non possono rimanere incinti. Ma io so' sapute, ci sta uno a Chieti, che ha chiesto l'utero in prestito».

«A chi?».

«A un'americana. Lui le dà lo sperma, quella rimane incinta, poi quando partorisce dà lu fije a questo tizio».

«Ah... ho capito, ma il problema di Filippo è che...».

«Non può andare a vivere con Norberto. So' capite. Digli a tuo cugino che è fesso. E se vuole andare a vivere con uno, ci deve andare. Quello che dice lu paese... che si fregassero in petto. Guarda, pure je so' state... com'è la parola degli ebrei?».

«Ghettizzato» suggerì Deruta.

«Ecco, ghettizzato a Mozzagrogna. Tutti tenevano Juventus, io invece Napoli! E mi hanno... ghettizzato».

«Non è proprio lo stesso, sa'?».

«No, è lo stesso. Perché o fai come tutti, e allora vai bene, o sennò se sei un po' diverso ti danno addosso mazzate, pure. Mo' faccio un esempio. Mio padre, buonanima, aveva una sola mano, che l'altra l'aveva persa sul trinciaerba. 'Mbè, ogni volta che passava a la piazza con i pacchi gli strillavano: "Umbe', che ti serve una mano?", e ridevano. Mio padre non si incazzava mai. Quando poi ha vinto i regionali di filotto, con una mano sola, che nella mancante si era fatto montare una testa a ponte, tutti si so' stati zitti a porta' rispetto a patreme. Si' capite, mo'?».

«Gli racconto questo fatto a mio cugino?».

«Sì. Secondo me è un bel prologo».

«Che vuoi dire?».

«Gli esempi che raccontava Gesù pe' fa' capi' alla gente le cose difficili».

«Parabola, no prologo» lo corresse Deruta. «Manco il catechismo hai fatto?».

«Due volte, al primo tentativo non ce l'ho fatta».

«Come fa uno a essere bocciato al catechismo?».

«Ho vomitato l'ostia. Lu prete a Mozzagrogna mi voleva fa' l'esorcismo».

Gianluca Cardelli arrivò in questura all'ora di pranzo. Scipioni lo aveva accompagnato all'obitorio per riconoscere la madre. A detta del viceispettore, l'uomo non aveva cambiato espressione, si era limitato ad annuire e dire: «È lei». Sedeva davanti al vicequestore. Portava una giacca a vento rossa, i capelli che parevano tagliati con una scodella in modo da disegnare una frangetta ridicola sulla fronte. Della madre non aveva preso niente. Gli occhi erano neri, le guance paffute, la bocca stretta e senza labbra che, quando parlava, sembrava disegnassero le vocali che pronunciava, a Rocco ricordò una vecchia pubblicità della moka Bialetti. «La vedeva spesso sua madre?».

«No. Anzi, quasi mai».

«Non andavate d'accordo?».

«Non andavamo d'accordo». Rocco attese che Gianluca aggiungesse altro, ma quello restò in silenzio a guardarsi le mani poggiate sulle ginocchia.

«L'ultima volta che l'ha vista?».

Alzò gli occhi al cielo. «Boh... non ricordo. Mi pare l'anno scorso, a dicembre».

«E sentita? Che so, a Natale? Capodanno?».

«Dopo Capodanno. L'ho chiamata al telefono».

«Motivo?».

Alzò le spalle e gli sembrò una risposta esauriente. «Lei, signor Cardelli, che professione esercita?».

Sbuffò. «Ho avuto tante disavventure, diciamo che non sono molto fortunato negli affari. E prima che andiate a controllare ho avuto qualche problema con la legge, ma è una storia di quindici anni fa. Avevo 25 anni, ero nei guai, sbagliai. Tutti possono sbagliare, no?».

«Non la sto mica giudicando».

«Ho avuto varie attività. Avevo un wine bar, ma ha girato male. Poi ho provato insieme a un collega con una palestra, facevamo anche yoga Kundalini, ma lo sa? I soci bisogna sceglierseli con attenzione».

«Ho capito, diciamo varie attività?».
«Sì, diciamo varie attività».
«E al momento?».
«Al momento sto valutando seriamente di dare inizio a un mio vecchio sogno».
«Sarebbe?».
«Aprire un rifugio su in montagna. Io quando lavoro do tanto, mi stremo, e il lavoro lassù ha questo di bello. Quattro mesi intensi e poi due mesi di stacco, poi altri quattro mesi, e altri due mesi di pausa. L'ideale per me. Continuativo, ma ti lascia il tempo anche di vivere, vedere il mondo».
«Costa molti soldi, un'operazione del genere» osservò Schiavone.
«Lo so. Ma io e la mia compagna abbiamo un po' di risparmi. Poi ci sono sempre le banche».
«Per rapinarle?».
Gianluca sorrise. «O per chiedere un prestito».
«Le svelo un segreto» disse Rocco. «Le banche ti prestano i soldi se ne hai di tuo, altrimenti te li puoi scordare. Curioso, non trova? Torniamo a noi. Sua madre era una donna importante». Gianluca annuì. «L'ha sofferta molto?».
«Mia madre era una studiosa. Come mio padre. Io non ho preso niente dai miei genitori».
«E neanche sua madre le ha lasciato niente, pare. Casa in affitto, i libri li ha già regalati al Comune di Aosta».
«Per quello che contano i libri, li poteva anche buttare nel gabinetto».
«Dov'era lei lunedì fra le 12 e le 14?».

«A Biella. Non mi muovo da settimane».

Rocco lo guardò e strinse le labbra. «Lo sa che il mio lavoro è noioso? Tutte 'ste domande a ognuno di voi, perché uno di voi mi sta gonfiando di cazzate, e a me tocca scoprirlo, e quando l'ho scoperto al massimo lo posso sbattere dentro, invece avrei una voglia feroce di prenderlo a mazzate sui denti». Il cambio repentino d'umore di Rocco lasciò Gianluca Cardelli senza parole. «Sì. Mentite, per una versione più comoda, o perché vi diverte apparire in un altro modo davanti agli inquirenti. Però mentite male, mi fate perdere tempo, e io non ne ho voglia. Quindi le ripeto la domanda. Dov'era lunedì?».

«Ero... ero a Cervinia a visitare il rifugio che vorrei acquistare».

«Oh! E ci voleva tanto! Cos'ha, paura che siccome era in Valle io possa sospettarla di omicidio? È di questo che ha paura?».

«No...».

«E a che ora è rientrato a Biella?».

«Nel primo pomeriggio, mi pare».

«Dunque mentre qualcuno uccideva sua madre, lei era andato in visita a questo rifugio che si chiama?».

«Les Perreres».

«Che cazzo significa?».

«È il nome di un posto».

«Vada avanti, c'è andato con qualcuno? Ha incontrato qualcuno?».

«No, però ho incontrato i signori Combaz che sono i proprietari e che se ne vogliono sbarazzare per andare in pensione».

«Recapiti».
«Come?».
«I recapiti di questi Combaz».
Gianluca prese il cellulare, cercò in rubrica e dettò il numero a Rocco.
«Può andare ma resti a disposizione».
Cardelli si alzò dalla sedia, un'occhiata a Lupa che dormiva e poi chinando appena il capo lasciò la stanza. Sull'uscio Rocco lo fermò. «Lei quant'è alto?».
«Uno e settantadue, perché?».
«Cazzi miei».

Nella stanza degli agenti regnava un silenzio irreale. D'Intino con una mela in mano sembrava ispirato da grandi riflessioni, in realtà cercava di togliere un pezzo di polpa che si era incastrato fra gli incisivi, Deruta ruminava un boccone strappato al panino e guardava malinconico la strada dalla finestra, Casella stava disegnando su un foglio un progetto di ristrutturazione del suo appartamento, l'intenzione era renderlo comunicante tramite una scala a chiocciola con quello di Eugenia, ormai ufficialmente la sua compagna. Antonio Scipioni era l'unico che lavorava. «Allora, ecco qua» disse ma più a se stesso che ai colleghi, «Gianluca Cardelli si è fatto sei mesi per truffa. Volete sapere che ha combinato?».
«Dicci» rispose Casella, che si stava convincendo sempre di più dell'assoluta necessità dei gradini in legno.
«Gioielli falsi insieme a un finto negoziante di Ivrea», il viceispettore leggeva e annuiva, «insomma spaccia-

va per pezzi antichi bracciali e collane di fattura recente, qualche euro l'ha guadagnato».

«Invece si è rimesso a nevicare» disse Deruta sempre più attratto dal panorama. «La neve è difficile da dipingere. Perché a volte è bianca, a volte grigia, a volte azzurra. Se uno non sta attento coi colori viene un pasticcio». Rocco si affacciò nella stanza. «Antonio? Hai chiamato Mario Sibetti, il vicino della Martinet?».

«Sì, convocato in questura, dovrebbe essere qui fra un'oretta».

«Richiamalo e digli che ci vediamo a casa sua. Che stavi facendo?».

«Guardavo i precedenti di Cardelli. Truffa. Gioielli...».

«Abbiamo notizie del professore Cardelli?».

«È all'estero da venerdì e torna in Italia domani...».

«È stato avvertito della dipartita della sua ex moglie?».

«Credo di sì, ma mi pare che non gliene importasse molto».

«Domani lo convochi in questura qui ad Aosta, se rompe il cazzo digli che mando due agenti a prelevarlo. Adesso l'ultimo sforzo, Anto'...», si mise una mano in tasca. «Controlla un po' i signori Combaz dalle parti di Cervinia se lunedì si sono davvero incontrati con Gianluca Cardelli».

«Li chiamo subito», e alzò la cornetta.

«Deruta?».

«Sì, dotto'».

«Visto che lunedì ti sei riposato, oggi vieni con me e Casella». L'agente Ugo Casella scattò in piedi e afferrò il giubbotto. «Eccomi dottore, pronto!».

Rocco si accorse della presenza di D'Intino. L'agente abruzzese stava per aprire bocca, poi ci rinunciò. «Andiamo...» fece Rocco. «Anto', cerca di capire quando la Gambino mi può dare l'agenda della Martinet...».

«Ricevuto» rispose il viceispettore col telefono all'orecchio. Prima di lasciare la stanza, Rocco indicò con l'indice D'Intino con fare accusatorio. Quello abbassò appena il capo. Poi il vicequestore seguito dai due agenti sparì nel corridoio.

Entrarono nell'appartamento di Sofia Martinet. Accucciata al centro del salone c'era il sostituto Michela Gambino che scattava foto al tappeto con una enorme macchina fotografica. «Scarpe di plastica tutti e tre» disse senza alzare lo sguardo. Rocco e gli agenti eseguirono. La traccia sul pavimento era ancora visibile nonostante il sangue fosse stato asciugato, in casa nell'aria ghiacciata aleggiava un odore chimico misto a polvere. «Che cercate? Perché siete qui?».

«Cerchiamo una foto della vittima» rispose Rocco.

«Potete andare in cucina e nelle camere da letto. Qui in salone è off-limits, e comunque foto in questa stanza non ce ne sono. Guarderemo poi all'interno di tutti i libri e vi diremo».

Casella camminando in punta di piedi si diresse verso la cucina. Deruta andò nella camera da letto più piccola.

«Rocco, ho una cosa molto importante da dirti. Per fortuna c'è la neve».

«Non ti seguo».

«Sul tappeto ho trovato un'impronta. Scarpa da uomo, taglia 46, suola in cuoio. Strano, no?». Michela si tolse gli occhiali trasparenti. «Con questa neve le persone non portano scarpe con la suola di cuoio. Insomma, come se il tizio venisse da fuori».

«Brava Miche'».

«Grazie Rocco», e tornò al lavoro.

«Hai notizie sulla stoffa trovata sotto le unghie della Martinet?».

«Ti avrei chiamato più tardi». Michela Gambino si alzò in piedi stiracchiandosi la schiena. «Madre santa, mi cominciano a fare male le giunture».

«È l'umidità».

«Sei gentile Rocco, non è da te. È l'età, invece. Allora, la stoffa è un tessuto di lana conosciuto comunemente col nome di tweed. E ti dirò di più, è Harris tweed, si differenzia dal tweed per la ruvidezza».

«Sembri un volantino di una sartoria».

«Vero?».

Rocco guardò il tavolino accanto alla finestra sul quale giaceva il portatile. «Senti Miche', sappiamo che Sofia Martinet scriveva spesso a mano. Mi dai un'occhiata al computer?».

«Quello lo porto via più tardi. Che speri di trovarci?».

«Mail, controllare le ricerche su internet, le solite».

«Ricevuto. Mi devi dare un po' di ore però».

«Tutte quelle che vuoi».

Poi Michela si avvicinò al vicequestore e abbassò la voce. «Siamo sicuri che fosse una storica dell'arte?».

«Pare di sì. Perché?».

«Esperta su Leonardo da Vinci?».
«E allora?».
Michela Gambino prima controllò che l'agente Casella non ascoltasse, lo vide intento ad aprire le credenze, poi sporse appena la testa per avere una visuale di Deruta accucciato accanto al letto singolo nella stanza più piccola, e alla fine si decise. «Ci sono molti dettagli che non quadrano su Leonardo da Vinci. Si dice fosse il capo di una loggia massonica, che in realtà era mezzo uomo e mezzo donna, che le sue non fossero invenzioni, ma semplicemente cercava di ricostruire macchine e meccanismi del suo pianeta».
«Del suo pianeta?».
«Del suo pianeta. E allora, se tutto ciò fosse vero, chi ci dice che qui non c'è di mezzo qualche emissario dell'MI6? Della Cia? Del Mossad?».
Rocco sospirò. Michela proseguì: «Sofia Martinet aveva scoperto qualcosa di importante su questa figura e non volevano si diffondesse la notizia? C'è una teoria che vuole che Leonardo sia discendente di Maria Maddalena. Insomma Rocco, io la pista non la abbandonerei del tutto».
«Grazie Michela, ci penso su», poi si mosse verso la camera da letto. Arrivato sull'uscio si girò. «Miche', e se fosse qualcuno di quell'altro pianeta? O dell'ente spaziale?».
«Anche... anche», e Michela scoppiò a ridere. «Rocco? Ti stavo pigliando po' 'o culo! La faccia che hai fatto!».
«Eri molto credibile».

«Amunì, Rocco! Un altro pianeta? Il figlio di Maria Maddalena? Ma quando mai! Tutti lo sanno che Leonardo erano tre persone, non una sola», e tornò a guardare il tappeto. Rocco scosse la testa ed entrò in camera da letto. Aprendo i cassetti del settimino e rovistando fra reggiseni, mutande e collant sentiva di violare l'intimità di Sofia Martinet. Trovò libri anche lì dentro e appunti di studi scritti in un corsivo preciso e intellegibile. Nel comodino rinvenne un album fotografico con la copertina in pelle damascata. Si sedette sul materasso a sfogliarlo. Sofia Martinet sorridente accanto a persone sempre diverse. Sul retro, a matita, appuntati con precisione, date e luoghi. Marsiglia, 6 marzo 1999. Milano, 8 aprile 2003. Una riportava Monaco, febbraio 2011. Ritraeva Sofia Martinet che alzava il braccio di un tizio, come fanno gli arbitri alla fine di un incontro di pugilato. Sorridono tutti e due felici. Erano immagini prese da convegni, premi, seminari. Prelevò tre istantanee e se le mise in tasca. Poi lasciò la camera da letto. «Signori, non abbiamo bisogno di altro» fece Rocco. Deruta e Casella, sempre in punta di piedi terrorizzati dallo sguardo di Michela Gambino, tornarono in salotto. «Michela, noi andiamo».

«Buon lavoro» disse quella china a osservare i peli del tappeto.

«Case', non perdiamo tempo», consegnò una foto all'agente. «Va' in questura, fai degli ingrandimenti, mi interessa soprattutto qui», e indicò la mano della Martinet. «Lo vedi quell'anello? Più lo ingrandisci più la mia stima nei tuoi confronti sale. Prenditi pure l'auto, io e Deruta facciamo una passeggiata».

«Va bene, dotto'», e Ugo Casella scattò verso l'uscita.

«Io e te Deruta invece abbiamo una visita. Ciao Michela».

Ma la Gambino non rispose.

La porta del vicino si aprì e apparve un uomo sulla quarantina senza capelli e senza sopracciglia. Aveva occhi piccoli e neri, labbra sottili quasi inesistenti, del piccolo naso erano visibili solo le narici. Nel bestiario di Rocco fu subito catalogato come una biscia albina. «Mario Sibetti? Sono il vicequestore Schiavone».

«Prego, la stavo aspettando» disse quello con una voce acuta e sgranata. «Di qua», e fece accomodare i due poliziotti. Era evidente che i Sibetti avevano montato i mobili da soli seguendo le istruzioni, la casa sembrava un padiglione del negozio svedese, mancavano i cartellini coi prezzi su credenze e tavolini. «Vi volete accomodare?» chiese il padrone di casa.

«No. Mi dice dov'era lunedì a ora di pranzo?».

«Al lavoro, come sempre» rispose sicuro Mario Sibetti.

«Immagino avrà un sacco di gente che può darle ragione».

Si passò la mano sul mento. «Certo. Ero di turno. Alle 12 siamo volati a Pont-Saint-Martin, un incidente sulla provinciale. Io porto le ambulanze».

«Quindi lei non era a casa lunedì fra le 12 e le 14».

«No dottore, gliel'ho detto. Vuole il nome dell'equipaggio, posso...».

Rocco lo fermò con un gesto della mano. «Tranquillo, Mario. Senta, ha notato niente di strano? Facce sconosciute, rumori, comportamenti fuori luogo?».

Mario Sibetti pensava e faceva no con la testa. «L'unico ad avere un comportamento fuori luogo sono stato io».

«Che intende?».

«Domenica lo ricordo bene, sono stato un coglione con mia moglie e ancora non mi perdona».

Rocco guardò annoiato Deruta. «Miche', ce ne andiamo?».

«Mah, dotto', direi, se non abbiamo altre domande».

«Mario, mi toglie una curiosità?».

«Certo...».

«Quanto porta di scarpe?».

«43 e mezzo».

«43 e mezzo» ripeté Schiavone. Gli guardò i piedi. Indossava calzature con la suola di gomma.

«Un'ultima cosa». Tirò fuori due delle fotografie appena prese da casa di Sofia Martinet. «Ha mai visto una di queste persone?».

Sibetti le guardò con attenzione. «Questo» disse con sicurezza e consegnò la fotografia a Rocco. «Questo biondastro, alto, con gli occhialetti tondi. È venuto almeno tre volte, e ora che ci penso anche la settimana scorsa. Sì, un tizio elegante, non sembra italiano».

Rocco osservò l'uomo ritratto accanto a Sofia Martinet. Un ciuffo biondo, sorridente, viso deciso, mascella squadrata. «Secondo me da giovane i capelli doveva averli rossastri, guardi quante lentiggini che ha. Somiglia a un mio zio, mezzo francese, ecco perché l'ho notato. Poi ho una buona memoria fotografica».

«Grazie, signor Sibetti, ci rivediamo».

«Spero per lei di no».

«Ha ragione. Magari in piazza a prendere un caffè».

«Volentieri».

«Chi sarà quel tipo?» chiese Deruta una volta sul pianerottolo di casa.

«Non ne ho idea...» rispose Rocco guardando ancora la fotografia. Poi se la mise in tasca. «Uno che frequentava Sofia, questo è sicuro».

«Che problemi ha Sibetti con la moglie?» fece Deruta scendendo le scale.

«E che ne so, Michele, mica so' il loro consulente matrimoniale».

Deruta sorrise. «Sono un casino vero le storie coniugali...».

«È un argomento che non mi riguarda da più di sei anni».

«Mi scusi, dottore, non volevo...». Rocco sorrise, Michele Deruta invece si intristì.

«Salve!».

La signora Fosson accompagnata dal figlio stava rientrando a casa, Dario aggrappato al braccio della madre camminava lento con passo incerto, gli occhi puntati sul cielo. «Buongiorno signora Fosson...».

«Ci sono novità?» chiese la signora strizzando un poco gli occhi.

«Per ora ancora niente».

«Traccora 'ente!» gridò Dario. Deruta si spaventò. «Non si preoccupi» fece la signora rivolgendosi all'agente. «È fatto così... Dario ha una sua lingua, sa?».

«Valuma' stass cheva!» gridò ancora quello col sorriso stampato sulle labbra.

«Ah, e che vuol dire?».

«Questo ancora non l'ho capito» confessò la signora Fosson.

«Drubisci tu!» aggiunse Dario come fosse cosa ovvia.

«E neanche di questo conosco il significato». La signora sorrise, gli occhi tristi cercavano di nascondere il suo dolore.

«Le posso raccontare un fatto, signora?» chiese Deruta guardando negli occhi Schiavone, come a chiedere il permesso.

«Mi dica».

«Io ho un cugino a Nuraxinieddu... e pure lui quando parla al paese mica lo capiscono. Usa parole che si è inventato. Pensi, per dire voglio l'acqua, lui dice awaca. Cioè, l'acqua la chiama awaca».

«No, lui l'acqua la chiama aua».

«Quasi come mio cugino. E la macchina?».

«La macchina la chiama 'archina!».

«'Archina!» urlò Dario come volesse confermare.

«No, mio cugino la macchina la chiama macchina».

«E dov'è il problema?» gli chiese Rocco.

«Niente, magari anche lui diceva macchina, invece dice 'archina».

Rocco scosse la testa.

«’Archina…» sussurrò Deruta a Dario che sorrise e per un momento sembrò cambiare espressione, la voce di un estraneo che parlava la sua lingua lo aveva colpito. «’Archina» ripeté anche lui a bassa voce. Deruta sorrise soddisfatto. «Aua», e Dario inclinò un po’ il capo e sillabò: «Aua…».

«Ah, ve la intendete» disse la signora Fosson.

«Mi sa di sì» azzardò Rocco.

«Valuma’!» disse l’agente e Dario pronto gli rispose: «Valuma’!».

Deruta sorrise orgoglioso a Schiavone. «Chissà che ci siamo detti?».

«Chissà Deru’, un giorno lo capiremo. Va bene, signora, non la trattengo, fa un freddo da morire e immagino lei abbia da fare. Anzi no, solo un momento». Rocco ritirò fuori la fotografia. «Ha mai visto quest’uomo?».

La donna osservò la fotografia tenendola a distanza dagli occhi. «Mannaggia, non ho le lenti, però… sì certo, un paio di volte l’ho visto da queste parti».

«Lei non sa chi è, giusto?».

«No dottore, mi dispiace», restituì la fotografia a Rocco. «Mi passi a trovare quando vuole. E venga anche lei», si rivolse a Deruta toccandogli la spalla, «sembra stia simpatico a Dario».

«Sicuro signora che vengo. Ciao Dario».

«Certo che il cervello degli esseri umani è un mistero».

«Tu e tuo cugino lo potete dire forte, Deruta». Superarono l’Arco di Augusto.

«Ma che ha Dario?».

«È così dalla nascita. Cieco e ritardato».

«Ah, è cieco? A me sembrava che mi guardasse».

«No, è cieco» confermò Rocco.

«Come farà la madre?».

«Si è messa una benda».

«Così è cieca pure lei?».

«No, Miche', era una metafora, ma con te è meglio non usarle. Una benda, intendo fa finta di non vedere. Lo facciamo tutti, no?».

«Cioè, dottore, uno per esempio ha una casa brutta ma si convince del contrario?».

«Se vuoi metterla così, sì, occhio alla neve». Deruta ci finì dentro con tutte le scarpe.

«Mannaggia!».

«Poi arriva la realtà, tipo la neve, e ti inzacchera le scarpe, pure se tu t'eri convinto che non ci fosse. Insomma, Miche', ci raccontiamo una versione della vita e finiamo per crederci. Lei così riesce a campare con quel figlio, io e te a fare 'sto lavoro di merda. Succede con la religione, pure, no?».

«Proprio oggi parlavo delle parabole di Cristo con D'Intino».

«Non sai che avrei dato per esserci».

«Perché parla di religione? Che intende?».

«Se vai a esaminare con attenzione, ti rendi conto dell'assurdità delle tesi. Cespugli che pigliano fuoco e che parlano, tizi che caricano animali su una barca, altri che campano fino a 969 anni, donne vergini che partoriscono...».

«È vero» concordò Deruta. «Allora se tutte queste storie, come dice lei, sono pura fantasia, perché a noi ci tocca vivere seguendo ciecamente le leggi della religione?».

«Te l'ho detto, ci dipingiamo il mondo come lo vogliamo vedere. Però dobbiamo pure ascoltare gli altri, e imparare che non sempre quello che volevamo credere è giusto».

«Come si fa?».

«Alla fine è semplice, vivi come ti pare, basta non rompere i coglioni al prossimo».

«È il dogma di Schiavone?» chiese l'agente guardando il suo superiore.

«In pratica sì, anche se non sempre ci riesci. Tu vivi senza rompere i coglioni al prossimo?».

«Ci provo. Però è il prossimo che li rompe a me».

«Se parli del lavoro...».

«No, non parlo del lavoro. Il lavoro è il lavoro. E spesso le scatole bisogna romperle a qualcuno. No, parlo della vita».

«Del panificio? Di tua moglie?».

Deruta abbassò la testa e si fermò. Rocco lo attese, la chiacchierata con Deruta lo stava incuriosendo.

«Anche» rispose alla fine l'agente.

«È faticoso fare il poliziotto e pure il fornaio, no?».

«È faticoso».

Rocco si accese una sigaretta. «Deru', dimmi la verità. Va tutto bene con tua moglie?».

Il poliziotto guardò il cielo plumbeo, minacciava ancora neve. Gli si inumidirono gli occhi. «Insomma... così così».

«Capisco».

«No, dottore, mi creda. Lei non può capire. È molto complicato».

«Me ne vuoi parlare?».

Deruta riprese a camminare. «Meglio di no».

«Di che hai paura?».

«Di tante cose. Degli altri, delle malelingue, se uno dice la verità mica è detto che il prossimo lo capisca. Voglio dire...».

Rocco rallentò il passo per lasciare la possibilità al collega di dare forma al pensiero.

«Ecco! Ci sono dei segreti, dottor Schiavone, che non si possono raccontare a nessuno se vuoi continuare a vivere tranquillo. Però questi segreti possono diventare... come posso dire? Insomma, se finiscono in piazza la gente ti guarda in un altro modo. Ti bolla per sempre».

Rocco gettò via la cicca. «Il privato deve restare privato, intendi?».

«Eh... dottore, però mi creda, a volte è molto difficile».

«Lo è se uno è costretto a una scelta. Dico bene?».

«Proprio. Diciamo che se ti mettono davanti a un bivio, tu vorresti andare da una parte, però non puoi, per le malelingue. E allora vai dall'altra che non sceglieresti mai, e ti dispiace, e fai del male a qualcuno e vivi male e poi fai una strada che non volevi percorrere».

«Stai parlando dell'amore?».

Deruta annuì. «Sì, dottore, dell'amore».

«E allora prendi la strada che ti rende felice!».

«No, dottore, non posso, perché... insomma, non posso. Se voglio continuare a vivere come vivo, è vietato». I due si guardarono. Rocco capì che Deruta più in là di quel limite non poteva spingersi. «Ma questa benda che ti metti, Deru', ti dà fastidio?».

«Quale benda?».

«Quella di prima».

«Ah, capito. Tanto, dottore, ce l'ho indosso da quando avevo 14 anni, mi sa».

«Vuoi la mia opinione?».

«Mi dica».

«Sbattitene, prendi la strada che ti fa felice. Vivi senza quest'ansia, e se qualcuno ti mette in croce è un minus habens e non merita neanche considerazione».

«Che vuol dire minus habens?».

«Fa' conto D'Intino».

«Ah». Deruta ci pensò un attimo prima di ricominciare a parlare. «Ma io non ho il coraggio, mi tocca prendere la strada che tutti vogliono che prenda».

«E fai male! Vivi la tua vita che un'altra possibilità non te la dà nessuno».

«Dice?».

«Dico».

«Ci vuole coraggio» commentò Deruta guardando per terra.

«A stare bene?».

«Eh... sì».

«Su questo ti do ragione. Però lo dobbiamo trovare 'sto coraggio, Michele», e gli mollò una pacca sulla spalla. Michele Deruta aveva ritrovato il sorriso. Poi spaventato gli chiese: «Dotto'... lei quanto ha capito?».

«Tutto».

«Tutto proprio tutto?».
«Mica so' scemo».

Appena rientrò in ufficio trovò Lupa che dormiva e l'agenda della Martinet sulla sua scrivania. L'afferrò, richiamò il cane e uscì dall'ufficio. Era stanco, la ferita dell'operazione sembrava si fosse risvegliata, aveva voglia di starsene a casa, anche se sapeva che non ci avrebbe trovato nessuno. Uscì dalla questura. Italo Pierron, poggiato sul cofano di un'auto a parlare con un agente che Rocco non conosceva, alzò appena lo sguardo, evitò quello di Rocco e si accese una sigaretta.

Con il freddo che gli era penetrato nelle ossa attraverso quel velo di lana che era il loden, entrò in casa battendo i denti. Versò le crocchette a Lupa, poi desiderò solo una doccia bollente. Sotto l'acqua riprese i colori, se la faceva scorrere sulla nuca e sulle spalle. Quando uscì dal box il bagno pareva un hammam, non vedeva neanche lo specchio. Si asciugò e tornò in salone. Lupa aveva trovato un osso e lo stava rosicchiando ai piedi dell'armadio. Aprì il frigorifero. C'era ancora la spesa gentilmente offerta da Cecilia. Prese una mozzarella, la tagliò a pezzetti e in una ciotola la mischiò al tonno, si sedette sul divano e cominciò a mangiare.

«Lupa mangia meglio» mi dice.
«Ti sbagli, Marina, mangiamo uguale».
«Hai pensato a mettere qualche luce qui e là? Questo posto è lugubre».

«Io sono lugubre», Marina poggia i piedi sul tavolino davanti al divano. «Televisione e nanna? Vai a ruba, Rocco».

Non la sopporto quando mi prende in giro. «No, ho un'agenda da leggere e poi nanna. La televisione serve solo per l'insonnia».

«Io ho un'idea, Rocco».

«Di' pure».

«Chiedi un trasferimento. Lo sai che penso? Questo posto ti blocca. Come se la neve fuori congelasse anche te. Dovresti provare in un posto di mare».

«Col culo che mi ritrovo mi mandano a Milano Marittima».

«Non ti piace?».

«A chi piace?».

«Ma qui non va bene. Fai un passo avanti e tre indietro. Ti ricordi Regina reginella?».

Se me la ricordo. Proprio stamattina ci stavo pensando. «Certo che me la ricordo».

«Fa' conto che io sono nel castello e ti ordino: sei passi da leone!».

«È troppo».

«Ma se io te lo ordino?».

«Non sai giocare a Regina reginella. Se preferisci uno in particolare non lo devi far scoprire a nessuno. Lo fai avanzare in modo che gli altri non capiscano, gli dai dei passi normali tipo da cane o da gatto, poi al momento buono dai l'ordine definitivo».

«È questo il momento buono, amore mio. Fai sei passi da leone. Non c'è niente qui per te, ci provi, lo vedo che ci provi, ma è tutto bloccato. Sembri una macchina in mez-

zo alla neve e al fango che non riesce a ripartire. Ogni tanto stacchi la frizione e acceleri ma le ruote slittano e affondano sempre di più».

«Tu verresti a Milano Marittima?».

«Io sono dove sei tu».

Alberto Fumagalli entrò nel laboratorio di Michela Gambino che erano passate le nove di sera. Il sostituto della scientifica osservava attenta tre proiezioni di impronte digitali sulla lavagna luminosa. «Queste sono le migliori che ho ottenuto» gli disse. Alberto le consegnò due slide trasparenti. «Tieni, ti ho portato quelle di Sofia Martinet. Dimmi un po'?».

«Voglio vedere se combaciano. Queste tre che vedi le ho trovate sulla tastiera del portatile. Sulla barra spaziatrice e sulla lettera A, che è quella che si usa di più».

«Però poi si va a cena che ne ho le palle piene di lavorare?».

Michela prese i fogli di plastica e li inserì sul negativoscopio. Apparve l'impronta dell'indice di Sofia Martinet. Si misero a osservarla. «Comparale con le tre a destra. Ci vedi punti in comune?» disse il sostituto.

«Aspe', dammi il tempo, bellina» disse Alberto infilando gli occhiali.

«Si vede che facciamo due lavori diversi. Salta subito agli occhi, guarda le creste e i solchi. No, le impronte della vittima non sono quelle che ho trovato sulla tastiera del suo computer». Si voltò verso Fumagalli. «Viveva da sola, dunque la domanda viene facile...».

«Chi ha usato il portatile?».

«Bravo. Ora andiamo a mangiare, poi a casa mia che da te c'è un disordine che manco dopo un bombardamento».

«Sì ma non ho lo spazzolino».

«Te l'ho comprato io».

«Setole dure?».

«Durissime. Amunì...», e gli sorrise mentre si levava il camice.

«Michela...».

«Dimmi...».

«Quando ti togli il camice mi fai venire il sangue alla testa». Rimasero in silenzio. Poi la donna si slacciò lentamente i bottoni della camicetta. «E quando faccio così?». Alberto non rispose. Il bianco dell'indumento si rifletteva sulle lenti degli occhiali del dottore. Quando Michela Gambino restò in reggiseno Alberto si avvicinò e le sfiorò le spalle. «Non senti freddo?».

«E allora scaldami, minchione». Si scaraventarono sul tavolo retroilluminato. «Non c'è pericolo che ci vedano?».

Michela prese un piccolo telecomando. Con un tasto offuscò i cristalli della porta. «Ora no... siamo chiusi qui dentro, nessuno da fuori può vederci o sentirci, siamo solo io e te...».

L'agenda di Sofia Martinet riportava decine di appuntamenti, nomi, indirizzi, numeri di cellulare che a Rocco non suggerivano niente. La ricorrenza curiosa era quella lettera J appuntata. Appariva quasi ogni giorno dell'agenda. Oltre alle incombenze professionali la vittima segnava anche quelle casalinghe. Liste della spesa, bollette da pagare, multe, scadenze fiscali. Il 23 ottobre 2013 era sottolineato in rosso. Al centro della pagina un punto esclamativo cerchiato. Tutt'intorno Sofia aveva scritto: «uscito! uscito! uscito!». «Cos'è uscito il 23 ottobre?» si chiese Rocco. Un libro? Un numero? Cos'è che esce? Si accese una sigaretta. Andò a ritroso con le pagine accorgendosi che giorno dopo giorno Sofia aveva marcato il conto alla rovescia: il 22 del mese riportava un meno 1, il 21 un meno due e così via fino ad arrivare al 13 ottobre, con un meno dieci, proprio all'inizio della pagina. Il giorno 12 ottobre invece una scritta minuscola lo impegnò qualche minuto: «Parlato con Jeffrey. È per il 23! Gioia immensa. Fuggi lussuria e attieniti alla dieta!».

Di cosa parlava? Chi era Jeffrey? E il verso finale? Prese il cellulare. «Case', stavi dormendo?».

«No» rispose l'agente che era sotto le coperte accanto a Eugenia, la penna in bocca e lo sguardo attonito su un cruciverba. «Che succede, dotto'?».

«Sei a casa tua o dalla tua amante?».

«Non sono a casa mia», e Ugo si rivolse a Eugenia che aveva lo sguardo interrogativo. «Chi è?» gli chiese a bassa voce. «Il capo» le rispose coprendo il microfono del cellulare.

«Allora, Ugo, fammi un favore. Hai carta e penna?».

Casella controllò. L'aveva. «Certo, dotto', stavo cercando di risolvere Bartezzaghi».

«Lascia perdere, Ugo, dedicati alle barzellette o a colorare i puntini neri. Carlo è in casa?».

«Sì, mi sa che sta lavorando».

«Chiedigli che cazzo vuol dire... scrivi... Fuggi lussuria e attieniti alla dieta».

«Sembra un consiglio» disse Casella mentre trascriveva la frase in margine al cruciverba di cui aveva solo riempito l'1 orizzontale, che richiedeva il nome dell'eroe manzoniano prima che il sommo lo battezzasse Renzo. Grazie al suggerimento di Eugenia, Casella aveva riempito gli spazi con la parola: Fermo.

«Certo che è un consiglio, Ugo. Ma io voglio sapere chi l'ha scritto».

«Sta facendo pure lei Bartezzaghi?».

«No Case'!» rispose Rocco trattenendo il nervosismo. «Io sto lavorando. Richiamami appena Carlo lo scopre».

Casella si alzò dal letto. «Dove vai?» gli chiese Eugenia. «Da Carlo. Mi deve aiutare».

«Sì, ma non stare su tutta la notte».

«E che ci metto?».

Rocco tornò all'agenda. «Parlato con Jeffrey» disse ad alta voce. Chi era Jeffrey? Era la stessa persona indicata da quella J apposta in calce ai giorni dell'agenda? Cercò di capire se ci fosse anche un numero di cellulare riferibile alla J, ma non lo trovò. Bisognava controllare il portatile di Sofia. Forse era lì che avrebbe scoperto l'identità di quel Jeffrey. L'inno alla gioia risuonò. «Dotto', sono Ugo».

«Allora dimmi».

«Si tratta di un verso di Leonardo da Vinci, l'unica poesia, pare, che abbia mai scritto. Si trova sul margine di una sanguigna, nel Codice Atlantico. È una poesia ma in realtà sono consigli per mangiare bene e vivere meglio».

«Leonardo... bene, Ugo. Ringrazia Carlo».

«Si figuri dovere, dotto'. Ah, fino a mezzanotte mi trova sveglio, poi capace di no».

«Dormi Case', domani mi servi sveglio».

«A proposito, mo' le chiedo io una cosa. Il padre di Bottom che morì il giorno del suo compleanno, 11 lettere, è lungo».

«Che cazzo, Ugo! Shakespeare!».

«Ah... come si scrive?».

«Hai carta e penna?».

«Sicuro».

E Rocco chiuse la comunicazione. Avrebbe dovuto intuirla da solo la citazione, vista la specializzazione di Sofia. A chi era riferita? Fuggi lussuria, pensò. E attieniti alla dieta. Di che dieta stava parlando Sofia? Era una metafora, di questo Rocco ne era certo. «Attieniti alla dieta» ripeté a bassa voce. Ci avrebbe girato intorno tutta la notte.

Alle tre e un quarto, dopo aver dormito neanche mezz'ora, il cellulare mandò un segno di vita. Lesse il messaggio.

«MAJOR TOM TO GROUND CONTROL: CIAO ROCCO. NON DORMO. MILANO DI NOTTE È ARANCIONE E PUZZA DI CHIMICO, IL CIELO NON SI VEDE E IO NON STO BENE».

«GROUND CONTROL TO MAJOR TOM: CHE HAI GABRIE'? CHE SUCCEDE? COS'È CHE NON VA?».

«SEI SVEGLIO ANCHE TU?».

«SONO SEMPRE SVEGLIO. TU INVECE DOVRESTI DORMIRE».

«NON CE LA FACCIO. MI TIRO SU COME UNA MOLLA. SONO I PENSIERI».

«È NORMALE. SEI APPENA ARRIVATO. DEVI DARTI UN PO' DI TEMPO POI TI ABITUERAI».

«MI MANCHI ROCCO. MI MANCA CASA MIA, CIOÈ PURE SE ERA CASA TUA, MA ERA UN PO' CASA MIA. MI MANCA LUPA, MI MANCANO LE MONTAGNE SULLA CITTÀ, MI MANCA L'ARIA PULITA, IL SILENZIO... MI MANCO IO».

Rocco rifletté sull'ultimo messaggio, poi digitò il numero del ragazzo.

«Gabrie'?».

«Bello sentire la tua voce, Rocco».

«Stammi a sentire. Ogni cambiamento è così. Se andiamo via dal posto familiare è normale che all'inizio abbiamo nostalgia delle nostre abitudini, del panorama, della vita di prima. E se te lo dico è perché so di cosa sto parlando. Come quando se ne vanno le persone più care. Pensiamo che staranno sempre accanto a noi, ma non è così. Tu ora fa' conto di essere un esploratore in una terra sconosciuta. Guarda tutto attentamente, non perdere i dettagli, fidati poco, ma fidati. Conta sempre che lì, a scuola o per strada, ci sono ragazzi con gli stessi tuoi problemi se non più gravi. E sicuramente ora tu non lo sai, in quella città c'è qualcuno che sta dormendo e che un giorno diventerà il tuo migliore amico dal quale non vorrai mai separarti. E forse anche la donna della tua vita. Abbi pazienza, sta' sereno e lo scoprirai».

Sentiva il respiro di Gabriele.
«Non avevi detto che non dovevo ascoltare i consigli di uno della tua età?».
«Non sono consigli, ti racconto la mia esperienza. Abbi pazienza e sta' sereno, anche questo non è un consiglio, è un'esortazione».
«Non fare sofismi».
«E da quando usiamo 'sti paroloni?».
«Eh eh eh eh».
«Allora diffrangi i tuoi interessi e le tue frequentazioni, a me è servito».
«Diffrangi?».
Rocco rise.
«Domani a scuola appena la prof mi sgrida posso dirle: non mi diffranga le palle?».
«No, deficiente».
«Ciao Rocco, salutami Lupa».
«Lupa come al solito ti manda un woof».
«Buonanotte Ground Control, passo e chiudo».
«Buonanotte Major Tom, per ciò che ne resta».

Giovedì

Michele Deruta attese che Federico uscisse dalla panetteria. Il sole era spuntato e il freddo acuto gli faceva battere i denti. Finalmente alle sei e mezza lo vide lasciare il forno e dirigersi verso casa. Non era sicuro l'avesse notato, allora si mise a testa bassa per seguirlo a una decina di metri di distanza fino a quando arrivarono al civico. Federico aprì il portone e sparì nel palazzo.

Deruta rimase davanti all'anta di legno aspettando che si chiudesse. Poteva bloccarla. Doveva bloccarla, spalancarla, entrare nell'androne delle scale, inseguire Federico, prenderlo per le spalle e dargli un bacio per chiedergli scusa, fargli capire che lo amava e tutto quello che stava succedendo fra loro era solo colpa degli altri. Sempre loro, gli altri, pronti a dipingergli una X in fronte, a rovinargli la vita, a torturarlo. Bastava mettere una mano sul portone e spingere.

Invece aspettò inerme che si chiudesse con uno schiocco sonoro che gli strozzò lo stomaco. Rimase un poco a guardare le maniglie di ottone e la serratura, poi si voltò e si incamminò verso casa.

Dall'altra parte del portone c'era Federico appoggiato alla parete accanto alle cassette della posta. Aspettava che Deruta ribussasse, ma non accadde niente. Gli venne da piangere. «Perché ti sei innamorato di lui?» si chiese. Perché?

Perché Deruta era solo, era indifeso, perché la vita l'aveva sempre preso a schiaffi. «Allora non è amore» pensò salendo lento le scale, «è compassione». Eppure gli piaceva quel corpo pieno di ciccia e morbido come una pagnotta, l'odore che emanava, lo divertiva la sua passione per i quadri orribili sui quali buttava sonno e sudore, la sua ingenuità, come quella di un bambino, gli occhi enormi spalancati e sempre spaventati, la sua dolcezza e la sua totale indefessa attonita autenticità. Tornò indietro e riaprì il portone. Ma di Michele Deruta non c'era traccia. Era sparito. «Coglione!» urlò alla strada.

La marijuana aveva un pessimo sapore. Non gli accadeva spesso di lasciare la preghiera laica del mattino a metà. Preparò un caffè, anche quello gli sembrò acqua riscaldata. «Allora sono io» pensò. Squillò il telefono sulla scrivania. «Schiavone».

«Sono Costa», la voce del questore già penetrante di prima mattina peggiorò l'umore. «Ha novità?».

«Immagino sul caso Martinet?».

«Certo. Qualche passo avanti?».

«Ci muoviamo con lentezza ma continuità».

Una pausa. «Che vuol dire, Schiavone?».

«Che per mettere insieme i pezzi un po' di tempo ci vuole. Nel dettaglio, alla Martinet è sparito un anello che sto cercando di rintracciare, al momento dell'omicidio nel palazzo non c'era nessuno, a parte Dario, un uomo di una quarantina d'anni».

«E non ci può essere d'aiuto?».

«No, dottore. È cieco e mentalmente ritardato».

«Capisco».

«Attendo dettagli importanti dal sostituto della scientifica. Abbiamo sentito il figlio che ha precedenti penali per truffa e gli stiamo controllando l'alibi...». In quel momento Antonio entrò nell'ufficio. Rocco gli fece cenno di sedersi. «Al più presto sentirò il marito della vittima...».

«Bene Schiavone, lenti ma continui. Mi piace. Basta che arriviamo al punto».

«L'ho mai delusa?».

«Lasci perdere», e mise giù il telefono. Rocco agganciò la cornetta. «Dimmi, Antonio».

«Pietro Cardelli arriva fra una mezz'oretta. Invece ho controllato l'alibi del figlio, con i signori Combaz su a Cervinia. È tutto vero. Si sono incontrati alle 11 per una visita del rifugio, che è terminata intorno a mezzogiorno e Gianluca se n'è andato».

«Vabbè, se è andato via alle 12, fa' conto, l'alibi mica regge del tutto. Sai se Casella ha fatto gli ingrandimenti delle foto che gli ho chiesto?».

«Sono lì» fece Antonio indicando una cartella azzurra posata sulla scrivania. «Non la controlli la posta del giorno, eh?».

«No». Rocco guardò subito i dettagli delle istantanee. Si vedeva l'anello che Sofia Martinet portava all'anulare della mano destra. Una pietra rossa incastonata in una corona dorata. «Non è un granché», e passò la foto ad Antonio. «Tu ci capisci di anelli?».

«Niente. Però se questo è un rubino e le pietruzze intorno diamanti, insomma un valore ce l'ha».

«Credi che un gioielliere ci potrebbe essere d'aiuto?».

«Su una foto?» chiese scettico Scipioni. «No, non credo. Posso solo andare a informarmi, nel caso fossero pietre vere, quanto potrebbe valere un anello simile».

«Grazie Antonio, ma non lo fare tu, mandaci Italo».

Antonio si morse le labbra. «Non c'è... ancora non è arrivato». Con un respiro profondo, Rocco si lasciò andare sullo schienale della poltrona.

«Ma qual è il problema, Rocco?».

«Credo, anzi sono certo, che il cretino si sia rimesso a giocare pesante. Non me lo dice, non gli tiro fuori niente, abbiamo avuto uno scazzo. Lo sai chi mi ricorda? Chierica».

«Dovrei conoscerlo?».

«No» sorrise Rocco. «Chierica era un mezzo amico di Trastevere, aveva sei anni più di me. Tossico, ma lo negava. Se ne andava in giro grigio in faccia, gli occhi rossi ma negava sempre. Si bucava fra le dita dei piedi per non farsene accorgere. Una notte lo presero in tempo, sennò se ne andava in overdose, s'era strafatto vicino al Regina Elena. Quando si risvegliò nel letto Chierica disse di aver visto la Madonna. Proprio così. Che gli aveva parlato. E si fece frate».

«Secondo te Italo si deve fare frate?».

«No. Ma se non trova una via migliore, finisce come Chierica davanti al Regina Elena, solo che nessuno lo porta dentro per salvargli la pelle».

«Dotto'», era Deruta che si era affacciato alla porta. «Mi scusi, ho trovato aperto e non ho bussato. Non è che uno può bussare l'aria».

«Intuizione mefistofelica la tua».

«Qui c'è Pietro Cardelli. Lo faccio accomodare?».

«Sì. Ah, Deruta, ho un compito molto delicato per te e D'Intino». Una luce si accese negli occhi dell'agente. Rocco gli allungò l'ingrandimento della foto. «Portala a un gioielliere, quello che ogni tanto sentiamo... come si chiama?».

«Quello a Croix de Ville» suggerì Antonio.

«Ecco. E fatti valutare questo anello. Digli che sono tutte pietre preziose, rubino al centro e diamanti intorno».

«Sissignore», afferrò il foglio e si scaraventò fuori dall'ufficio.

«Antonio, resta pure. Quattro orecchie so' meglio di due».

«Certo, mi ha sconvolto, anche se io e Sofia non ci sentivamo più, neanche per gli auguri di Natale o del suo compleanno. Non ci teneva, al compleanno, in generale non ci teneva proprio agli auguri». Pietro Cardelli era un uomo magro, le guance scavate nascoste sotto una barba bianca e grigia, portava i capelli pettinati all'indietro, anche quelli bianchi e grigi con qualche punta di biondo, riflettevano la luce centrale della stanza. Gli occhi dietro le lenti da vista brunite apparivano stanchi, una ramificazione di vene scure sulle mani magre pareva formare fiumi e affluenti. «Per come è morta poi...». Rocco si era perso a osservargli il labbro inferiore, carnoso e scuro. «Non ci posso credere. E mi chiedo chi possa essere stato... A chi dava fastidio Sofia? Dottor Schiavone, noi siamo nati studiando e moriremo studiando. L'ultima pubblicazione di Sofia riguardava gli studi ottici di Leonardo. Nonostante non ci frequentassimo più, ogni articolo che pubblicava me lo spediva. Con la posta!», gli venne da ridere. «Io le dicevo, invece di fare le copie, dimmi qual è la rivista e la rimedio. Invece niente. Fotocopiava e spediva». Per un momento lo sguardo di Pietro Cardelli si assentò dalla stanza, perso nei ricordi. Tornò alla realtà con un sorriso. «Era una studiosa importante, Sofia, e mi creda, ci siamo amati, molto».

«Che mi dice di suo figlio?» chiese Rocco. Il professore sbuffò. «Io e Gianluca non siamo mai andati d'accordo. Credo che ogni tanto vedesse la madre, ma con me era storia chiusa già molto prima del divorzio. Non si può avere il figlio che si sogna».

«Lo stesso potrebbe dire lui del padre» commentò Schiavone.

«Certo, certo, è vero. Errori con Gianluca ne ho fatti tantissimi. Troppi. All'inizio cercavo di tirarlo su, mi passi il paragone, a mia immagine e somiglianza. In fondo è l'unico momento dove l'uomo si avvicina a Dio, quello di creare qualcosa che prima non c'era. Un figlio, appunto. Anche se io sono ateo e non credo in nessun Dio, ho fiducia, non fede, nelle forze e nelle manifestazioni della natura».

«Lei quindi non può dirmi chi frequentasse Sofia».

«Non ne ho la più pallida idea. Credo i suoi ex colleghi, altro non so dirle».

«Aveva una storia d'amore?».

Il professore sembrava occupato a togliersi una pagliuzza immaginaria dai pantaloni. «Che vuole che le dica? Dopo tanti anni...».

«Mi aiuti a capirci qualcosa di più».

«Io e mia moglie abbiamo avuto Gianluca nel 1970 e fra noi non erano tutte rose e fiori. Poi lei ha cominciato una relazione segreta verso il 1991, 1992, non saprei dirle con certezza. Nel 1994 ci siamo lasciati, aveva un altro, un uomo molto più giovane, e da allora ognuno per la sua strada».

«Questo uomo più giovane?».

«Karl Richter... ora è professore in Germania, anche lui esperto di Leonardo. Quando si conobbero credo che fosse un ricercatore... era il suo pupillo. Quindici anni di meno...».

Rocco lo guardò in silenzio, un invito a proseguire. «Mah... io degli affari di Sofia non ne ho saputo più niente. Erano colleghi, ma non so quanto sia durata la loro storia... lei era fedele solo a Leonardo...», e sorrise sommessamente.

«Professore, mi può dare una mano?».

«Sono qui apposta, vicequestore».

Rocco aprì un cassetto e tirò fuori le fotografie prese a casa di Sofia. «Guardi un po', lei riconosce qualcuno?».

«Questo è il rettore di Bologna insieme alla moglie e a una collega di Sofia, Trueba mi pare si chiami... è spagnola. Il rettore credo sia passato a miglior vita. Quest'altra... certo, questo qui è Jeffrey Montague, dirige una rivista di studi d'arte molto importante» disse indicando l'uomo alto ed elegante con la mascella squadrata e gli occhiali tondi da vista, lo stesso riconosciuto da Sibetti.

«Jeffrey Montague?». Rocco si segnò mentalmente il nome e guardò Antonio che incamerò l'informazione. «Alla fine ha un nome».

«Perché?».

«Perché è stato visto dai vicini...».

«Può essere. Si conoscono da trent'anni».

«Mi dica di lui».

«Era un famoso ricercatore di Cambridge, poi abbandonò la carriera universitaria e divenne un editore, dirige una rivista importante in ambito accademico. Sofia vi ha pubblicato spesso. È un uomo molto distinto, colto, ricco e di un'intelligenza rara».

«Riconosce qualcun altro?».

«Ma certo. Dio, è invecchiato. Questo è Karl Richter, quello cui lei alza la mano. Karl Richter, come no. La foto è piuttosto recente perché dovrebbe avere una sessantina d'anni».

«È lui l'amante di Sofia? Quello che prese il suo posto?».

«Sì, è lui. Non l'ho mai stimato. Si è fatto strada grazie a Sofia, e ha preso la cattedra a Heidelberg. Studiava le ricerche ottiche di Leonardo. Era il suo campo specifico. Ripeto, non mi è mai piaciuto, ma forse parla l'uomo tradito...».

«E quest'altro tipo alla sua destra?».

«Questo qui?», Cardelli alzò le lenti e avvicinò la foto al viso. «No, non lo conosco», e restituì la foto a Rocco.

«Un momento, ancora una domanda» intervenne Antonio alzandosi dalla sedia. «L'anello che portava sua moglie? Sa dirci qualcosa?».

Pietro Cardelli osservò l'ingrandimento. «Mai visto in vita mia. Sofia non amava molto i gioielli, preferiva i libri. Mi dispiace, non posso esserle d'aiuto. Sembra avere un bel disegno, sembra antico».

Rocco e Antonio si guardarono. «Sofia usava molto il computer?».

«Che io sappia poco, giusto per qualche mail. Gliel'ho detto, lei e la tecnologia facevano un po' a cazzotti».

«Strano per una che studiava il più grande scienziato di tutti i tempi».

«Ha ragione ma sa, a uno studioso dell'arte, come a un matematico, non si può chiedere conto della realtà. Le dico una barzelletta. Chiudono in una cella un ingegnere, un fisico, un matematico e uno storico dell'arte, isolati, con 56 scatole di tonno ma senza apriscatole. Non gli passano il rancio. Dopo sette giorni aprono la cella dell'ingegnere. Il tipo ha mangiato perché ha creato una leva con le zampe del letto che gli ha permesso l'apertura della scatoletta. Anche il fisico ha mangiato, ha scoperto il punto critico della confezione e l'ha scassinata. Invece trovano il matematico denutrito, con gli occhi fuori dalle orbite, affamato, che tenendo in mano una confezione chiusa continua a ripetere: "Supponiamo che questa scatoletta sia aperta, supponiamo che questa scatoletta sia aperta, supponiamo che questa scatoletta sia aperta..."».

«Rende bene l'idea. E lo storico dell'arte?».

«Oh, lo storico dell'arte si è limitato a osservare per sette giorni l'installazione di tonno e alluminio e non le ha ancora trovato un titolo. Ovvio che anche lui è morto di fame».

«Allora, ve lo ripeto, però voi prendete appunti, altrimenti facciamo notte», il gioielliere era stremato. D'Intino e Deruta, pronti coi loro taccuini, pendevano dalle sue labbra. «Diciamo che provando a essere più che ottimisti, e cioè che questo sia un rubino non creato in laboratorio, dalla grandezza ha una bella caratura, e le cinque pietre intorno siano diamanti puri, tutto incastonato in oro bianco, allora l'anello potrebbe valere dai 10 ai 15.000 euro. Altrimenti potrebbe costare qualche centinaio di euro, o mille se solo il rubino è decente. Sono stato chiaro?».

D'Intino aveva preso nota: «Insomma un... range...», e guardò orgoglioso Deruta per l'uso azzardato del sostantivo, «che parte da mille e arriva a diecimila, pure quindici». Deruta invece era rimasto incantato a guardare un anello sulla cristalliera. «Che bello. Cos'è?».

«Oh, una sciocchezza. Quello è un cerchio di argento con delle pietruzze verdi di poco valore. Deve fare un regalo?».

«Sì».

«A sua moglie?».

Deruta guardò D'Intino, poi si decise. «Sì».

«Questo oggetto è più adatto a un uomo. Se vuole vedere...».

«A mio figlio» disse Michele Deruta.

«Come a suo figlio?».

«Ho detto mia moglie, ma intendevo mio figlio».

«Tu non ce l'hai un figlio» intervenne D'Intino.

«Invece sì».

«E da quando?».

«Da un po'...».

«Non me li si' mai detto».

«Preferisco tenere nascosta la cosa».

«E dove sta? In Sardegna?».

«Sta dove deve stare, Mimmo», poi Deruta tornò a guardare il gioielliere. «Quanto costa?».

«Quaranta euro... ma a lei faccio 35».

«Lo prendo!» disse Michele eccitato mettendo mano al portafogli.

«Perché non me li si' mai fatte cunosce?» insisteva D'Intino.

«Perché in Sardegna si usa così».

Il gioielliere intanto preparava il pacchetto e a stento tratteneva il riso.

«Si usa così in Sardegna?».

«Proprio, Mimmo, si usa che ci facciamo molto i fatti nostri e non mettiamo il naso in quelli degli altri».

«Sì, ma 'nu fije è importante! Je se tenessi 'nu fije, da mo' che te ne avevo parlato».

Deruta non rispose. Tirò fuori due banconote da venti euro e le depositò sul tavolo. «Invece io no».

«Almeno come si chiama?».

«Dorando» sparò Michele.

«Dorando?».

«Esatto».

«E che nome è?».

Il gioielliere diede il resto a Deruta che intascò il pacchetto. «Senta, se l'anello a mio figlio non sta bene, lo posso cambiare?».

«Lo porta qui e a seconda lo allarghiamo o lo stringiamo. Però, agente, se vuole faccio qualche altra ricerca sul gioiello. La forma non è usuale».

«Gliene sarei grato, signor Sensini».

D'Intino invece scuoteva la testa, ancora non gli tornava la storia del regalo. «Fammi capi', tu mandi l'anello in Sardegna, quello se lo prova, poi dice che è largo, te lo rimanda, tu lo fai stringere e glielo spedisci ancora... per Natale dell'anno prossimo è 'sto regalo?».

«Lo può far stringere anche a un orafo in Sardegna» si intromise il negoziante.

«Ecco, giusto. Hai visto, Mimmo? Abbiamo risolto il problema. Grazie, noi torniamo a lavorare», e uscì dal negozio seguito da D'Intino.

«Tu non ce l'hai un figlio...» insisteva in strada D'Intino. «Dici la verità! È per me?».

«Ma sei matto?».

«Per Schiavone?».

«E perché dovrei fare un regalo al vicequestore?».

«E allora?».

«Allora è per Carlo, il figlio di Eugenia, Casella m'ha chiesto di comprarlo».

D'Intino ci ragionò su. «Perché non li si' dette subito?».

«Poi la voce si sparge, Casella vuole fare una sorpresa».

«Ah» fece D'Intino.

«Qual è la bomba?» chiedeva Schiavone a Michela Gambino mentre scendevano veloci le scale del sotterraneo della questura, il luogo scelto dal sostituto commissario per installarci il suo laboratorio. «Ho fatto da sola. Cioè, l'ho chiesto a un tuo agente, Pierron, che ieri notte ho incontrato in paese ma ancora non mi ha dato una risposta». Aprì la doppia porta di ferro che immetteva nel corridoio. «Allora ho chiamato un mio ex al casellario centrale che poi ha inviato il materiale a una cara collega di Bologna, una delle migliori dattiloscopiste che ci sia». Entrarono nel cuore del laboratorio. Sul tavolo c'era un disordine che Rocco non aveva mai notato in quei locali, di solito organizzati e puliti con precisione maniacale. «Hai lasciato il lavoro a metà?».

«No, perché?».

«'Sto tavolo è un bordello...», ma per tutta risposta Michela accese il negativoscopio. «Ecco qua... dai un'occhiata. A destra le impronte digitali che ho rilevato sul notebook di Sofia. A sinistra invece stai guardando quelle che ha mandato la mia collega dal database. Ci sono 23 punti in comune. Crossover, biforcazioni, le type line nel pattern. Insomma, a dirtela tutta c'è un'altissima probabilità che coincidano».

«Sì, ma di chi sono quelle impronte a sinistra?».

«Gianluca Cardelli» disse con un sorriso Michela. «Il figlio di Sofia Martinet. È una bomba o no?».

«Il che ci fa dedurre che ha usato quel computer».

«Quando?».

«Questo non lo possiamo sapere. Però, non troppo tempo fa, se hai trovato le sue impronte sulla tastiera. Anzi, probabile sia stato l'ultimo, altrimenti ci sarebbero state quelle di Sofia».

«Vero è» concordò Michela.

«Dov'è il computer?».

«Ce l'ho io».

«Lo devo aprire».

«Hai qualcuno che ci sa fare?».

«Direi di sì. Intanto registra tutte queste belle prove che hai trovato».

«Poi ho un'altra chicca per lei, dottor Schiavone», e si allontanò dalla parete per raggiungere il tavolo di lavoro. «Guarda cosa ti ha trovato la Gambino», e alzò una bustina di plastica. Rocco la afferrò. «Non c'è niente».

«Non lo vedi ma c'è. Si tratta di un capello. Otto centimetri. Biondo. Ma tinto».

«Tinto?».

«Proprio» fece la Gambino.

«Sofia aveva i capelli bianchi».

«E allora abbiamo un capello che non si sa a chi appartiene, trovato sul tappeto in salone, sappiamo che il figlio ha smanettato sul computer della madre, e l'impronta di scarpa 45 o 46 rovinata sulla destra che significa che l'assassino poggia male il piede».

«A mettere insieme i dettagli non esce nulla, per ora».
«Questo è compito tuo. Noialtri costruiamo i pezzi del puzzle che tu devi assemblare, dottor Schiavone».
«A proposito. Il cellulare della vittima?».
«Quel ferrovecchio?».
«Lo usava?».
«Poco. In rubrica c'era solo il numero del figlio, di un dipartimento universitario a Torino e basta. Ah, e un sacco di telefonate ricevute da questi due numeri», si umettò l'indice per sfogliare un blocco per appunti.
«Ti prego, non lo fare» le disse Rocco.
«Cosa?».
«Non ti leccare il dito per girare le pagine, mi fa vomitare».
«Sei strano...».
«Io so' strano?».
«Ecco a te i due numeri», strappò un foglietto. «Non li ho controllati, non ho tempo. Ma che ci vuole?».
«Niente. Sarebbe stata un'altra bomba se avessi trovato qualche contatto con la lettera J».
Michela alzò gli occhi al cielo. «Questo è quello che abbiamo».
«Hai rilevato impronte lì sopra?».
«Molto confuse. L'unica è riconducibile a Sofia Martinet».

Baldi ricevette Rocco in una stanzetta della procura accanto all'ingresso principale. C'erano solo un banco rimediato in qualche scuola e due sedie di legno. Un telefono vecchio poggiava per terra, una crepa minacciosa congiungeva il pavimento al soffitto. «Perché l'hanno messa in questo scantinato?».

«Stanno ripitturando la mia stanza. Per due giorni mi tocca lavorare qui».

«Non la chiamerei stanza» disse Rocco indicando la fenditura. «Sembra più una cantina».

«Sì, ha ragione, un ripostiglio?».

«Già, uno sgabuzzino».

«Io i sinonimi li ho finiti, lei?».

«Mi viene in mente pure bugigattolo».

«Topaia!» gridò Baldi.

«Sì. Stanzino?».

«Ci vogliamo mettere a lavorare o passiamo il tempo a compilare il Devoto-Oli? Ha una sigaretta?».

Rocco mise mano al pacchetto che portava nei pantaloni. «Ma da quando ha ricominciato?».

«Da un po'». Lo stanzino si riempì di fumo. «Mi ricorda di quando andavo a fumare di nascosto nel garage dei miei» disse Baldi. «Lei ha mai fumato di nascosto, Schiavone?».

«Mai» rispose il vicequestore.

«Allora, sono pronto». Lupa si era accucciata accanto alla porta, affranta perché non aveva frange di tappeto da masticare. «Cominciamo col dire che c'è stata colluttazione. E la vittima aveva sotto le unghie resti di stoffa... tweed, mi ha detto la scientifica, anzi per la precisione, Harris tweed».

Baldi si toccò la giacca. «E questo fa di me un probabile omicida. Io porto le giacche di Harris tweed. Tocchi». Avvicinò il gomito. Rocco saggiò la lana.

«Senta, senta che lana! Bella, eh? Questa l'ho comprata in Scozia due anni fa, ero in viaggio con mia moglie».

«A proposito, non si è portato la sua foto» osservò Rocco.

«No, l'ho lasciata a fare la guardia su da me. Allora, andiamo avanti?» chiese innervosito il magistrato. Quello della moglie era argomento tabù, Rocco ormai lo sapeva, ma ignorava il motivo.

«Sappiamo che il figlio, Gianluca Cardelli, ha un alibi per quel giorno, era a Cervinia, alibi che regge fino a un certo punto, e sappiamo anche che il tizio ha usato il computer di Sofia. Per ultimo. E lui stesso mi ha detto che non vedeva la madre da tempo. Forse una telefonata dopo Capodanno».

Baldi assaporò una boccata di fumo, poi la sputò verso il soffitto. «Bene...» mormorò.

«Dall'anulare della mano destra di Sofia è scomparso un anello che i miei solerti agenti...».

«Non faccia ironia sui suoi collaboratori» lo interruppe Baldi.

«Lei parla perché non conosce i soggetti... dicevo che i miei solerti agenti hanno cercato di far valutare grazie a delle fotografie. Ma, come lei facilmente intuirà, la valutazione va dai 15.000 ai 400 euro».

«Certo, dipenderà dalla bontà o meno delle pietre, l'oro eccetera eccetera».

«Giusto, dottor Baldi. L'orafo, vista la foggia peculiare dell'oggetto, ci ha promesso una rapida indagine. Abbiamo poi un'impronta, scarpa 46, suola di cuoio, uomo, rovinata sulla parte destra, che fa dedurre che il proprietario abbia qualche difetto nella deambulazione. E sappiamo che la signora è stata uccisa fra le 12 e le 14 di lunedì».

«È tutto?».

«Sì. A quell'ora nella palazzina non c'era nessuno, se si esclude Dario».

«Chi è Dario?».

«Dario è il figlio della signora Rebecca Fosson, la vicina del secondo piano, e non ci può aiutare perché è cieco e un po' ritardato. Anzi parecchio. Parla una lingua inventata».

Baldi scosse la testa contrariato. «L'unico testimone possibile...».

«L'unica informazione certa è che dalle parti di casa Martinet i vicini hanno visto spesso un uomo, il nome è Jeffrey Montague, dirige una importante rivista d'arte. È inglese».

Baldi gettò la sigaretta a terra e la calpestò.

«Faccia anche lei così, qui posacenere non ce ne sono». Rocco lo imitò. «Ci potremmo parlare».

«Direi di sì...».

«Come ha intenzione di muoversi?».

«Per prima cosa voglio sapere cosa c'è sul computer della Martinet, poi insisto sulla sua agenda dell'anno scorso, forse mi è sfuggito qualcosa».

«Dottor Schiavone, mi sembra che siamo ben lontani dalla fine del viaggio».

«A me sembra che non siamo manco partiti» replicò Rocco.

«Non dica così. Qualche informazione in mano ce l'ha».
«Pochine. Ma me le devo far bastare».
«Mi dica se lei ha ancora bisogno del corpo».
Schiavone aggrottò le sopracciglia «Del mio sicuro, per quel poco che funziona ancora».
«Intendo, della vittima».
«No, direi di no. Io credo che Alberto abbia fatto tutte le indagini possibili. Qual è il motivo?».
«Mi fanno pressione per il funerale. Università, colleghi stranieri, insomma vorrei dare una risposta».
«Per me quando vogliono. Chieda al patologo, che giorno è oggi?».
«Giovedì» rispose Baldi. «Loro vogliono farlo domenica».
«Loro chi?».
«I colleghi della Martinet. Molti sono stranieri».
«Si possono fare i funerali la domenica?».
«Credo di sì, ma non penso li faranno in chiesa. Comunque dico che va bene?».
«Per me sì, dottor Baldi».

Il vicequestore si era seduto sulla pompa di calore dell'ufficio che scricchiolava sotto il suo peso. Il sole era tramontato, i suoi uomini avevano il viso stanco. «Poche parole prima di mettere fine a quest'ennesima giornata di merda. Ho bisogno, Case', che porti il computer di Sofia Martinet a Carlo. Che lo apra e stampi tutte le mail, inviate e ricevute, che trova. Il portatile è in quella busta di pelle lì», e la indicò con il mento.
«Sissignore».

«Antonio Scipioni, invece, dovresti farmi una ricerca accurata su Jeffrey Montague e Karl Richter, rispettivamente editore di una rivista e professore all'università di Heidelberg». Antonio Scipioni si scrisse l'appunto sulla mano. «Ma non ce l'hai un taccuino?».

«Se li sono fregati tutti Deruta e D'Intino».

Rocco guardò con rimprovero i due agenti. Michele vicino alla finestra, D'Intino invece non osava entrare in stanza, restava sull'uscio. «Perché li rubano?».

Antonio allargò le braccia. Deruta e D'Intino abbassarono lo sguardo. «Vabbè... prima o poi verrò a capo di questo vostro rapporto malato con la cartoleria. Ho detto tutto? No. D'Intino!».

L'agente scattò. «Eccomi, dotto'».

«Prendi questi due numeri di telefono, la Martinet ha ricevuto un sacco di chiamate. Controlla gli intestatari. È facile, no?».

«E che ci vuole?», afferrò il foglietto che Rocco gli porgeva e lo mise in tasca.

«Ho un'ultima impresa da compiere e a quella ci penserà Italo».

Pierron, serio in volto, se ne stava a braccia conserte vicino alla macchina del caffè, proprio alle spalle di Rocco. «Sarebbe opportuno, agente Pierron, individuare gli spostamenti che lunedì ha compiuto il figlio della vittima, Gianluca Cardelli. È andato a Cervinia, ma vorrei sapere se dopo è tornato a Biella oppure no. Fatti dare il numero di cellulare e controlla».

«Che possibilità ci sono che Fumagalli abbia cannato l'ora della morte della Martinet?» chiese Pierron.

«Mi sembra un po' distratto, ultimamente, errori possono sempre esserci. Noi confidiamo nella sua professionalità. E comunque sull'ora della dipartita siamo piuttosto sicuri. È tutto, uomini!». Si alzò dalla pompa di calore, infilò il loden e fischiò a Lupa. «A domani».

Antonio e Italo uscirono subito dopo, poi fu la volta di Deruta. L'ultimo a lasciare l'ufficio fu Casella che prese il computer. Incrociò lo sguardo di D'Intino. «L'ha comprato» gli sussurrò l'agente abruzzese. Ugo Casella storse la bocca. «Cosa?».

«Il regalo a Carlo. Deruta l'ha preso».

«Ma di che parli?» fece Casella sempre più stranito.

«Non ti preoccupa', Ugo, sono una tomba, me stenghe zitto».

«D'Inti', per piacere, ho da fare».

«È bellissimo!».

«Ma di che stai parlando?».

D'Intino si mise l'indice sulle labbra. «Sshhtt! Non dico niente. Ma le so' viste. Bello, proprio bello».

Casella lo piantò lì e scuotendo la testa si allontanò.

Quando Ugo Casella arrivò al panificio aveva ricominciato a nevicare. Pochi fiocchi, ma avevano l'aria di voler scendere per tutta la notte. Si perse a guardarli passare attraverso la luce dei lampioni, poi aprì la porta. Dentro il negozio c'era odore di crema, pizza, zucchero, latte, mandorle. Si mise a studiare la vetrina coi pasticcini a forma di barchetta posizionati in ordine meticoloso. Dal marrone scuro della cioccolata si passava a quello più tenue del caffè, poi il verde del pistacchio, il giallo della crema e infine la cioccolata bianca. Un trionfo di colori e di zuccheri che Ugo stava assaporando con gli occhi. Dalla porta del laboratorio spuntò fuori il panettiere.

Era la prima volta che Casella ci andava, l'idea era prendere un po' di paste da portare a cena da Eugenia. Il panettiere gli sorrise, aveva gli occhi chiari, dal berretto bianco spuntavano i capelli biondi. «Buonasera, posso essere utile?».

«Buonasera. Io sono un collega di Michele, alla questura, per caso è qui?».

«No, non c'è».

«La moglie?».

«Neanche lei. Può dire a me».

«Volevo un po' di questi pasticcini. Due per gusto, per favore».

«Perfetto». Il panettiere prese un vassoio di carta. «Non era mai venuto prima?».

«No, mai. Lo volevo fare da mo', perché Michele mi dice sempre che il pane che fa la moglie è il migliore della Valle. Anche se non ci vuole molto».

«Perché?».

«Il pane di quassù non mi piace. Io sono cresciuto con quello di Altamura».

Il panettiere gli sorrise. «A tutti piace quello che mangiamo nell'infanzia. Io per esempio non posso più bere birra alla spina».

«E com'è?».

«Sono nato in Germania, e in Italia sono venuto che avevo 16 anni... lo capisce da solo quindi».

«Ah, lei è tedesco?».

«Per metà. Papà era di qui. Desidera altro?».

«No, basta così...».

Il panettiere incartò i dolci. «Allora sono 5 euro e cinquanta».

Ugo pagò, prese lo scontrino, salutò e uscì. «Arrivederci» disse cercando di proteggere il pacchetto e il computer dalla neve. Solo allora notò che Deruta si stava avvicinando a passetti leggeri, con le mani in tasca guardava la strada immerso nei suoi pensieri. «Uè, Michele!» fece Casella. Quello alzò il viso. A Ugo parve di vederlo impallidire. «Ugo... com'è qui?».

«Ho preso dei dolci. Volevo conoscere tua moglie, ma non c'è, m'ha detto il panettiere. Che è tedesco. Lo sa fare il pane un tedesco?».

«E certo che lo sa fare» rispose offeso Deruta.

«Mo' vado che nevica troppo. Ma che si accontava D'Intino?».

Michele scosse la testa interrogativo.

«Che l'hai comprato. Ma che hai comprato per me, da dare a Carlo?».

Deruta restò in silenzio. «Oh, hai capito? Mi ha detto D'Intino che è un segreto, che lui l'ha visto, che è bellissimo, ma è per Carlo. Ma che vuol dire?».

«D'Intino non ha capito».

«Embè, mica è una novità».

«Ho comprato un anello a mia moglie, e siccome sono fatti miei, gli ho raccontato una bugia».

Casella rimase perplesso. «Ah».

«Sì, un anello che le sto portando».

«Ah».

I due poliziotti si guardarono sotto i fiocchi che continuavano a scendere leggeri. «Ma tua moglie al panificio non c'è» gli disse Casella.

Deruta prese un respiro. «No, invece c'è».

«E perché il panettiere mi ha detto che non c'era?».

«Si è sbagliato».

«Si è sbagliato a dire che la signora non era in negozio?».

«No, si è sbagliato a dire che la moglie non c'era. Mia moglie c'era, era nel panificio».

Casella storse un poco il capo. «Com'è che non l'ho vista?».

Michele Deruta deglutì. Poi aprì la bocca, esitò, e alla fine disse: «Ci hai parlato».

«Con tua moglie?».

«Con mia moglie» confermò Deruta, lo sguardo teso e gli occhi fissi su quelli di Casella.

«Ah. E perché non me l'ha detto?».

«Perché io mi vergogno».

«Di tua moglie?».

«Sì».

«Ti vergogni che tua moglie fa il panettiere?».

«No, non hai ancora capito, Case'?».

«A dire il vero, no».

«Allora pensaci mentre vai a casa», e proseguì verso il forno.

Casella attese, poi si rese conto che la neve stava infradiciando il pacchetto delle paste e di corsa raggiunse la macchina. Ci mise tutto il tragitto, fin quando non parcheggiò sotto la palazzina. «Mo' ho capito!» disse a mezza voce.

Deruta entrò nel panificio con il fiatone, sbatté le suole delle scarpe lasciando cadere fiocchi di neve sul pavimento. «Sono qui» disse. Federico spuntò dal laboratorio. Accigliato, serio, si mordeva le labbra e non diceva niente. «Federico, ho capito un sacco di cose che non avevo capito» esordì Deruta.

«Senti Michele, io...».

«Lasciami parlare sennò perdo il filo. Ci sono dei giorni che uno prende delle decisioni, e non fa niente se poi queste decisioni le paga sulla pelle. Io ci sono abituato, ho sempre pagato tutto, tutto proprio. Ecco cosa ho capito oggi. Dobbiamo vivere, Federico, e vivere per me e per te significa una cosa sola». Si fermò. Federico restò in silenzio, aspettando il resto. Che non arrivava. Come se Deruta, pila esausta, si fosse scaricato. Teneva le braccia lungo il corpo. Poi riprese coraggio. «Non è giusto» fece, «non è giusto che io mi debba nascondere, e non è giusto che tu soffra, e sei la persona che amo di più al mondo. Sono quarant'anni che sto nascosto al buio, manco avessi la peste. Ho la peste io?». Federico provò a rispondere, ma Michele tirò dritto. «No che non ce l'ho! Amare mica è una disgrazia. Amo un uomo, e allora? Si può fare, sta scritto nella natura, e chi non lo accetta non mi piace e non ci parlo più. Allora io oggi, proprio adesso anzi, ti dico una cosa che ci pensavo da un po' di tempo», si mise la mano in tasca, tirò fuori il pacchettino del gioielliere e lo consegnò a Federico. «Io voglio vivere con te».

Federico con la mano tremante afferrò il regalo. Lo scartò. Vide l'anello e scoppiò a piangere. Deruta ci rimase male, aggirò il bancone e lo raggiunse. «No, mica ti volevo fare piangere, Federico!».

«Piango perché sono felice, Michele».

«Ah, allora ridi. Ridiamo, Federico, che io di lacrime non ne posso più», e così si fecero una lunga risata guardandosi dritto negli occhi. Poi si abbracciarono. «Domani, se lo vuoi ancora, porto le mie cose da te».

«Certo che ti voglio, amore mio».

«Però mi lasci un angolo per dipingere?».

«Ti lascio una stanza».

Lo baciò, lo voleva fare da giorni. «Sai di crema» gli disse.

«Ho appena mangiato un croissant».

«E a me niente?» protestò Deruta.

«No, a te niente. Adesso ci cambiamo e andiamo a cena in un bel ristorante».

«In città?» chiese timoroso Deruta.

«In città. Io e te. Davanti a tutti».

«E a chi non gli sta bene?».

«Sollen sie sich ins Knie ficken».

«Che vuol dire?».

«Più o meno si fotta!» tradusse Federico.

Sembrava che a Lupa la neve piacesse. Restava col muso all'insù a raccogliere i fiocchi sul naso e con la lingua. Invece Rocco, bavero del loden alzato, decise di ripararsi per qualche secondo sotto il portico della piazza prima di continuare verso la pizzeria al taglio. Si appoggiò a una colonna e si accese una sigaretta. Non sarò mai uno di loro, si disse guardando gli indigeni camminare tranquilli, protetti solo da un cappuccio o da un cappello di lana. Aveva freddo alle gambe e ai piedi, l'alpino del monumento era quasi ricoperto, e lo erano anche le fontane della Dora e del Buthier dove il bianco sporco del marmo si confondeva con quello immacolato della neve. Gettò la sigaretta ed entrò nel bar centrale, aveva voglia di una bevanda, possibilmente alcolica, poco montanara. «Mi dai un rum, Ettore?». Il proprietario annuì. «Qualche preferenza?».

«C'è solo un rum, e lo sai». Ettore prese un bicchierino e lo riempì. «A lei, dottore. Uno solo?».

«Aspetta un attimo, non te ne anda'». Rocco tracannò il liquido con un solo sorso e restituì il bicchiere. «Vai col secondo».

«Giornata dura?».

«Come le altre».

Poi notò che il proprietario guardava con insistenza la sala da tè. «Che c'è?» gli chiese Rocco.

«Niente...».

«Perché ammicchi? Chi c'è di là?».

«Non posso guardare? Il locale è il mio», e si voltò per rimettere la bottiglia al suo posto. Rocco finì anche la seconda bevuta e si avvicinò alla porta a vetri che dava sulla sala interna. Poche persone sedute ai tavoli, notò subito Sandra con una tazza di porcellana alle labbra, guardava interessata il suo compagno di tavolo che parlava agitando le mani. Gli occhi della giornalista si posarono su Rocco. La salutò con un sorriso accennato e tornò al banco. «Ettore, devi imparare una cosa nella vita».

«Mi dica, dottor Schiavone».

«A farti i cazzi tuoi».

«Pensavo le avrebbe fatto piacere».

«E pensi male. Quant'è?».

«Sono sei euro» rispose serio.

«Te lo posso offrire io?». Sandra era alle sue spalle. Le brillavano gli occhi, i denti bianchissimi facevano capolino dal rosso delle labbra. «No, grazie Sandra, a 'sto ladro che prende sei euro per due micragnosi bicchieri di rum lo voglio pagare io guardandolo negli occhi».

«Micragnosi? Ha preso lo Zacapa!».

«È sempre troppo!» fece Rocco mettendo mano al portafogli. Sandra aveva già lasciato la banconota sul tavolo. «Il resto è per la colazione di stamattina, Ettore». Poi si rivolse a Rocco. «Vuoi unirti a noi?».

«Noi chi?».

«Io e il caporedattore, Luigi».

«Vi lascio soli a parlare di lavoro» disse Rocco.

«Che programmi hai stasera?».

«Ho uno smoked cocktail con i Sassonia Coburgo Gotha».

«Ancora vai dai Sassonia?» disse Sandra.

«Ma sai, retaggi di famiglia».

«E se ti proponessi una pizza dall'egiziano?».

Rocco la guardò. «Non sei più incazzata con me?».
«Ci si può arrabbiare con una faina che stacca le teste alle galline o con un cuculo che ruba i nidi agli altri uccelli? È natura».
«È un bel modo di metterla».
«Allora? Se mi dici di sì mi salvi da una... come dici tu?».
«Rottura di coglioni?».
«Esatto, e di livello altuccio, un otto pieno».
«Allora ti salvo».
Sandra gli sorrise. «Vado a prendere il cappotto».
Appena la giornalista si allontanò, Rocco sentì lo sguardo di Ettore sul collo. Si voltò. Il proprietario del bar centrale lo fissava con gli occhi socchiusi e un sorriso ironico. «Avevo ragione o no?». Rocco non gli rispose e si avviò verso l'uscita. «Andiamo, Lupa?». Il cane uscì da sotto il tavolino accanto all'ingresso e seguì il suo padrone.

Non avevano preso la strada dell'egiziano, preferirono il ristorante vicino casa di Rocco. Si mangiava bene, non costava eccessivamente e camerieri e proprietario si facevano i fatti loro. Non ammiccavano, non si intrufolavano nelle vite degli altri, si limitavano a compiere il loro lavoro, tutte qualità che Rocco stimava e rispettava. «Hai novità sul caso Martinet?».
«Si è trasformata in una cena di lavoro?».
«Non è che abbiamo molto altro in comune».
Rocco si infilò un grissino in bocca, guardò Lupa accartocciata sotto il tavolo, sembrava dormisse. «Passi

lenti e cadenzati, andiamo avanti, non vedo ancora la luce in fondo al tunnel».

«Ti posso aiutare?».

«E come?». Sandra si versò del vino. «Era una studiosa d'arte, specializzata su Leonardo. Una luminare, a quanto abbiamo scoperto, ma nessuno ne sapeva niente. A parte te».

«Perché non leggi il mio giornale. Due anni fa le dedicammo ben tre pagine con tanto di fotografia nell'inserto della cultura».

«Le scrivesti tu?».

«No. Ci pensò un mio collega, Martini, oggi è in pensione ed è tornato a casa sua, a Pizzighettone».

«'Ndo cazzo sta?».

«Vicino Cremona».

«Posso avere l'articolo?».

«Te lo mando domani per mail» gli rispose. «Anzi guarda, siccome mi fai pena...», la giornalista mise le mani nella borsa appesa alla spalliera della sedia e tirò fuori il cellulare.

«Che stai facendo?».

«Lo chiedo proprio a lui. Martini è un tipo preciso».

«A quest'ora avrà di meglio da fare».

«A Pizzighettone? Che vuoi che abbia da fare?».

«Che ne sai? Magari è occupato a insaponarsi la corda».

Sandra digitò rapida e mandò il messaggio. «Gli fa piacere sapere che c'è qualcuno che ancora pensa a lui. È solo, senza figli...».

«Basta così, per favore!» e accompagnò la preghiera con

un gesto della mano. «Sennò mi passa la fame. Puoi toglierti quel sorriso idiota dalla faccia?» le chiese.

«Non è un sorriso idiota, è la conformazione naturale della mia bocca».

Le guardò il viso. Non aveva mai notato sotto lo zigomo una piccolissima cicatrice, impercettibile, che veniva fuori quando Sandra stirava le labbra per sorridere.

«Mi piacevano i vecchi tempi, quando scrivevi pezzi avvelenati contro di me».

«È perché non ti conoscevo. Altrimenti sarei passata direttamente alle denunce. Ricordi che il mio ex è il questore?».

«Che meno ti vede, meglio si sente».

Sandra prese un sorso di vino, poi si asciugò le labbra. A Rocco venne in mente il prete della messa. Da ragazzino, detestava il momento dell'eucarestia, quando il sacerdote beveva il vino e si asciugava le labbra con calma, come se fosse a casa sua. Tutto quel rituale alimentare gli dava il voltastomaco. «Bevete il mio sangue... mangiate il mio corpo...». A casa provava a chiedere alla madre: ma che razza di storia è mangiarsi il corpo e bere il sangue di Cristo? Tipo gli zombie? La madre lo sgridava sempre: «È il corpo di Cristo, Rocco!». «Sì, ma perché se lo dovemo magna'?». La risposta a quella domanda la capì anni dopo, al liceo, quando lesse delle Baccanti e Apollo e gli atti di cannibalismo. Gli dispiacque che il cattolicesimo non avesse copiato da greci e romani anche il rito orgiastico, allora sì che avrebbe continuato a frequentare la messa in spasmodica attesa dello scambio del segno di pace.

«Sei sempre stato così?», chissà da quanto tempo stava parlando.

«No» le rispose e si fissò sulla fiamma della candela riflessa nelle pupille nere di Sandra.

«Mi sarebbe piaciuto conoscerti prima».

«Ero occupato».

«Ho detto conoscerti, non venire a letto con te».

Finalmente il cameriere portò i primi piatti. Cominciarono a mangiare in silenzio. «Quante volte siamo stati a letto insieme?» gli chiese.

«Tre. La prima mi hai legato alla spalliera, s'è riaperta la ferita e m'hai portato in ospedale, la seconda hai scelto un albergo fuori città ma io ho fatto una brutta figura, la terza siamo stati a casa tua, sul divano e ti sei messa a parlare col tuo capo al cellulare. Mi sono addormentato».

Sandra scoppiò a ridere. «Su tre volte non ne abbiamo azzeccata una».

«Così pare».

«Quindi ancora non abbiamo consumato».

«E mica siamo sposati» disse Rocco.

«Semplifico. Non abbiamo ancora fatto l'amore. Giusto?».

«Tecnicamente no, nei pensieri sì. Io l'ho fatto almeno una decina di volte».

«Anche io» sussurrò la donna. Continuarono a mangiare in silenzio. La sala era semivuota, solo altri due tavoli erano occupati da persone che chiacchieravano mormorando, almeno fino a quando l'alcolemia non fosse salita, e allora voci e risate sarebbero diventate più sonore. Una musichetta oscena segnalò l'arrivo di un messaggio sul cellulare di Sandra che rapida posò la forchetta e lesse asciugandosi la bocca col tovagliolo. «Bene, Martini ha già mandato la mail col suo articolo. Se vuoi dopo cena passo in redazione, lo stampo e te lo porto».

«Posso farlo io domattina in questura».

«Credimi, ti aiuterà a prendere sonno. Martini, gran bella persona, bravissimo giornalista, ottimo come analgesico, è in grado di provocare narcosi in pochissimo tempo».

La redazione del giornale era avvolta dalla semioscurità. Era la prima volta che Rocco la visitava. Una stanza enorme con una serie di finestre ad arco su un lato. Lupa ispezionò tutti i cestini e trovò sensato pisciare sul terzo. «Questa è la mia postazione» disse Sandra accendendo una lampada da tavolo. «Vicino alla finestra, spalle al muro, lontana dai colleghi» e si sedette alla scrivania. Ogni tavolo ospitava un computer ed era assediato da decine di gadget. Fotografie di famiglia, tazze con loghi e scritte, portapenne ricolmi di matite spuntate, cavi ovunque, adesivi di scudetti di squadre di calcio, della Ferrari, Einstein con la lingua di fuori; molti avevano appiccicato post-it con frasi spiritose: «Se non ce la faremo ce la faromolo», «Meglio tacere e sembrare stupidi che aprire bocca e togliere ogni dubbio, O. Wilde». Regnava un odore di gomma da cancellare e caffè vecchio. «Ti piace la redazione?» gli chiese mentre ticchettava sulla tastiera.

«No, però ho capito che fine fa tutta la monnezza che vendono nei negozi dei cinesi».

«Cioè?».

«Finisce per ornare le postazioni di lavoro».

La stampante cominciò a sputare dei fogli. «Ecco, a te», Sandra li allungò a Rocco. Era l'articolo richiesto su Sofia Martinet. Lo lesse accanto alla finestra. «Prego» disse Sandra seccata, ma Rocco immerso nella lettura non rispose. «Senti un po' qui... famosa e continua la collaborazione di Sofia Martinet con le pagine di "ArtVision", la nota rivista di Jeffrey Montague...». Alzò il viso. «Esiste secondo te un archivio di questa rivista?».

«Penso di sì. Aspetta...». Sandra si mise a cercare informazioni in rete mentre Rocco proseguiva nella lettura. «Sede a Londra, ma sei fortunato, puoi trovare la rivista alla biblioteca di Aosta».

«Posso tenerlo?», e alzò i fogli di carta.

«L'articolo? È tuo».

«Io sono arrivato» disse Rocco sotto al portone. Aveva smesso di nevicare, le strade erano scomparse sotto la coperta bianca e immacolata. «Buonanotte» le disse prendendo le chiavi di casa dalla tasca.

«Anche a te».

«Grazie per l'aiuto».

«Grazie per la serata».

Rimasero a guardarsi per qualche secondo. «Magari un giorno di questi...».

«Sì, magari». Lo baciò sulla guancia e sprofondata nel cappotto si allontanò lasciando a terra le orme degli stivali. Rocco aspettò qualche secondo, poi infilò le chiavi nel portone e aprì.

In casa si gelava. Qualcosa di impronunciabile doveva essere successo al riscaldamento, niente che potesse risolvere alle 23 e 45. Rapido si spogliò e si mise a letto battendo i denti. «Ma come cazzo se fa?» chiese ad alta voce. Lupa saltò sul piumone e si preparò per la notte. Provò a rileggere l'articolo di Martini, ma alla terza frase si addormentò.

Venerdì

Doveva aspettare l'orario d'apertura della Biblioteca Comunale. Con calma e metodo sbriciolò la marijuana nel tabacco, due giri d'avvitamento carpiati coi polpastrelli per rollare la canna e un solo colpo di lingua per incollarla. L'accese e si rilassò guardando i monti innevati che quel giorno le nuvole avevano deciso di scoprire. Era buona, come anche il caffè. Dopo un calcio di punta sulla base di plastica, la pompa di calore non emetteva più il suo rumore percussivo, e dagli altri uffici non giungeva un fiato. L'equilibrio precario lo ruppe il suono del cellulare. «Alberto, dimmi».

«Ti ricordi la storia del dito e dell'anello? Abbiamo avuto culo. Ho trovato glicosaminoglicano e glicoproteine, elettroliti di iodio, potassio, calcio, ione bicarbonato...».

«Traduci».

«Saliva, ignorante».

«E come...?».

«Ti anticipo. Ci vuole tempo per risalire al proprietario e detto fra noi possiamo anche non trovarlo mai. Però una cosa è certa...».

«Qualcuno ha lubrificato il dito della Martinet per toglierle l'anello. E questo dichiara delle due una: o valeva un sacco di soldi, oppure era una chiave per arrivare al figlio di puttana».

«Vero. Comunque io lo mando lo stesso a fare l'esame del DNA. Ci vorranno giorni e giorni».

«Che palle. Grazie, Albe'».

«Dovere».

Si chiese se il valore dell'anello, che come aveva detto il gioielliere poteva raggiungere i 15.000 euro, fosse una cifra sufficiente per decretare la morte della professoressa. Rocco si era abituato a motivi ben più futili di un anello di diamanti per giustificare un omicidio. Una pensione a volte poteva bastare e avanzare, se non addirittura debiti per poche centinaia di euro. Andò alla finestra per gettare il mozzicone. L'agente Casella stava entrando in quel momento in questura. «Case'? Allora? Hai novità?».

Il poliziotto alzò il viso. «Sì, dotto'».

«E che cazzo aspetti a dirmele?».

«Mo' ho chiamato, era occupato».

«Sali e sbrigati!». Almeno la neve coprendo il tettuccio sporgente sotto il suo davanzale aveva ingoiato tutte le canne fumate a metà. Al disgelo si sarebbe occupato della pulizia della copertura. Pochi secondi con la finestra aperta e l'aria in ufficio era diventata una morsa di gelo. Dovette infilarsi il loden e attaccarsi alla pompa di calore. Decise anche di prepararsi un secondo caffè. Il liquido aveva riempito metà bicchierino quando Casella entrò in ufficio. «No, dotto', grazie, l'ho appena preso» equivocò l'agente.

«Non è per te. Allora?».

«Allora...», Ugo Casella si schiarì la voce. Il viso paonazzo, si tolse i guanti. «Che freddo che fa in questa stanza... allora parliamo del computer della signora Martinet. Carlo ha scoperto che sono state cancellate delle mail».

«È sicuro?».

«Certo».

«E queste mail si possono rintracciare?».

«Carlo dice di sì. Non sono più dentro al portatile, ma bisogna chiederle direttamente al coso lì, al motore di ricerca, però magari se parla con Carlo le spiega meglio», e afferrò il cellulare, compose il numero e lo passò a Rocco. «Ugo, sei tu? Guarda che mamma ti stava cercando».

«No, Carlo, sono Schiavone...».

«Ah, scusi dottore, pensavo... è per il fatto delle mail?».

«Esatto. Si può rintracciare?».

«È tosto e bisogna sbrigarsi. Una volta che lo si cancella dal computer, il messaggio in chiaro non c'è più. Allora bisogna rivolgersi ai server delle aziende, nel nostro caso Yahoo!, prima che faccia l'espunzione, cioè eliminino per sempre la mail».

«Roba da polizia postale?».

«Direi che è meglio. Io l'autorizzazione per un'azione simile non ce l'ho».

«Grazie Carlo. Mi do da fare».

«Ma le ho portato avanti il lavoro. C'è un suo collega, Moriani, che sa già tutto. Inoltri la domanda e lui si mette all'opera».

«Ma perché non ho agenti come te?».
«Faccia conto che un po' ce li ha... in parte ormai sono in forze anche io, no?».
«Hai ragione. Com'è che conosci un agente alla postale?».
«Prima lavoravamo insieme. Facevamo operazioni, diciamo, poco legali. S'è illuminato sulla via di Damasco e sta coi buoni».
«Saremmo noi i buoni?».
«No?».
«Ecco, bravo, resta nel dubbio. Che devo dire a Casella da parte di mamma?».
«Riporto fedele le parole di mamma: Ugo, la prossima volta che lasci la tazza sporca di caffè e le briciole dei biscotti sul tavolo, la colazione la fai al bar».
«Riferirò». Restituì il cellulare a Casella. «Ugo, due cose: va' da Moriani, alla postale, sa già tutto, e digli di inoltrare la richiesta. Seconda: pulisci e metti a posto dopo la colazione sennò Eugenia ti caccia a calci nel culo da casa sua».
«Provvedo subito per tutt'e due», e uscì di corsa dalla stanza. Rocco intascò il pacchetto di sigarette, diede una carezza a Lupa che russava e lasciò l'ufficio. Si affacciò nella stanza degli agenti. Trovò Italo e Deruta. Li guardò in silenzio. «Che c'è?» chiese Italo. «Dov'è Antonio?».
«L'ho visto uscire, mezz'ora fa. Pare stia seguendo una sua idea» rispose Pierron.
«Che sarebbe?».
«Prima complottava qualcosa con la Gambino, poi ha preso l'auto».

«Complottare con la Gambino è un'attività normalissima, direi quasi scontata. Io vado in biblioteca a farmi una cultura. Deruta, tu...», lo osservò meglio. «Ti sei pettinato?».

«Eh?» chiese distratto Michele lisciandosi i capelli.

«Ti sei pettinato, non sei sudato, che succede?».

«Niente, dotto', tutto a posto», e arrossì.

«Mi fa piacere. Restate qui a disposizione, soprattutto tu, Italo».

«Soprattutto io?».

«Che ho detto? Ripeto: soprattutto tu».

E uscì dalla stanza. Deruta guardò Italo che liquidò l'incidente con uno schiocco di labbra. «Scopa poco» disse al collega.

La rivista «ArtVision», come Rocco si aspettava, era scritta in inglese e lui l'inglese lo frequentava poco. La sua conoscenza della lingua si limitava alle parole delle canzoni imparate a memoria e a una storia di sei mesi con una ragazza irlandese che non gliela diede ma in cambio della promessa mai mantenuta si era fatta scarrozzare per Roma. Il numero che teneva in mano era del mese precedente. C'era un articolo su alcune opere del Sassetta, uno studio approfondito della crocifissione di Grünewald, un'intervista a un filosofo danese dal cognome impronunciabile, foto di opere di un autore moderno che Rocco non conosceva, sembrava dipingesse delle carte da parati. Chissà se a Marina sarebbe piaciuto, si chiese. Quel poco di arte che masticava lo doveva a lei, sua moglie, che di mestiere faceva la restauratrice e ogni tanto lo portava ai musei per sgrezzarlo e insegnargli le bellezze del barocco, la solidità di Raffaello e Michelangelo, la libertà dei futuristi. La biblioteca era deserta, solo una donna di una certa età con una cuffia alle orecchie, ascoltava musica con gli occhi chiusi. La ragazza che gli aveva portato la copia della rivista aveva ripreso posto dietro la scrivania. Rocco la raggiunse. «Grazie, io però avrei bisogno di un numero particolare».

«Mi dica», lo guardò attraverso gli occhiali con la montatura nera, dietro le lenti gli occhi verdi contrastavano coi capelli corvini. Rocco si perse a guardarla, e in quel momento non era più nella Biblioteca Comunale di Aosta, si ritrovava steso in mezzo a un milione di tomi a leccare il corpo nudo della bibliotecaria. «Quale in particolare?» chiese ancora la ragazza.

«Ah, sì... aspetti...», prese una carta dalla tasca. Lesse. «Ottobre del 2013».

La ragazza si alzò. «Vado a prenderlo. Torno subito, mi aspetta?».

«Tutta la vita» fece Rocco. Quella sorrise e sparì nel corridoio, ma il vicequestore ebbe il tempo di controllare come le calzassero i jeans e la notevole lunghezza del femore. Si appoggiò al tavolo. La donna con la cuffia seguitava a tenere gli occhi chiusi. Fuori la neve aveva ripreso a cadere. C'era calma nella biblioteca, e un odore di matite temperate e di limone.

Lingua fra i denti e occhio strizzato, Brizio sta facendo la cornicetta al quaderno. Ogni volta che si inaugura un quaderno nuovo è d'obbligo, fargli la cornicetta. La maestra su questo è sempre stata chiara. Fiori, foglie, tralci, tutt'intorno alla prima pagina. E al centro il nome e il cognome e la classe d'appartenenza dell'alunno. Solo che Brizio, il suo compagno di banco, non sta disegnando uva, o pomi, o foglie. Sta facendo tutti piccoli cazzi appesi a ramoscelli verdi. «Secondo me non va bene, Brizio». Quello ritira la lingua in bocca, il nodo del fiocco s'è aperto, il grembiule è macchiato di nero. «No?» gli dice. «No. Devi fare la frutta. I cazzi non vanno bene. La maestra secondo me non li accetta».

«A me mi piacciono».

«Pure a me, ma la regola dice frutti».

«E se gli faccio gli occhi?».

«Ai cazzi?».

«Eh...».

«I cazzi non li hanno gli occhi».

Brizio ci pensa un po'. «Allora li coloro di giallo e dico che sono patate».

«Le patate vanno bene. Colorali di marrone, meglio».

«No, poi sembrano cazzi africani».

«Allora arancioni?».

«Arancioni scuro, sì». Tira fuori la lingua, afferra la matita giusta e riprende a disegnare. C'è sempre odore di limone. Forse è il disinfettante che usa la bidella.

«Mi dispiace, non abbiamo tutti i numeri del 2013...», la bibliotecaria era tornata con un'espressione amareggiata sul volto.

«Si possono richiedere?».

«Se mi lascia il suo recapito ci provo. È importante?».

«Omicidio» disse Rocco. La bibliotecaria spalancò gli occhi. «Omicidio?».

«Sono un vicequestore e sto indagando. È una priorità. Fra l'altro la vittima pare vi abbia lasciato una bella quantità di libri importanti e rari».

«Non ne so niente, mi dispiace». La donna tornò dietro il bancone e prese carta e penna. «Mi dia il suo numero, o preferisce che la chiami in questura?».

«No, preferisco che lei abbia il mio numero». Glielo dettò. «Mi chiamo Rocco Schiavone, come può evincere dal registro e dal documento che ho lasciato a una sua collega».

«Perfetto, dottor Schiavone, mi do da fare».

«Grazie... non conosco il suo nome».

«Tiziana».

«E ha anche un cognome?».

«Certo, sono fornita anche di quello. Combaz».

«Grazie, Tiziana Combaz. Ha parenti che possiedono un rifugio dalle parti di Cervinia?».

«Purtroppo no».

Era appena rientrato in ufficio quando Antonio si affacciò alla porta. «Due notizie. I numeri che hanno chiamato decine di volte il cellulare di Sofia Martinet appartengono a Jeffrey Montague e alla redazione della rivista "ArtVision". Sono numeri inglesi».

«Montague... bene, è lui la J dell'agenda. Io con questo ci devo parlare. Cerchiamo un recapito, un indirizzo».

«Starà a Londra?».

«E io ci devo parlare lo stesso. Poi?».
«C'è una persona per te».
«Chi è?».
«Karl Richter».
«E chi cazzo è?», poi la memoria si riaccese. «Ah, sì, il professore, certo. Fallo passare». Antonio fece per muoversi, Rocco lo bloccò. «Parla italiano?».
«Benissimo, meglio di D'Intino sicuro».
L'uomo aveva una sessantina di anni portati discretamente se non fosse per i capelli che erano caduti in abbondanza lasciando a un ciuffo biondo il compito di coprire il più possibile la pelle rosa del cranio. Gli occhi stupiti e sbarrati quasi gialli, le orecchie leggermente a sventola, il naso lungo, a punta, e la mancanza di mento lo facevano somigliare a un lemure catta. «Buongiorno, lei è il dottor Schiavone, suppongo».
Stava per rispondergli: «Proprio io, caro Henry Stanley», ma decise per un più professionale: «Si accomodi, professore. Che posso fare per lei?».
«I funerali».
«Non si sente bene?».
«Di Sofia» rispose stizzito Richter. «Ho sentito il giudice che ha interpellato il patologo, e volevano anche il suo parere. Insomma, se serve ancora il corpo di Sofia».
«L'avevo già comunicato alla procura. No, il corpo di Sofia non è più indispensabile. Lei la conosceva da tanto?».
Si passò la lingua sotto il labbro superiore, alzò le sopracciglia e si schiarì la voce. «Io e Sofia abbiamo avuto una lunga storia d'amore. Venti anni».

Rocco si accese una sigaretta e si mise in ascolto.

«Ho cominciato con lei, a lei devo tutto. La mia carriera universitaria, i premi e le onorificenze, il mio successo come studioso e come professore. E ora se n'è andata così...», gli occhi giallastri di Richter si inumidirono. «Lei voleva le esequie in una chiesetta sconsacrata vicino a Excenex, le piaceva tanto, e io vorrei poterle organizzare, domenica andrà benissimo».

Rocco annuì in silenzio.

«Chi è stato, dottor Schiavone?».

«Non lo so ancora».

«Sofia non aveva nemici. Era una studiosa, una professoressa, anzi una luminare, lo posso dire senza paura di esagerare. E allora, perché?».

«Pensiamo a un furto».

«Un furto? Sofia non era ricca».

«Qualche balordo» suggerì Rocco. Karl strinse le labbra e si portò le mani al viso. «Hanno rubato?».

«Forse. Non posso condividere con lei questi dettagli, anche se capisco la sua rabbia, dottor Richter. Lei insegna in Germania?».

«Sì. Università di Heidelberg».

«E dove l'ha imparato l'italiano?».

«Ero assistente di Sofia, a Firenze prima, poi a Bologna e infine a Torino. L'ho conosciuta quando avevo trent'anni».

«La professoressa Martinet un po' di più».

«Una cinquantina, all'epoca. Non giudichi la differenza di età».

«Non me ne frega una mazza della differenza di età. Solo farmi due conti. Quanto siete stati insieme?».

«Gliel'ho detto, una ventina di anni. Fino al 2009».

«Ricorda bene la data» osservò Rocco.

«Sì. Ci siamo lasciati a Natale del 2009. Io avevo, insomma... cominciato un'altra storia».

«Con la sua attuale compagna?».

«Esatto. Con Hjørdis».

«Anche lei sua assistente?». Richter annuì. Rocco spense la sigaretta. «È un'abitudine quella di rimorchiarsi il proprio assistente che lei ha ereditato da Sofia oppure è costume nelle università europee?». Richter non rispose se non con una smorfia di disgusto. «Bene, molto bene. Dottor Richter, proceda pure nell'organizzazione del funerale». Rocco si alzò in piedi e gli strinse la mano. «Senta un po', al funerale pensa sarà presente anche Jeffrey Montague?».

Richter cambiò espressione, si morse le labbra poi si aggiustò il ciuffo davanti alla fronte con un colpo del palmo della mano. «In tutta sincerità le direi: spero di no, ma ci sarà».

«Non vi state simpatici».

«Diciamo che io e Montague, di fondo, non ci stimiamo molto».

«Era amico della Martinet».

«Sì, erano molto amici».

Si guardarono in silenzio per qualche secondo. «Bene, dottor Schiavone, le posso chiedere di informarmi su eventuali sviluppi?».

«Li apprenderà come tutti dai giornali, spero».

Richter incassò e a testa bassa uscì dall'ufficio lasciando un vago alone di profumo floreale nella stanza. Rocco aprì subito la finestra, quell'odore gli dava il voltastomaco. Si infilò il loden. Sulle scale incontrò Casella. «Ugo, 'ndo vai?».

«Venivo da lei» rispose quello. «Ci sono i risultati del cellulare di Gianluca Cardelli. Me li ha dati Italo».

«Non poteva portarmeli lui?».

Casella alzò le sopracciglia. «Mi ha chiesto il favore...».

«Vabbè, tagliamo corto. Allora?».

«Allora il cellulare non s'è mosso da Biella».

«No?».

«No, dottore».

«Avete chiamato quelli del rifugio?».

«Sissignore, l'ha fatto Italo. E hanno detto che lunedì Cardelli è salito da loro e se n'è andato verso mezzogiorno».

Rocco rimase pensieroso. «Allora questo l'alibi non ce l'ha».

«E mi sa di no».

Un uomo alto e distinto, imbacuccato in un piumino che gli arrivava fino ai piedi, lo fermò mentre apriva lo sportello dell'auto. «Lei è il dottor Schiavone?».

«Chi lo vuole sapere?».

«Mi chiamo Gioacchino Sensini. Sono il gioielliere».

«Saliamo in macchina, parliamo meglio, qui fuori si gela». Entrò e aprì lo sportello. Appena dentro il fiato dei due uomini appannò i cristalli dell'auto. «Avrei potuto telefonarle» cominciò Sensini, «ma ero qui vicino, ho pensato fosse meglio passare di persona».

«Di che si tratta?».

«In negozio sono venuti due suoi agenti per farmi valutare un anello. Ora, lei capirà, dalla fotografia poco si poteva intuire...».

«Immagino».

«Tranne che l'oggetto è piuttosto peculiare. Allora l'ho mostrato a un mio collega, lui si intende di gioielli antichi... e forse le potrà interessare».

Rocco aprì un filo di finestrino per spannare l'auto. «Dunque, il mio collega e amico afferma si tratti sicuramente di un anello disegnato da un famoso gioielliere inglese, Asprey».

«Me ne intendo poco».

«È un'antichissima gioielleria, opere di una certa importanza... insomma, hanno clienti molto danarosi. Quindi sospetto che quell'anello un valore lo possa avere».

«Asprey m'ha detto?».

«Esatto, dottore. Ecco, è tutto quello che sono riuscito a sapere. Ah, no, altro dettaglio, si tratta comunque di un anello antico, il mio collega lo stima degli inizi del Novecento».

«Per rimanere nel campo, lei è stato prezioso signor Sensini».

«Si figuri, dovere. La lascio al suo lavoro». Aprì la portiera. «Qualsiasi cosa a sua disposizione». Scese dall'auto e con le mani in tasca si incamminò verso il corso. Rocco accese l'auto, lo aspettava un viaggio nella Valtournenche.

Il rifugio, costruzione di legno, voleva ricordare le case delle favole, con le imposte di legno e il cuoricino intarsiato nel mezzo. Appesi sulla facciata principale decine di attrezzi agricoli antichi dalle forme aliene e dall'uso indecifrabile. Il comignolo sputava fumo, il resto del tetto era soffocato dalla neve. Qualche ghiacciolo appuntito pendeva dalle grondaie. Rocco scese dalla macchina e respirò l'aria secca e profumata, sembrava facesse meno freddo che ad Aosta. Il viaggio era durato più di un'ora e mezza, traffico e spazzaneve impedivano i sorpassi. Entrò nel rifugio Les Perreres. Un caldo avvolgente gli restituì fiducia. Tendine a scacchi bianche e rosse, tavoli apparecchiati, musica classica si spandeva tenue nell'aria. Quello era il futuro di Gianluca Cardelli, e poteva essere una scommessa vincente, pensò Rocco. «C'è nessuno?». Avanzò verso una doppia porta con un oblò nel mezzo, la spinse, quella cigolando sui cardini si aprì. La cucina era deserta. Un rumore secco e continuo proveniva dal retro della casa. Il vicequestore si affacciò alla porta-finestra. Un uomo alto, imponente, con la barba bianca e un maglione di lana pesante armato di accetta, spaccava la legna. Rocco uscì, attento a dove metteva i piedi. Appena lo vide, l'uomo fermò il lavoro e posò la lama a terra. Aveva il fiatone. «Buongiorno» disse. «Cercava me?».

«Dipende chi è lei».

«Amelio Combaz».

«Allora sì. Vicequestore Schiavone».
«Ho parlato con dei suoi agenti».
«Lo so. Mi ascolti, signor Combaz, Gianluca Cardelli...».
«Sì. È venuto qui lunedì, è interessato al rifugio. Io e mia moglie siamo stanchini, è il momento di ritirarci», e menò un fendente spaccando in due il ciocco. «Si tratta dell'omicidio della signora Martinet, giusto? Ho letto sul giornale». Prese un altro pezzo di legno e lo preparò.
«Lei è sicuro sia andato via a mezzogiorno?».
«Ci può giurare. Io a quell'ora mangio, non sento ragioni».
«Ho bisogno di un favore». Il bosco intorno era silenzioso, dai rami ogni tanto cadevano piccole slavine di neve che si schiantavano a terra. «Cardelli vuole comprare il rifugio, giusto?».
«Così dice». Amelio Combaz picchiò la lama dell'accetta contro il ceppo di legno. «E spero non mi voglia far perdere tempo, non so se fidarmi, insomma». Guardò il vicequestore. «Lei che dice? Mi posso fidare? A me non ha fatto una bella impressione».
«Quello che le propongo potrebbe aiutarla a prendere una decisione» rispose Rocco.
«Cioè?».
«Andiamo dentro?» propose il vicequestore che ormai aveva perso la sensibilità alle dita dei piedi.

Amelio aveva portato due bicchieri di grappa, Rocco aveva declinato l'offerta. Seduti al tavolo vicino alla stufa accesa, Rocco poté distinguere il colore degli occhi di

Combaz. Erano verde chiaro, gli davano un'aria innocente e stupita. «Signor Combaz, quello che le chiedo è un aiuto. Io di lei mi fido, non ho bisogno di ulteriori approfondimenti. Ma vorrei creare una trappola».

«A chi?». Rocco percepì l'alito liquoroso del proprietario del rifugio.

«A Gianluca Cardelli».

Il vecchio sgranò gli occhi chiari. «È lui l'assassino?».

«Non lo so, ci stiamo lavorando, ma lei potrebbe essere determinante».

Combaz annuì convinto, poggiò le mani grosse e callose sul tavolo e si mise in ascolto.

«Dica a Cardelli che ha un altro cliente interessato al rifugio, e lo costringa ad anticipare una caparra».

Amelio Combaz guardò Rocco negli occhi. «Una caparra?».

«In soldi contanti. Quindicimila euro. Altrimenti si accorderà con l'altro compratore».

Combaz si passò la mano sulla barba. «Contanti?».

«Contanti».

«E se lui me li dà?».

«Me lo comunica immediatamente».

Prese un altro sorso di liquore. «Speriamo che non vada tutto a carte quarantotto».

«E perché dovrebbe? Se Cardelli vuole comprare il rifugio, io le ho tolto un dubbio. Se poi, dopo la caparra, non sarà in grado di definire l'acquisto, lei ci ha guadagnato quindicimila euro».

Amelio annuì convinto. «E mi faccia capire... perché contanti?».

«Perché da come la vedo io Cardelli non ha gli occhi per piangere. E se invece tira fuori quella somma, dovrà spiegarmi dove l'ha presa. Soprattutto in 24 ore».

Il vecchio strizzò un poco gli occhi. «Sospetta una refurtiva?».

«Lei dovrebbe venire a lavorare con me».

Combaz si mise a ridere. «Era il mio sogno».

«Lavorare in polizia?».

«Risolvere i casi, tipo i detective».

«Quelli stanno in America. In Italia c'è la polizia».

«Mi piace» fece Combaz sfregandosi le mani che fecero il rumore di un fiammifero sulla carta vetrata, «mi piace proprio. Glielo comunico, certo, d'accordo. Se sgancia la chiamo, se non sgancia?».

«Mi chiama lo stesso».

«Dottore, lei pensa davvero che quel tipo possa aver ammazzato sua madre?».

«Non lo so. Ma non le nascondo che un pensiero ce l'ho fatto».

Il viaggio di ritorno fu peggiore dell'andata. Lento scendeva la statale incastrata fra le vette della Valle, dovette accendere l'aria sul parabrezza che si appannava ogni tre minuti. Prese il cellulare mentre a passo d'uomo seguiva un furgoncino che a sua volta era frenato da un piccolo trattore a sua volta bloccato da uno spazzaneve. «Dottor Baldi? Ho preso l'accordo con il proprietario del rifugio».

«Bene, dottore. Allora tengo d'occhio il conto in banca di Gianluca Cardelli e di Ilaria Benedetti, la sua fidanzata».

«Io mi gioco questo spazzaneve che mi sta triturando i coglioni da un quarto d'ora che i soldi li ha a casa».

«Dice?».

«Dico». Appena chiusa la comunicazione il cellulare squillò. «Antonio, dimmi, dove cazzo sei?».

«Sono a casa della Martinet. Ho trovato l'arma del delitto!».

Rocco arrivò a via Ponte Romano sfatto dal viaggio. Aveva fumato quattro sigarette e pisciato in una bottiglia di plastica. Aveva avuto difficoltà per prendere la mira, ma alla fine si fece i complimenti per la riuscita dell'impresa. «Mentre guido, con una mano sul volante...» aveva esclamato ad alta voce. Poi aveva riavvitato il tappo con estrema cautela, neanche il liquido giallo paglierino fosse nitroglicerina, e posizionato la bottiglia nel piccolo vano dedicato accanto alla leva del cambio. Non poteva fermarsi lato strada per espletare il bisogno, avrebbe perso la sua posizione nella fila indiana dietro lo spazzaneve e in più avrebbe rischiato il congelamento dell'organo riproduttivo. Appena entrò in casa della Martinet trovò Antonio Scipioni accovacciato a terra circondato da targhe, statuine, piccole sculture di dubbio gusto. In mano reggeva due fogli. «Allora?» gli chiese.

«Allora guarda qui. Sofia Martinet teneva in casa i premi vinti. E io qui ho la lista, l'ho presa in rete. Ci sono tutti, vedi? Sono questi. Ne manca solo uno».

«Sarebbe».

«Questo», e consegnò un foglio a Rocco. C'era la fotografia di una statuetta in finto oro su una base di marmetto verde. «Premio Telamone città di Milano» disse Rocco osservando l'immagine.

«Quella statuetta è alta 32 centimetri e pesa un chilo e mezzo. È un premio prestigioso, Rocco, ho scoperto cos'è un Telamone. È una scultura che si usa al posto di una colonna. Serve per sorreggere travi e tetti. Diciamo che è il corrispettivo maschile delle cariatidi. Si ispira ad Atlante, per capirci».

«Grazie per la lezione» fece Rocco, e un piccolo sorriso gli apparve sulle labbra. «E questo premio non l'hai trovato?».

«Non è in casa. E l'ha vinto l'anno scorso. Mi pare strano, no?».

«Sospetti che l'assassino l'abbia usato per colpire Sofia Martinet e poi se lo sia portato via?».

«Ne sono certo».

«Chiama 'st'organizzazione che indice il premio a Milano e fatti mandare un facsimile di questa statuina. Subito».

«Me lo faccio spedire?».

«Oppure mandaci D'Intino. Bel lavoro, Anto', speriamo che ci hai azzeccato».

S'addormentò sul divanetto di pelle senza che un sogno lo venisse a visitare. Due ore, cullato dal ronzio dell'aria calda sputata dal condizionatore e dal respiro di Lupa. Michele Deruta entrò e lo vide. Non aveva niente di urgente da comunicare, preferì lasciarlo riposare. Lo stesso fece Antonio Scipioni. Alle cinque del pomeriggio, con il buio che già avvolgeva la città, fu Lupa a svegliarlo leccandolo sul viso. Rocco aprì un solo occhio, guardò il cane, le sorrise e la carezzò. «Hai fame?» disse sottovoce. «Che ore sono?», guardò fuori dalla finestra. «Cazzo, è buio...» borbottò, si mise seduto e si passò le mani sul volto. «Mi sono addormentato». Prese il cellulare che aveva silenziato, scoprì tre telefonate di Brizio. Si sgranchì il collo e lo richiamò. «Bri', m'hai chiamato?».

«Qualcosa si muove» disse l'amico. «Sto a Trastevere, sotto casa di Sebastiano. C'è Furio qui con me, mo' è annato a casa della zia, ma ti dico che qualcosa si muove».

«Che se move, Brizio?».

«La vicina di Sebastiano ieri sera ha visto la luce in salone. E ha pure sentito dei rumori. Qualcuno è entrato in casa, è stato 'na mezz'oretta, poi è uscito».

«Qualcuno chi? Sebastiano?».

«Mi sa di sì».

«È tornato a casa? A fare che?».

«Io e Furio entriamo e annamo a vede'. Forse gli serviva qualcosa».

Rocco si accese una sigaretta. «Spiegame un po'. Questo è sparito da mesi. Nessuno sa dove è andato. È stato qui a Capodanno, m'ha fatto visita, e mo' è rientrato a casa sua?».

«Se segue Enzo Baiocchi, capace che l'infame è venuto a Roma e lui gli sta dietro».

«No, Brizio. Io dico che a casa de Sebastiano è entrato qualcun altro».

Sentì l'amico tirare un sospiro. «E chi?».

«Non lo so. Però se era lui, te pare che accenneva la luce? Se lo prendono se fa tre anni».
«Ecco, è arrivato Furio. Noi andiamo a vedere».
«Fateme sape'».

Brizio chiuse la telefonata. «Annamo» disse a Furio. Salirono le scale e raggiunsero la porta di Sebastiano. Bastò una sola mandata per aprirla. Furio guardò Brizio negli occhi. «Non mi piace».
«Manco a me». Accesero la luce. In casa sembrava fosse passata una tromba d'aria. Nessun oggetto era al suo posto. I cassetti aperti rigurgitavano carte, tovaglie, stracci. I cuscini dei divani tagliati vomitavano la gommapiuma. A terra cocci di vetro, una lampada, libri. Anche le sedie del tavolo erano state gettate via. «Chi j'ha fatto visita?» chiese Furio. Brizio s'avventurò nell'appartamento. Anche le altre stanze erano state sventrate, in bagno la cassetta dell'acqua divelta dal muro perdeva e aveva creato una pozzanghera dove galleggiavano blister di medicinali, tubetti di plastica e due spazzolini. Lo specchio in frantumi, le tendine sradicate e appallottolate nel bidet. «Ci capisci qualcosa tu?».
«No, Bri', non lo so».
La camera da letto era devastata. Un taglio lungo e preciso aveva ferito il materasso. Un comodino giaceva fracassato in un angolo, il settimino non aveva più i cassetti. «Che cercavano?».
«E che ne so?». Cocci di vetro crepitavano sotto le suole delle scarpe a ogni passo. Tutto quello che credenze e mobiletti della cucina potevano contenere gia-

ceva a terra. Il frigorifero non era stato risparmiato. Aperto e vuoto sembrava lamentarsi col suo ronzio cupo e continuo. «Bisogna rimette' tutto a posto».

«No. Facciamo fare la denuncia alla vicina. Questo non è un furto», Furio si appoggiò a una parete del salone, «qui cercavano qualcosa. Anche perché a chi verrebbe in mente di fasse la casa de Sebastiano?».

«A nessuno. Andiamo con la denuncia, almeno sta agli atti, come se dice, no?».

«Esatto. Può essere stato Baiocchi?».

«E che viene nella tana del lupo? E pure se fosse che fa, lo cerca dentro a un materasso?» disse Brizio. Poi si chinò a raccogliere un portafotografie. Dentro c'era il ritratto di Adele, l'amore di Sebastiano, che Enzo Baiocchi aveva ucciso più di un anno prima. «Questa la prendo io» disse. «Almeno se torna gliela conservo».

«Non mi piace» disse Furio, «non mi piace per niente».

«Una cosa è sicura, Furio» disse Rocco al telefono mentre si preparava un caffè con la macchinetta espresso, «chiunque sia entrato in casa di Seba non aveva paura. Ha acceso la luce, ha fatto un casino, agiva tranquillo».

«Questo che vuol dire secondo te?» rispose Furio dal vivavoce dell'auto mentre, in compagnia di Brizio, erano incastrati sul lungotevere.

«Che sapeva che Sebastiano non l'avrebbe sorpreso, insomma è qualcuno informato sui fatti. E sono d'accordo con te, non erano ladri. Cercavano».

«Guardie?» chiese Brizio.

«Po' esse'» rispose Rocco. «Che tipo de guardie però io non lo so».

«Se so' guardie è roba zozza» aggiunse Furio. «Se devono entra' in una casa lo fanno co' tanto de mandato, no?».

«Di solito si usa così» rispose Rocco, anche se quella era una pratica che lui non operava quasi mai. «Però Furio, dipende dalle guardie, lo sai meglio de me. Occhi aperti».

«E che te voi apri'? Stamo fermi sul lungotevere».

«Però pure voi, Furio... e che se fa il lungotevere il venerdì sera? Ve mancano i fondamentali!».

«Schiavone!», la voce imperiosa del questore quasi gli mandò di traverso il caffè. «Sono qui dottore», si avvicinò alla porta dell'ufficio chiudendo la telefonata. Il questore era in mezzo al corridoio, brandiva una statuetta. «Ha vinto un premio, dottor Costa?».

«Ma che premio e premio. Perché un suo agente, quello abruzzese, mi ha dato 'sta roba?».

Rocco si avvicinò a guardare l'oggetto. «Non è dedicato a lei, dottore, anche se mi creda, lo meriterebbe».

«La smetta di prendermi per il culo».

«Dico sul serio. No, la devo mandare a Fumagalli. Il viceispettore Scipioni ha avuto un'illuminazione, e forse quella che lei brandisce è l'arma del delitto».

Costa guardò con stupore la scultura.

«Nel senso, quella è una copia...».

Michele Deruta amava la casa di Federico. Tutto era ordinato e pulito. Il suo compagno aveva assoldato due amici che avevano trasportato le carabattole in un solo pomeriggio. E ora, guardando i suoi oggetti sparsi nel salone, gli venne da pensare che stava sporcando quel trilocale con tutto quel ciarpame vecchio, inutile e stonato. «Domani butto via un po' di roba» disse a Federico quasi vergognandosi. «E perché?» gli rispose quello dalla cucina mentre tagliava le carote per il soffritto. «Questa casa è...», ma non gli venne l'aggettivo. «Insomma, uno quasi si fa il problema a sedersi sul divano. L'hai visto il divano di casa mia?».

«E allora? Michele, per favore, porta i vestiti in camera da letto, tele e pennelli nello studio. Te l'ho preparato. Ce lo vuoi il peperoncino nel minestrone?».

«Sì... sì...» disse trascinando le due valigie con le rotelle sghembe verso la camera da letto.

«Ti ho lasciato le due ante accanto alla finestra» gli disse ancora.

«Grazie ma mi sa che me ne basta una sola». Il letto era a baldacchino, Federico l'aveva comprato a un'asta tre anni prima. Tailandese, un letto da re. Michele poggiò le valigie e aprì le ante che Federico gli aveva riservato. Fu assalito da un profumo di lavanda. Cominciò ad appendere gli abiti. Anche i vestiti erano stonati con l'appartamento. Le camicie lise, i pantaloni lucidi al ginocchio e sulle chiappe, i maglioni con i pallini. Si vergognò a infilare nel cassetto i boxer con l'elastico mollo, i calzini corti rammendati. «Mi devo comprare un po' di vestiti» urlò, ma Federico non rispose. Forse non l'aveva sentito. Andò a vedere lo studio, la stanzetta, una volta abitata dal cugino Helmut, che

Federico gli aveva dedicato. Affacciava sui monti, le pareti bianche appena riverniciate, tre gruppi di faretti direzionabili attaccati al soffitto e un tappeto con disegni geometrici e le frange. Quasi gli venne da piangere. «È bellissimo» riuscì a dire a bassa voce.

«Ti piace?», Federico era alle sue spalle.

«È la stanza più bella che abbia mai avuto».

«Qui puoi stare tranquillo a dipingere i tuoi quadri. Guarda...», e indicò un tavolino accanto alla porta. «Puoi mettere pennelli e colori qui sopra, e sulla poltroncina invece ti rilassi quando devi pensare o anche riposarti. Domani arriva lo stereo, io ho tantissimi cd». Solo in quel momento si accorse che Michele lacrimava da un occhio. «Non piangere Michi, per favore...».

Deruta provò a parlare ma fu vinto dai singhiozzi. Si abbracciò a Federico nascondendo il viso sul petto del compagno. «E no, Michi, se fai così poi attacco pure io».

«Mi dispiace... per averti fatto soffrire... perché sono vigliacco, sempre stato vigliacco. Ma mo' basta», e tirò su col naso, «mo' basta davvero. Grazie Fede. Nessuno ha mai fatto una cosa simile per me».

Federico gli prese il volto fra le mani. «S'è mai visto un poliziotto della mobile piangere per una stanza?».

Michele sorrise. «E mi metto pure a dieta».

«Infatti cominciamo oggi, c'è solo minestrone. E senza buccia di parmigiano, senza prosciutto, solo verdura».

«Che tristezza!».

Federico scoppiò a ridere e tornò in cucina. «Ci abbiamo messo un po' di tempo, ma alla fine riusciamo a parlare la stessa lingua. Nostra, che non conosce nessuno, ma in fondo dobbiamo capirci solo io e te. Un po' di vino?».

«E la dieta?».

Federico alzò le spalle. «Rosso?».

«Rosso» rispose Michele versandolo nei bicchieri. «Alla nostra. A un nuovo inizio e a una nuova lingua, allora».

«A un nuovo inizio». Bevvero un sorso. «A proposito di lingue, lo sai che c'è un tizio, quello del caso Martinet, il vicino. Poverino è cieco e un po' scemo».

«Oh Madonna».

«Pure lui parla una lingua tutta sua. Lo capisce solo la madre. Io però ho già imparato delle frasi che dice. Per esempio per dire acqua dice aua e per dire macchina invece 'archina».

«Non sono frasi, Michi, sono parole» osservò Federico.

«Vero».

«Finisci di mettere a posto le tue cose, io continuo a cucinare...».

«È la statuetta al 99 per cento» disse Fumagalli al telefono mentre Rocco cercava di arrangiare una cena con il poco ancora commestibile che aveva in frigo. «Quindi l'assassino l'ha usata e l'ha fatta sparire. E bravo Scipioni. Questo significa che l'omicida non era entrato con l'intenzione di commettere reato. Ha usato il primo oggetto che si è ritrovato per le mani...».

«Che fai stasera?».

«Sto qui, sono stanco morto. Perché?».

«Noi abbiamo gente a cena».
«Noi chi, Alberto?».
«Noi chi? Io e Michela. Perché non fai un salto?».
Rocco chiuse il frigorifero. «Non ce la faccio».
«E vieni, stai sempre rintanato come un orso. Facciamo un esperimento culinario».
«Il che detto da te e Michela suona più come una minaccia che come un invito».
«Cerchiamo risposta alla domanda: che vino abbinare alla mozzarella?».
Rocco ci pensò. «Chi l'ha fatta questa domanda?».
«Ce la siamo fatta da noi».
«E vi siete messi in crisi?».
«È così» ammise Fumagalli.
«Ma perché ve la siete posta?».
«È la scienza che si pone domande alle quali raramente riesce a dare soluzioni».
«Cos'ha di scientifico l'abbinamento vino-mozzarella?».
«Hai rotto i coglioni, Rocco. Vieni o no? C'è un mio caro amico enologo e porta sei bottiglie diverse di bianco di alto livello, ha deciso che il rosso non va bene. Io ho sei bufale che risuscitano un morto...».
«E detto da te...».
«Siamo io, Michela, Giovanni, che è l'enologo, e Sara, un'amica archeologa di Michela. Portati la cosa lì, la giornalista».
Rocco si lasciò andare sul divano. «Non ce la faccio, Alberto, grazie ma non mi regge. Come accettato. Fammi sapere poi qual era il vino giusto».

«Che vuoi che ti dica? Al terzo bicchiere sarò già bello che andato... m'importa una sega di scoprire l'accoppiamento vincente».

«Buona cena». Chiuse la telefonata e si accorse della presenza di un messaggio sul cellulare.

«MAJOR TOM TO GROUND CONTROL: CIAO ROCCO. QUI TUTTO PROCEDE PER IL PEGGIO. IN CLASSE HO UNDICI INDIVIDUI CHE PORTANO IL CAPPELLINO CON LA VISIERA. AL CHIUSO! E SETTE INDIVIDUE (SI PUÒ DIRE INDIVIDUE SE SONO FEMMINE?) CHE SI TRUCCANO E PARLANO DI PROGRAMMI A ME IGNOTI. NESSUNO CONOSCE GLI SLAYER, PER RICONOSCERE I PINK FLOYD HANNO DOVUTO USARE SHAZAM!».

«GROUND CONTROL TO MAJOR TOM: CIAO MAJOR TOM, SFRUTTA IL VANTAGGIO DELLA TUA INFINITA CULTURA E SOGGIOGA LE MASSE, SOPRATTUTTO FEMMINILI».

Pochi secondi e arrivò la risposta, Gabriele era in linea.

«NON HAI CAPITO ROCCO, IO PER LORO SONO UNA SPECIE DI ALIENO».

«NON SOLO PER LORO MAJOR TOM. TU SEI UN ALIENO».

«AH AH AH MOLTO RIDERE... NON FARÒ MAI AMICIZIA. E COMUNQUE LA SCUOLA È PIÙ DURA QUI. STAVOLTA MI TOCCA METTERMI A STUDIARE. MAMMA STA BENONE. IL NUOVO LAVORO LE PIACE. MI HA PORTATO A VEDERE L'UFFICIO. BELLISSIMO. CI CREDO CHE È FELICE DI LAVORARE LÌ DENTRO. MI SA CHE HA PURE TROVATO UNO».

«BELLISSIMA NOTIZIA. ORA NON FARE IL GELOSO, ANZI CERCATI UNO STRACCIO DI RAGAZZA ANCHE TU. E DAT-

TI DA FARE A SCUOLA. PRIMA ESCI DAL LICEO E PRIMA COMINCIA LA VITA, ALMENO PER ME È STATO COSÌ».

«RICORDA CHE IO HO PERSO UN ANNO, LO STO RIPETENDO, CI MANCHEREBBE CHE VENGA NUOVAMENTE BOCCIATO».

«NON MI STUPIREI, MAJOR TOM».

«TU NON HAI FIDUCIA IN ME, GROUND CONTROL».

«NE HO MOLTA DI PIÙ DI QUANTO PENSI. HAI BISOGNO DI AIUTI CON LA SCUOLA?».

«STIAMO STUDIANDO IL RINASCIMENTO. DEVO FARE UNA RICERCA SU UNA FIGURA IMPORTANTE, HO PENSATO A MICHELANGELO».

«MI SEMBRA UN'IDEA OTTIMA. NON FARE COPIA INCOLLA SU INTERNET».

«PERCHÉ, C'È UN ALTRO MODO PER FARE UNA RICERCA?».

«IDIOTA. VADO A CENA. SCRIVIMI SOLO BELLE NOTIZIE. PASSO».

«ALLORA CI SENTIAMO FRA QUALCHE ANNO. PASSO E CHIUDO».

Poi la malinconia ebbe la meglio e chiamò Sandra.

Non era mai stato a casa di Fumagalli e neanche se l'era mai immaginata. Il salone sembrava quello di un club di polo. Librerie dappertutto, stampe antiche di cavalli e mobili inglesi. Un solo divano nero, lungo, Chesterfield, prendeva la parete accanto alla finestra. Era accogliente, se si escludeva la collezione di disegni anatomici del Settecento con tanto di interiora mostrate senza pudore. Il tavolo apparecchiato non aveva piatti uguali, i bicchieri erano spaiati come anche le sedie e le posate. La tovaglia vecchia e bucata apparteneva a un corredo di qualche nonna toscana. «Eccole qui...» disse il patologo uscendo dalla cucina con due cuccume cariche di mozzarelle. Sara, l'archeologa, aveva i capelli bianchi e neri, gli occhiali da vista tondi, pallida con un sorriso che riempiva la stanza. «A tavola!» gridò Michela portando un altro vassoio. L'enologo, Giovanni, alto e allampanato, aveva qualcosa in comune con Fumagalli. Forse lo sguardo allucinato, o magari solo la montatura degli occhiali, si disse Rocco. Comunque somigliava a uno struzzo coi capelli ricci, su questo nessun dubbio. «Dove ci sediamo?» chiese a Michela.

«Dove vi pare» rispose Fumagalli. «Intanto stappa, Giova... decidi tu con quale si comincia».

«Allora signori, io comincerei con un tannico... Pouilly Fumé Baron de Ladoucette».

Michela e Sara fischiarono. «Ampio bouquet di frutta matura che...».

«Oh Giova'» lo interruppe Alberto, «sta a rompe i coglioni con le ca'ate e stappa. Decidi tu e noi seguiamo. Chissenefrega del bouquet».

«Sì, anche perché io non ci capisco niente» fece Sandra.

«Infatti puoi pure dire un bouquet da matrimonio e io me lo bevo uguale» si accodò Michela.

«Barbari» mormorò Giovanni scuotendo il testone riccio mentre stappava con attenzione il vino. «Questo è il primo, poi si sale di livello, vi avverto».

«Vabbè scusate, io ho intravisto le bottiglie preparate sul mobile laggiù... facci partecipa' alla spesa» intervenne Rocco.

«Perché?» chiese Michela.

«Poco ne so di vini, ma lo Château d'Yquem che è il terzo da sinistra viaggia altuccio».

«Ottimo coi formaggi d'erbe» fece l'enologo, «ma non ti preoccupare, Rocco, a me i vini li regalano per le recensioni».

«Capito, Schiavone? A lui regalano i vini, a noi? Qualche cadavere...».

«A me delle belle evidenze impacchettate» aggiunse Michela.

«A me ossa» fece Sara.

«Ossa?» chiese Sandra.

«E sì, sono un'archeologa ma ogni tanto collaboro col Labanof».

«Che cos'è?», Sandra si mise il tovagliolo sulle ginocchia.

«Laboratorio di Antropologia e Odontologia Forense Università di Milano... ancora non avete avuto bisogno di noi ma... hai visto mai? Risaliamo a identità di resti sepolti in giro, in posti allucinanti, e spesso mi chiamano perché so scavare e cercare. Ora sto lavorando su uno scheletro di una donna sui 40 trovata vicino al Mincio».

Rocco guardò Sandra. «Sono i numeri uno» disse convinto.

«Io li amo» fece Michela. «Un pomeriggio da loro per me è come una gita al Louvre».

«Si mangia?». Alberto riportò tutti al motivo della cena. «Allora mozzarella e sorso di vino e ognuno dice la sua».

«Ha un bouquet fantastico la mozzarella» disse Michela eccitata, Alberto scoppiò a ridere.

«E da quando la mozzarella ha il bouquet?» la corresse Giovanni.

«Tu conoscevi Sofia Martinet?» chiese Rocco all'archeologa.

«Se la conoscevo? Era un numero uno. Che fine schifosa... l'ultima scoperta che ha fatto è stata dirompente».

«Ah, sì?» fece Rocco.

«Non si parla di lavoro, si assaggia e si giudica» disse Giovanni. «Io credo che con la mozzarella questo vino non c'entri nulla».

«Dici?» fece Michela.

«E che scoperta fece?». Rocco curioso insisteva.

«Pubblicata su "ArtVision" nel mese di ottobre del 2013» rispose Sara.

«Lo so, sto aspettando la copia alla biblioteca».

«Sugli studi ottici di Leonardo. Leggiti l'articolo, magari è poco interessante per chi non è addentro, ma per noi è stato una specie di terremoto».

«Addirittura?» si interessò Michela.

«Sì. Ha capovolto le certezze di una schiera di studiosi sputtanandone una decina. Grande Sofia». Alzò il bicchiere mezzo vuoto. «A Sofia!».

Tutti la imitarono. «A Sofia» disse Alberto, «alla quale ho avuto l'onore di fare l'ultima visita. Ah, a proposito Rocco, io la saliva l'ho mandata in laboratorio».

«E per favore» intervenne Giovanni. «Ora vomito».

«Scusa Giovanni...».

«Ottima la mozzarella» si complimentò Sandra. «Non riesco a capire se c'entra col vino».

«Io dico di no» fece Rocco. «Allappa».

«Ma voi due state insieme?» chiese Michela all'improvviso indicando Rocco e Sandra. Rocco la guardò serio. Stava per rispondere, fu Sandra a toglierlo dall'imbarazzo. «No. Siamo molto amici».

Michela guardò Sandra. «Meno male, per un momento ho temuto per te».

«Vaffanculo Michela» disse Rocco. Ripresero a bere.

«E saliamo un po' di gradi, andiamo allo Chardonnay Contessa Entellina direttamente dalle cantine di Donnafugata». Alla quinta bottiglia erano completamente brilli. Michela aveva la sbronza triste, si era accucciata sul divano e continuava a bere in silenzio, Fumagalli straparlava raccontando di una sua lezione a un congresso sull'importanza del livor mortis, Rocco aveva fumato una decina di sigarette e guardava la compagnia con gli occhi umidi, Giovanni l'enologo si attaccava direttamente alle bottiglie scolandone l'ultima goccia, Sara rideva insieme a Sandra su qualsiasi sciocchezza dicessero. «Porco Giuda... mi gira tutto» disse Sandra.

«Una cosa è certa. L'abbinamento mozzarella-vino resta un mistero ma noi siamo completamente 'mbriachi» fece Michela in lacrime.

«Sì, ma che te piagni?» le chiese Rocco.

«Piango perché sono felice. Dovremmo farne spesso serate così».

«Infatti io stavo pensando l'abbinamento vino e foie gras per la prossima» propose Alberto.

«Quello è più facile» intervenne Giovanni stravaccato sulla poltrona. «Invece credo si complichi con le muffe».

Alla parola «muffe» Sandra e Sara scoppiarono a ridere. «Che cazzo ridete?».

«Non lo so. Ma la parola muffa m'ha sempre fatto sbellicare» disse la giornalista.

«Pure a me» si unì Sara, «e pensa che con le muffe ci lavoro».

«Perché io no?» disse Michela dal divano.

«Perché le muffe?» chiese interessato Alberto, ma Giovanni non poté rispondere soverchiato dallo scoppio di risa di Sara e Sandra alle quali si unì Michela che sembrava aver dimenticato la depressione alcolica. Il riso era contagioso. Giovanni provò a rispondere. «Perché i cibi con le muffe...», altra esplosione di risate, anche Giovanni dovette sforzarsi per non cedere. «Roquefort... gorgonzola... il pan azul y anchoa... le muffe in cucina vanno forte».

«Signori, io credo...», Rocco incerto si alzò in piedi, barcollò ma riuscì a catturare l'attenzione di tutti.

«Non cadere, Rocco».

Il vicequestore si ancorò alla sedia. «Tranquillo, Albe'... è giunto il momento di celebrare degnamente la serata. Potevo portare un dolce ma ho pensato, saremo 'mbriachi come cucuzze, altro zucchero? No, serve un digestivo per tutti».

«Di' un po'?».

«Ecco», Rocco si mise le mani in tasca. Tirò fuori sei cannoni e li distribuì. «Leggerissimi, THC basso, aiutano per il riposo e la meditazione, l'erba viene direttamente dal mio più caro fornitore romano. Diciamo che vi sto consegnando il grand cru a disposizione sul mercato nazionale, per restare in tema».

Ognuno prese uno spinello poi Rocco li accese uno dopo l'altro, come candele. «E adesso, alla terza boccata, ognuno dica quello che pensa veramente, giù, senza remore, siamo adulti, anzi vecchi, senza offesa alle signore... Giova', con la maria che vino ci va?».

«Franciacorta Ca' del Bosco, senza dubbi!», e dopo un rutto si alzò per stappare la bottiglia.

«E poi a forza di stare dietro alle antichità, a sbavare per un coccio in uno scavo a Mozia o un cratere a Castel d'Asso, perdo il contatto con la realtà». Sara teneva la canna in una mano e il bicchiere di vino nell'altra. «Perché sapete a che serve l'archeologia? A fissare pochi punti certi per poi riempire i buchi, perché la realtà non la si conosce. Ma forse è stata sempre la mia difesa. La realtà mi fa paura, lo sapete? Sono anni che vado in analisi, e l'ansia mi attanaglia solo quando non lavoro. Datemi una cazzuola, un pennello e mi torna il sorriso. Solo mio marito mi aveva capito, sapete? L'ho perso per un incidente quattro anni fa. Mi manca... mi manca da morire. Scavo e scavo, ma non lo trovo più...» concluse con una generosa boccata. Giovanni s'era addormentato. Prese la parola Michela. «A me invece la realtà non fa paura. Anzi, è nella realtà che vivo. Anche io ho pochi punti fermi, però i buchi da riempire non possono essere supposizioni, ma certezze, sennò il mio lavoro non vale niente. La realtà si sa nascondere, è un tranello continuo. Magari anche dentro una cosa piccolissima, tipo un virus o un batterio. Poi c'è l'amore. Ma quello è tutto un altro discorso. L'amore sta alla realtà come una nuvola alla pioggia, non so se mi sono spiegata».

«No» fece Alberto.

«Peggio per te se non capisci. Mi fido di poche persone, due sono in questa stanza», sorrise a Rocco che ringraziò con un cenno della testa. «E faccio questo lavoro perché la vita è preziosa. Potevo fare l'avvocato come papà, o insegnare all'università, come mia madre. Invece io penso sia più prezioso quello che faccio. Oh, vuoi mettere inchiodare uno stronzo, barra, stronza alle sue responsabilità in modo oggettivo e scientifico? Dà soddisfazione e un po' sfronda la realtà dalle interpretazioni possibili perché, alla fine, il sangue è sangue, l'impronta digitale è un'impronta digitale, la terra è terra. Stop. C'è poco da elucubrarci sopra».

«Io vengo da una famiglia ricchissima» attaccò Sandra. «Casa mia, cioè casa dei miei genitori, è un castello, non scherzo. Ho fatto un sacco di sciocchezze quando ero più giovane, e io problemi economici non ne ho mai avuti e credo non li avrò mai. Sono una privilegiata. Da giovane, appunto, mi vergognavo anche a far venire le amichette in casa a studiare, stavo sempre sola... la principessa nella torre del castello. Una volta un bambino si perse nei sotterranei e da allora nessuno mandò più i figli a casa mia. Non capivo i problemi degli altri, la mia paghetta somigliava a uno stipendio di un professionista. Viziata... e allora ho fatto cazzate. Sempre perché la mia era una realtà fasulla, dovevo cercare la vita vera. Che non è detto non fosse la mia, però. La mia era una realtà strana, particolare e forse unica, ma era pur sempre realtà. Quando però la tua realtà non combacia col mondo allora sono dolori. È il mito del buon selvaggio, al contrario, ma è quello. Insomma non potevo accettarla. Che colpa ne avevo? A 20 anni m'era anche venuto in mente di farmi suora». Scoppiò a ridere seguita da Michela che guardava stolida il lampadario sul tavolo. «Mancava la vocazione. Ho capito che forse la realtà andava raccontata. Ecco perché faccio la giornalista. Anche se vorrei essere una scrittrice. Perché il racconto il più delle volte aiuta, dobbiamo credere in altro, in qualcosa di meglio».

«Resta però sempre un'illusione» riprese Sara. «La verità? Ce la facciamo tutti sotto. Quello seziona cadaveri, Michela cerca tracce di fatti accaduti, io non ne parliamo, addirittura i fatti accaduti li vorrei ricostruire, Sandra vorrebbe cercare nel passato la verità per raccontare il presente. Ognuno ha trovato il modo di affrontare la vita, ma sempre di difese si tratta. E tu Rocco?».

«Io?».

«Tu».

«Io ho portato le canne».

«Non fare il deficiente. Fai il poliziotto, perché?».

«Perché ero povero, e vivevo per strada. Poi siccome a scuola ero andato oltre l'imparare a leggere e scrivere, ho deciso per lo stipendio sicuro e sono diventato poliziotto, tutto qui».

«Nessuna speculazione filosofica?» gli chiese Alberto. «Prova a fare uno sforzo».

«Ero orfano e con le pezze al culo, Albe', l'unica speculazione era cercare di mettere insieme il pranzo con la cena».

«Sì ma adesso che il problema mi sembra superato?».

«Che penso della realtà? Puzza». Riaccese la canna che s'era spenta. «Puzza di sudore, di roba andata a male, puzza di gente marcia, che ti tradisce, ammazza, stupra, violenta. Pochi gli odori buoni. La maria, il vino, voi. Stop».

«Perché nella realtà ci devi vivere» disse Sara. «Mica puoi scappare, Rocco. Tu sei la realtà. Se non lo fossi non potresti fare quel lavoro. Infatti mi fai paura. Se ti guardo negli occhi lo sai che vedo?».

«Dimmi, Sara».

«Niente» rispose.

Avevano impiegato 28 minuti per tornare a casa, si erano ritrovati in vicoli mai visitati prima anche se conoscevano le strade a memoria. Il freddo intenso penetrava i vestiti. «Che poi, alla fine, qual era il vino giusto?» chiese Rocco.

«Non... non nominarlo, Rocco, mi viene da vomitare. Grazie per la bella serata». Erano arrivati sotto casa di Schiavone.

«Ah, già. Io abito qui».

«Lo so. Ma siccome sto gelando, salgo con te».

Fecero le scale sottobraccio. «Tu quando mi guardi negli occhi che vedi?» gli chiese Sandra.

«Gli occhi» rispose Rocco e scoppiarono a ridere. Azzeccò il buco della serratura solo al terzo tentativo e aprì la porta. Lupa dormiva, neanche si alzò per salutarlo. «Ce l'hai uno spazzolino in più?» gli chiese.

«Penso di sì». Si attaccò al rubinetto della cucina e si sciacquò la bocca. «Sto crollando» disse. Si avvicinò alla camera da letto, sentiva Sandra aprire cassetti. «Non lo trovo, uso il tuo» disse la giornalista ad alta voce. Rocco si lasciò cadere sul materasso. La testa girava veloce come i calcinculo delle giostre, il cuore batteva forte nel petto, ogni colpo gli rispondeva nelle tempie.

«Che voi vede'...» mormorò. «Qui non c'è niente da vede'... e poi la cosa importante è che i miei occhi vedano, quello sì», e chiuse le palpebre. Quando Sandra entrò in camera lo trovò che dormiva. Si spogliò e si infilò sotto le coperte. E fu quella la quarta notte che passarono insieme, ognuno trincerato nei propri sogni.

Sabato

«Non me ne frega niente che è sabato. Stiamo lavorando a un caso e giornate libere per ora non ce ne sono!» urlò Schiavone sul viso di D'Intino. «E a te meno che mai. Vuoi andare a Mozzagrogna? Ci vai quando le acque si sono calmate».

«Va bene, dottore».

«Mi fa piacere tu sia d'accordo. In più domani ci sono i funerali di Sofia Martinet alle nove del mattino. E voglio tutti. Chiaro?».

Annuirono quasi all'unisono.

«Antonio? Hai azzeccato. L'arma del delitto era quella».

Antonio sorrise e sembrò crescere di almeno venti centimetri. Deruta pensieroso fissava la macchinetta del caffè, Italo invece si mordeva le unghie e taceva.

«Io ho bisogno di novità dalla postale. Dov'è Casella?».

«Ha appena chiamato, sarà qui a momenti» rispose Scipioni, «dice che ha buone notizie».

«Mi scusi, dotto'» fece D'Intino. «Non è per offendere, ma qualcuno ha lasciato una bottiglia di piscio dentro alla macchina, l'auto che usiamo noi. Mo' chi è stato?».

«Io» rispose Rocco. «L'hai bevuta?».

«No, la so' jettata».
«Bravo D'Intino».
«E pozze chiedere perché ci sta una bottiglia piena di pipì in macchina?».
«No, non lo puoi chiedere».
Bussarono alla porta. Tutti si voltarono pronti a ricevere Casella, invece sull'uscio apparve l'agente Spinosi dalla portineria, un uomo di 45 anni che in tutta la sua vita, e di questo Rocco e la squadra ne erano convinti, aveva detto 144 parole. «Per lei» fece avanzando nella stanza e lasciò cadere un pacco sulla scrivania. «Grazie Spinosi» fece Rocco. Quello ovviamente non salutò e sparì nel corridoio. «Sempre un piacere vedere Spinosi» commentò Scipioni.
«146» fece Italo. Gli altri lo guardarono. «Con queste Spinosi sale a 146 parole pronunciate».
«Io non l'ho mai visto sorridere» aggiunse Deruta.
«E che ci può essere da sorridere? La moglie se n'ha ite con il fratello» informò tutti D'Intino.
«Cioè la moglie è scappata con il fratello?» domandò Deruta con gli occhi di fuori.
«Eh! Che so' dette?».
«Ma è incesto!» gridò sconvolto.
«Perché?».
«Come perché, Mimmo? Se la moglie è scappata con suo fratello, fa l'amore col fratello!».
«Deruta, forse D'Intino intendeva il fratello di lui, di Spinosi» spiegò Antonio. «Insomma, il cognato!».
«Ah!» e si menò un colpo in fronte. «Allora va bene...».
«So' i trabocchetti della lingua italiana» fece Rocco.

«Ho capito. Ma sapete? Succede più spesso di quanto si creda» riprese Deruta. «Un mio cugino a Santu Lussurgiu aveva sposato Carmen, poi lei era scappata con la sorella di mio cugino, cioè sua cugina».

«Non è proprio uguale» disse Antonio.

«E perché?» chiese Rocco.

«La moglie di Spinosi è scappata col fratello di lui, la sposa del cugino di Deruta invece con la sorella» precisò il viceispettore Antonio Scipioni.

«È sempre amore» si intromise D'Intino. «Fratello, cugina, cugino, sempre uno ha scappate 'n'che 'n'atre».

«Bravo D'Intino, bel ragionamento» osservò Schiavone che aveva aperto il pacco appena consegnato da Spinosi. All'interno una rivista. «E questo ce lo manda Tiziana dalla biblioteca. È il numero di "ArtVision" di ottobre del 2013», mostrò la copertina sulla quale campeggiava il famoso autoritratto di Leonardo.

«Permesso?», Casella entrò col respiro corto. «Scusate, ma la postale sta al terzo piano e l'ascensore dell'altra ala non va... allora!», aprì una cartellina e consegnò una decina di fogli a Rocco. «Hanno recuperato le mail mancanti, quello che ci interessa è al foglio numero 4. Scambio mail fra madre e figlio».

Rocco sfogliò il plico e si mise a leggere. «Do pubblica lettura», e si schiarì la voce. «Mamma, non ti ho mai chiesto niente. Mi bastano ventimila che ti restituirò fra cinque mesi. Lo so, ti ho fatto un sacco di promesse che non sono sempre riuscito a mantenere, ma stavolta ci siamo, me lo sento. Ti chiedo di fidarti di me. Firmato G.». Rocco guardò i suoi uomini, poi proseguì: «Risponde la madre. Figlio, è la centesima occasione in cui mi dici: questa è la volta buona. La palestra, il bar, il ristorante, la sauna... Mi credi se ti dico che non ne posso più? Ti ho sempre aiutato, e lo sai. Ma a dirtela tutta, anche se volessi non potrei, quei soldi non li ho. Ci sono uffici prestito, banche a cui rivolgersi. Hai 40 anni Gianluca, non puoi continuare a essere un figlio. Diventa un uomo. Tua madre». Il vicequestore posò i fogli sul tavolo e guardò gli agenti. «Le mail sono datate a una settimana fa. Ora dobbiamo aspettare, poi forse ci siamo».

«Aspettare cosa?» chiese Italo.

«Una telefonata».

«Da chi?».

Rocco non rispose. Si alzò e andò alla finestra. Un sabato triste e grigio come le nuvole che nascondevano le montagne circostanti. Erano le dieci del mattino ma le auto tenevano ancora i fari accesi. «Non bisogna suicidarsi quando si è tristi e depressi» disse. «Ma se uno schifa la vita dovrebbe farlo in un momento di immensa gioia», poi si voltò a guardare i suoi agenti. «Se ti spari quando sei a pezzi è l'omicidio del suicidio, è come se stessi dicendo: la vita è bella ma io non l'ho capita. Devi essere al massimo della tua felicità, allora il suicidio funziona, perché non dai una lira alla vita e sai che la felicità è un'illusione».

«Pensa a un suicidio, dottore?» chiese Deruta spiazzato.

«No, rispondo a un agente che qualche giorno fa mi ha chiesto perché non mi sparassi un colpo di rivoltella alla tempia». Ognuno cercava con lo sguardo di intercettare il destinatario del ragionamento. «Detto questo, la mail è un suicidio per Gianluca. Quel tizio è entrato in casa, nel computer della madre, e l'ha cancellata».

«Basta per inchiodarlo?» chiese il viceispettore.

«È un movente, questo sì, ma è un po' poco, Antonio» rispose Rocco. «Tornate pure alle vostre faccende, come vi ho detto due secondi fa adesso dobbiamo aspettare».

I colleghi uscirono dalla stanza lasciando solo un vago profumo di sandalo, chissà chi di loro lo adoperava come dopobarba, pensò Schiavone. Andò alla scrivania e aprì la rivista. Era scritta in tre lingue, inglese, francese e italiano. L'articolo di Sofia Martinet era annunciato all'indice informando il lettore che quelle pagine scritte dalla studiosa italiana avrebbero segnato una svolta nel mondo degli studi leonardeschi. Il breve editoriale del direttore sosteneva che l'intero mondo scientifico doveva fare i conti con la scoperta di Sofia Martinet. E molti studiosi leonardeschi, Isabel Trueba, Karl Richter, Heikki Häärvili, Piergiorgio Vigliani, avrebbero avuto materiale per rivedere le loro teorie, spesso sovrastimate. C'era una nota polemica in quell'articolo di Jeffrey Montague, come se il direttore preparasse una battaglia campale contro qualcuno. Ma era un mondo che Rocco non conosceva, e gli sfuggivano implicazioni, legami, intenzioni. L'articolo di Sofia Martinet prendeva sei pagine, corredato da fotografie e dettagli di documenti, era in inglese, non c'era la versione in italiano. Provò a leggerlo, ma sentiva di aver bisogno di un aiuto, qui non era come: A Penny Lane c'è un barbiere che espone le fotografie in vetrina. «Casella!» urlò. Poco dopo si affacciò l'agente. «Dica pure».

«Chi conosce bene l'inglese da farmi una traduzione?».

«Mo' lo cerco. Anzi no, lo so! L'addetta stampa, è quasi bilingue». Rocco gli consegnò la rivista. «Se me la può fare scritta. Sono sei pagine, vedi? Questo articolo qui».

L'agente guardò la rivista. «L'ha scritto la signora Martinet?».

«Esatto. Vola Case', prima mi arriva e meglio è».

Mentre Ugo Casella usciva dalla stanza dal cellulare di Rocco l'inno alla gioia eruppe prepotente. «Devo abbassa' il volume, porca troia» mormorò il vicequestore. «Schiavone... sì, signor Combaz, mi dica... addirittura? Bene. La ringrazio». Chiuse la telefonata.

Il questore sprizzava soddisfazione. «Fine della storia allora?».

«Così pare. Gianluca Cardelli ha appena dato 15.000 euro al signor Combaz per l'anticipo sull'acquisto del rifugio. Ho chiesto aiuto in procura al dottor Baldi che controllerà i movimenti bancari del nostro amico, ma mi gioco l'amore che nutro per questa città che non li ha presi dal conto corrente».

«Lei sospetta il famoso anello».

«Anche».

Costa fece un giro intorno alla scrivania per appoggiarsi alla parete con le braccia incrociate. «Quindi omicidio con furto. Un litigio fra madre e figlio, poi degenerato, col risultato che conosciamo».

«Più o meno».

«Lo interroga lei il Cardelli?».

«Lo interrogo io. Ma c'è tutto il tempo di questo mondo. Lei però mi deve fare una cortesia».

«Se posso».

«Può».

«Venga al dunque, Schiavone, che me gïa u belin».

«Non indica una conferenza stampa».

Costa reclinò appena il capo. «Motivo?».

«Il risultato certo. Le faccio una metafora calcistica?».

«No, che domani c'è Genoa-Samp».

«Diciamo allora che siamo in finale in Champions League ma la dobbiamo ancora giocare».

«Anche se da genoano frequento poco quel torneo, sì, mi è chiaro».

«Bene».

«Ma non faccia troppo il sardonico, che anche la Roma...».

«Falcão» disse Rocco.

«Cioè?».

«Fu il calciatore che si rifiutò di tirare il rigore nella finale col Liverpool. Finale perduta dalla Roma all'Olimpico nel 1984. Almeno noi ci siamo arrivati».

«Sparisca!».

«Obbedisco».

«L'abbiamo trovato? È il figlio?» gli chiese Michela sulle scale. Rocco sbuffò. «Così pare. Ha appena mollato un sacco di soldi per la caparra di un rifugio».

«Non lo fai neanche partecipare al funerale della madre?».

«È una battuta, Miche'? Io però con quel tizio ci ho parlato».

«E allora?».

«E allora qualche omicida nella vita l'ho incontrato. Hai presente ieri sera?».

Michela sorrise. «Mi ricordo poco o niente. Pensa che mi sono svegliata stamattina sul divano di Alberto».

«L'archeologa, Sara, ha detto che nei miei occhi non vede niente. Di solito è la stessa impressione che ho quando guardo un omicida».

«In quelli di Gianluca cosa hai visto?».

«Paura».

«Magari ti sbagli».

«Magari. Forse mi servi ancora». Riprese a scendere le scale, lo bloccò Casella che al contrario le risaliva. «Dotto', l'addetta stampa ha finito».

«Cosa?».

«L'articolo. Ecco, questa è la traduzione», gli consegnò tre fogli dattiloscritti insieme alla rivista.

«Ammazza... me la devo leggere?».

«Non lo so, forse...».

«Era una domanda retorica, Case', mai rispondere alle domande retoriche».

«E allora perché le fa?».

«Si fanno quando uno non ha il coraggio di affrontare una rottura di coglioni o cerca di prendere tempo» disse Rocco sconfitto.

Rocco versò le crocchette a Lupa che subito si fiondò a mangiare. Poi uscì dalla stanza per affacciarsi nella sala degli agenti. D'Intino batteva una lettera al computer usando solo l'indice della mano destra. «D'Inti', dov'è Cardelli?».

«In camera di sicurezza. C'è Scipioni con lui».

«E invece Deruta?».

«Stava qui poco fa».

«Se lo vedi mandamelo giù».

Scese le scale, incrociò di nuovo Michela intabarrata in un cappotto lungo fino ai piedi. «Generale Nobile... la saluto», e quella gli mostrò il dito medio. Prese per il corridoio davanti alla sala stampa, una rampa di scale e arrivò alle celle di sicurezza. Antonio era nell'anticamera a guardare il monitor che inquadrava Gianluca seduto a testa china, sembrava non respirare. Sul tavolo una bottiglietta di acqua con un bicchiere di plastica ancora pieno. «Che fa?».

«Boh, sta così da un po'» rispose Antonio. Rocco aprì la porta insonorizzata ed entrò. Gianluca alzò il capo e guardò il vicequestore che prese posto di fronte a lui. «Buongiorno» esordì Rocco, ma Gianluca non ricambiò. «Lunedì eri in casa di tua madre?».

«Ho bisogno di un avvocato?».

«Intanto rispondi a queste domande, poi chiama pure Perry Mason. C'eri o no?».

«Ero a Cervinia».

«Perché hai lasciato il cellulare a casa?».

«Forse l'avevo dimenticato».

«O forse non volevi che ti si rintracciasse?».

«Non capisco di che parla».

«Mica ci vuole un genio». Rocco si accese una Camel. Offrì il pacchetto a Gianluca che rifiutò. «Non fumo».

«Dove li hai presi i 15.000 euro da dare a Combaz come anticipo?».

«In banca».

«Cazzata, ho già controllato. Allora?».

«Ce li aveva Ilaria, presi dal suo conto».

«Cazzata due, già controllato» mentì Schiavone. «Vuoi che lo dica io? Hai rubato a tua madre un anello mentre lei tirava le cuoia con la testa fracassata. Dove l'hai messa la statuetta del premio?».

«Ma di che parli?».

«No, io ti do del tu, tu invece resti sul lei. L'hai portata a casa? Buttata nel fiume? Era l'arma del delitto, scottava».

«Senti, m'hai rotto il cazzo, io non ho...», il ceffone partì improvviso come una molla e girò la testa di Gianluca di 45 gradi. «Devi stare calmo perché qui l'unico che si può incazzare sono io. Allora stammi a sentire. Tu quando hai visto tua madre l'ultima volta? Neanche te lo ricordi. Allora spiegami come e soprattutto quando hai cancellato le tue mail dal computer...», fece un gesto alla telecamera.

«Quali... quali mail?» domandò Gianluca toccandosi la guancia dolorante.

«Quelle in cui le chiedevi i soldi!». In quel momento entrò Antonio che depositò sul tavolo dei fogli. «Se le vuoi leggere eccole qui». Gianluca prese il plico mentre Antonio usciva dalla stanza. «Le abbiamo recuperate, bravi, no? Ci sono le tue impronte sul notebook, quindi sei stato l'ultimo a usarlo. E siccome tua madre alle 10 e 30 ha fatto una ricerca su internet, poi di lì a poco è morta, tu l'hai adoperato quando Sofia era già all'altro mondo. E questo già ti inchioda. Ti inchioda anche l'anello che tua madre portava all'anulare della mano destra che è sparito e che se ci mettiamo in giro a cercare fra ricettatori e gioiellieri dalle tue parti, io dico che spunta fuori. Sei già stato dentro per truffe coi gioielli, no? Ti inchioda anche la saliva, ora è all'esame, l'hai usata per sfilarle l'anello che poi ti sei andato a vendere. Dimmi se fin qui t'è chiaro o corro troppo?». Spense la sigaretta gettandola a terra. Gianluca Cardelli alzò la testa dai fogli. Rocco proseguì: «Sei andato da tua madre dopo aver visto il rifugio a Cervinia, le hai chiesto i soldi, come avevi già fatto nelle mail, lei te li ha negati, non ci hai visto più, e certo, ti stava negando il tuo futuro, no? Non voleva aiutarti a realizzare il tuo sogno... hai afferrato la prima cosa che t'è capitata per le mani e l'hai colpita». Rocco guardò Gianluca che taceva col respiro mozzato. «Poi hai ragionato... come faccio? Primo, cancellare le mail, poi prendere qualcosa per i soldi. L'anello e forse anche altro. Suggerisco? Libri antichi?».

«Io non l'ho uccisa», gli occhi di Gianluca si riempirono di lacrime. «Sono una merda, un ladro, ma non sono un assassino, cazzo!».

«No?».

«No».

«E allora spiegami come sono andate le cose».

Tirò su col naso, poi se l'asciugò con la manica della giacca a vento. «Era accostata...» disse, ma Rocco lo fissava senza incoraggiarlo. «La porta, era accostata. Io ho chiamato, ma lei non ha risposto. Quando sono entrato l'ho vista... lì per terra... c'era sangue sul pavimento. Non sapevo cosa fare». Si guardarono per qualche secondo. Rocco si alzò di scatto, Gianluca indietreggiò portandosi le mani davanti al viso. «Lo giuro, ero come stordito, mi fischiavano le orecchie. Allora mi sono venute in mente le mail che le avevo scritto. Le ho cancellate, tutte... poi ho... cercato i libri. Conosco i libri di valore e li ho presi».

«E l'anello».

«Quale anello?».

«Quello che le hai sottratto, di Asprey, un famoso gioielliere inglese. Deve valere un sacco di soldi, a occhio».

«Io non ho preso nessun anello!» protestò Gianluca. Rocco sbuffò. «E allora chi cazzo l'ha preso?».

«Io no. Non so di cosa stia parlando. Perché le dovrei mentire?».

«Su questo ti do ragione. Allora quanti libri hai rubato?».

«Cinque. Sono uscito di corsa verso la stazione».

«Tua madre è morta e tutto quello che ti viene in mente è arraffare i libri?».

Gianluca annuì in silenzio. «È deboluccia come spiegazione, non credi?».

«È la verità».

«Perché non ci hai chiamato?».

«Perché? Sono già stato dentro, mi avreste creduto?».

Rocco gli andò alle spalle. «E cosa ti fa pensare che io adesso ti creda?».

«Io ho detto la verità». Rocco gli passò davanti, si appoggiò con le mani sul tavolo per stargli a pochi centimetri dal volto. «Com'eri vestito?».

Gianluca sbatté le palpebre. «Non... non lo so, non me lo ricordo».

«Sforzati, coglione!» gli disse mentre una stalattite di muco calava dalla narice destra di Gianluca. «Non lo so, forse avevo questa giacca a vento...».

«Secondo me avevi una giacca di tweed, dico una sciocchezza?».

«Una giacca? Dottore, io non possiedo una giacca dalla mia prima comunione!».

«Un cappotto?».

«Mai avuto, lo giuro».

«Perché hai lasciato il cellulare a casa? Sapevi che avresti fatto una cazzata da tua madre?».

«È una coincidenza. Spesso me lo dimentico, non ci sto troppo attento, lo uso poco o niente. Ispettore, io...».

«Ispettore? Cazzo dici? Vicequestore».

«Vicequestore, io non...», poi abbassò la testa, poggiò le mani sulla fronte e si azzittì.

Schiavone lo guardò per un'ultima volta, poi uscì dalla stanza e tornò da Scipioni. «Che dici, Anto'?».

«Un uomo di merda».

«A parte questo?».

«Non lo so, Rocco, forse dice un sacco di bugie. Insomma, la madre morta e le ruba i libri?».

«Già. E c'è di peggio. Se Alberto non ha cannato l'ora della morte di Sofia, forse quando lo stronzo è entrato in casa quella era ancora viva».

Antonio buttò fuori l'aria scuotendo la testa. «Mentre la madre esala l'anima a Dio, quello la rapina. Tecnicamente non sarebbe l'omicida, ma moralmente lo è» disse il viceispettore. «Anche il fatto che abbia lasciato il cellulare a casa non depone a suo favore».

«No, hai ragione, solo che io sono convinto che dica la verità. Se uccidi a scopo di rapina, rubi più dei cinque libri che ammette di aver preso. Quantomeno perquisisci casa, e lui non l'ha fatto. No, sembra più un gesto dettato dalla paura. Come quello di cancellare le mail. Non faceva prima a prendere il computer? Teniamocelo ancora un po', fino a martedì mattina se serve».

«Ricevuto. Intanto mi faccio dire a chi ha venduto 'sti libri...».

Rocco salì le scale della biblioteca. Tiziana Combaz era dietro la scrivania, stava leggendo un dépliant. Appena lo vide gli sorrise. «Ha avuto la rivista?».

«Grazie mille, Tiziana, sì. Ecco, gliela restituisco».

La ragazza la prese e si alzò in piedi. «Aspetti» le disse Rocco, «ho bisogno di lei».

«Di me?».

«Esatto», e la guardò dritto negli occhi.

«Senta, dottor Schiavone, glielo dico subito. Io sono impegnata».

«Che vuol dire?».

«Ho un ragazzo».

«E sticazzi. Io ho bisogno di lei perché devo leggere questo articolo lunghissimo, mi stia accanto, lei è molto più colta di me, mi aiuterà». Era riuscito a nascondere la delusione spostando il fuoco della discussione.

«Ah, bene, sì...». Tiziana si portò una ciocca di capelli dietro l'orecchio. «Dove vogliamo metterci?».

«Un tavolino con un computer».

Si sedettero accanto alla finestra che dava sul vicolo. La donna che ascoltava musica a occhi chiusi stava di nuovo lì. «Cosa ascolta?» chiese Rocco sottovoce a Tiziana.

«*L'anello del Nibelungo*, conosce?».

Rocco scosse la testa, aprì i fogli della traduzione e cominciò a leggere. «Dunque Sofia Martinet annuncia in questo articolo una notizia sensazionale. Vediamo qual è... Chi è Luca Pacioli?».

La segretaria della biblioteca strabuzzò gli occhi. «Oddio, non lo so!».

«Ecco perché siamo vicini a un computer».

Subito Tiziana digitò il nome. «Allora Luca Pacioli, nato a Borgo Sansepolcro nel 1445 e morto a Roma nel 1517. Religioso, matematico, economista» fece mentre Rocco era sempre intento nella lettura.

«Sofia Martinet dice di essere venuta in possesso di una lettera autografa di questo Pacioli, c'è una fotografia dello scritto, pare...».

Tiziana aprì la rivista e mostrò il documento riportato su «ArtVision».

«Bene... lettera scritta a Venezia dove menziona un dono, un libro, che Paganino Paganini regala al sommo genio del Rinascimento. Chi è 'sto Paganino Paganini?».

Tiziana di nuovo digitò sul computer. «Era un tipografo e editore italiano morto nel 1538».

«Bene...».

«Sì, qui dice attivo a Venezia. La prima stampa che realizzò fu un Messale Romano, poi...».

«Va bene, Tiziana, basta così. Dica un po', Paganino Paganini secondo lei era un avo del violinista?».

«Non saprei, dottore...».

«E allora andiamo avanti. Questo tipografo dunque regalò un libro a Leonardo, un testo di Alhazen».

«Lui lo so chi è» disse Tiziana. «Alhazen era un matematico e astronomo arabo, operava in Egitto se non ricordo male intorno all'anno mille».

«Prosegue Sofia Martinet... Alhazen oggi considerato il fondatore dell'ottica moderna eccetera eccetera... ecco qui. Insomma, dice che Leonardo, con quel libro in mano, ha potuto fare suoi molti principi di questo Alhazen...».

«Cioè, se ho capito bene, quegli studi non erano del tutto originali?».

«Così afferma Sofia Martinet che spiega quali sono le influenze... parla dell'immagine capovolta sulla retina, dell'anatomia dell'occhio, l'intuizione della camera oscura... cara Tiziana, tutti dettagli per me di relativo interesse, ma per chi studia evidentemente no».

«Forse no. Insomma, dare del copione a Leonardo...».

«Peggio, s'è fregato i diritti d'autore di questo arabo». Rocco sorrise. «Cosa può provocare un simile articolo nel mondo della ricerca?».

«Può essere un evento molto importante se capovolge studi e ricerche precedenti».

Rocco annuì. «La lascio, Tiziana. Ma si tenga pronta nel caso dovessi ancora aver bisogno di lei».

Niente di più di una disquisizione fra studiosi, pensò scendendo le scale. Una volta fuori all'aria fredda prese il cellulare, nel portafogli conservava il numero del professore appuntato dietro uno scontrino. «Professor Cardelli? Sono Schiavone, questura di Aosta».

«Mi trova libero per pochi secondi, ero a un congresso qui a Pisa. Mi dica».

Un rimbombare di schiamazzi e risate copriva la voce di Cardelli. «Professore, la sento male».

«Sono nel corridoio dell'università, aspetti, mi metto sulle scale antincendio». Rocco sentì un rumore metallico, poi l'eco delle voci divenne un vento leggero. «Ecco, mi sente meglio?».

«Molto meglio. Le devo chiedere ancora un aiuto. Sofia sull'agenda ha segnato con evidenza l'uscita di un suo articolo sulla rivista "ArtVision"».

«Sì, ho presente. Pubblicazione importantissima».

«Nel quale afferma una scoperta a suo dire epocale. Insomma in poche parole ha dato del mezzo truffatore a Leonardo».

Sentì il professore ridere. «Tipico di Sofia, amare una persona oltre il sostenibile per poi abbandonarla. E parlo per esperienza diretta». Rocco percepì un tono di amarezza nella voce di Cardelli.

«Riguarda certi studi ottici, insomma sostiene che Leonardo abbia ricevuto in regalo un libro di uno scienziato arabo del Medioevo in cui quegli studi già erano stati sviluppati, o almeno parte di essi. Ecco, un articolo simile a chi giova?».

«Innanzitutto ha giovato sicuramente a Sofia. Una bomba del genere le avrà procurato un giro di congressi in mezza Europa, e il plauso della comunità scientifica, di questo ne sono certo. So a cosa sta pensando e mi permetto di dirle che no, non credo abbia potuto provocare invidie così spietate da portare qualcuno a ucciderla».

«Ecco, era questo che volevo sentire. La ringrazio, professore, spero di non doverla disturbare più. Lei è a Pisa?».

«Sì».

«Immagino che non ci sarà per i funerali di domani».

«Immagina male, dottor Schiavone. Stasera parto per Aosta».

«Metta le catene», e chiuse la telefonata. Non aveva neanche nominato il figlio tradotto in questura con un fermo di 72 ore. Non era interessato, il professore, o forse non sapeva ancora. Lontani come due pianeti che circolavano intorno ad altri soli, così s'erano ridotti padre e figlio. Invece a Rocco sarebbe piaciuto avere ancora un genitore vivo. Anche solo per sentire la sua voce. Non ricordava più il suono di quella di sua madre, del padre cominciava a perdere anche la memoria del viso. Se non fosse per la foto che gli aveva regalato sor Sabatino mesi prima, il viso di suo padre sarebbe stato poco più di una macchia opaca e senza occhi.

Piccoli fiocchi allegri e fastidiosi cadevano con la stessa leggerezza delle foglie d'autunno. Si fermò a guardarli, si stagliavano candidi sul grigio del cielo. Poi fu un attimo, un movimento veloce ad attirare il suo sguardo. Un uomo con il giubbotto aveva svoltato rapido l'angolo, mani in tasca e fumo della sigaretta dalla bocca. Aveva intravisto una parte del viso riflesso sulla vetrina della libreria, ma ebbe la netta sensazione che quell'uomo lo stesse osservando prima di svicolare nella stradina.

«Chi cazzo è?» disse a bassa voce. Ma non trovò risposta. Entrando in questura quella sensazione di minaccia l'abbandonò per lasciarlo allo squallore del panino col prosciutto comprato la mattina che diede quasi interamente a Lupa.

Lasciò la questura nel pomeriggio, e attraversando le vie della città tornò la sensazione di pericolo. «Forza Lupa» gridò al cane che gli si avvicinò per trottargli al fianco. Ogni tanto tirava su le orecchie. «Vero? Anche secondo me qualcosa non va» le disse carezzandola. «E siccome siamo stanchi, soprattutto io, mo' ce ne andiamo a casa... forza!». Riprese a camminare. La strada era vuota, qualche passante usciva da un bar o entrava in un negozio, la neve ammucchiata agli angoli della strada era nera di sporcizia. Infilò la chiave nel portone e si guardò intorno. Non notò nulla di strano, ma sentiva gli occhi di qualcuno alla base del collo, una puntura fastidiosa di insetto. Appena entrato nell'appartamento realizzò con soddisfazione che il timer della stufa funzionava. L'appartamento era caldo, accogliente. Era venuta la signora delle pulizie a fare i servizi e tutto era in ordine. La cucina brillava, le camicie stirate sul tavolo, libri e giornali di nuovo nella libreria, tutto al suo posto tranne l'uomo seduto sul divano in penombra che fumava una sigaretta. Lupa ringhiò, Rocco si bloccò in mezzo al salone. «Stai comodo?».

L'ombra si alzò e Rocco lo riconobbe. «E da quando lavori pure de sabato?» disse e allargò le braccia. La voce di Sebastiano fu come una carezza. Si strinsero forte, anche Lupa ne approfittò per fargli le feste. «Che ci fai qui?» gli chiese Rocco guardandolo negli occhi. Era dimagrito, pallido, s'era tagliato i capelli da solo perché pareva che in testa gli fossero esplosi dei petardi. «Non dormo da due giorni» gli disse, «non vado bene. Abbiamo tanto da parlare, ma adesso sono stanco morto. Te dispiace se m'allungo sul divano? Me basta un'oretta».

«Casa tua» disse Rocco. Si abbracciarono ancora. Sebastiano odorava di terra e di gas di scarico. «Vuoi mangiare?».

«C'hai il frigo che fa ride».

«Lo sai che a casa tua è andato qualcuno?».

Sebastiano annuì. Chiuse gli occhi e respirò profondo prima di parlare. «Doveva succedere».

«Sai chi è?».

«Me lo immagino. Famme dormi' Rocco, poi te racconto tutto».

Si tolse la giacca e le scarpe, si stese sul divano e come colpito da una randellata cadde in un sonno profondo. Rocco si sedette accanto a lui, gli osservò le labbra screpolate, le mani coperte da piccoli tagli sul dorso e sulle dita, la barba piena di peli bianchi. La camicia era sporca, come i capelli e il giubbotto che Sebastiano aveva gettato per terra. Si alzò e prese un plaid per coprirlo. Quando rientrò in salone russava. Un orso caduto in letargo nella tana dove si sentiva al sicuro. Rocco si avvicinò, dietro le palpebre dell'amico gli occhi si muovevano frenetici. Lento e silenzioso raccolse il giubbotto verde da terra. Pesava troppo. Nella tasca destra un pacchetto di Camel, nella sinistra trovò una rivoltella. Il manico avvolto da una garza adesiva, non c'era numero né matricola. La tenne in mano per qualche secondo, poi la rimise a posto. Si stese anche lui sul letto non trovando di meglio da fare. Lesse un po', fumò un paio di sigarette, andò in cucina a prendere del vino. Mentre lo versava, attento a non fare rumore, Sebastiano si svegliò di soprassalto. «Tutto a posto, Seba, non succede niente». L'amico si passò la mano sul viso. «Ti vuoi fare una doccia?».

«Magari» rispose alzandosi. Gli consegnò gli asciugamani. «Brizio e Furio li posso avverti'?».

«Dopo che t'ho parlato, fa' il favore», ed entrò in bagno. L'acqua scrosciava, Sebastiano riuscì a fare a pezzi una canzone. «Le bionde a trecce gli occhi azuri e poooi, le arance ancor più grosseee». A Rocco mancava quella voce grezza, rovinata e roca, sentirla fu come un abbraccio caldo. Poi lo scroscio si azzittì. Sebastiano uscì dal bagno coi capelli bagnati e incollati al cranio, bianco come un merluzzo, dall'asciugamano rosso spuntavano i due gamboni e l'addome con una striscia bruna di peli che arrivava fin sotto il pomo d'Adamo. «Te sei dimagrito, ma ancora non sei magro».

«Non lo sarò mai» rispose. Raccolse il giubbotto e prese un pacchetto di sigarette dalla tasca. Ne accese una. «Perché sto qua, te chiedi?».

«Fra le altre cose. Prima voglio sapere dove sei stato».

«In giro e dormendo poco». Poi proseguì: «Enzo Baiocchi è all'estero. Sta in Svizzera. Io lo devo andare a prendere, me costasse la vita».

«Sei sicuro?».

«Sicuro» rispose Sebastiano.

«E io che posso fare?».

«Mi cercano le guardie, polizia e carabinieri».

«Sei scappato dai domiciliari, Seba, è normale».

«E non ho un cazzo di documento».

«Pure quello è normale».

«Quindi due so' le cose. O mi fai passare con te alla frontiera che sei un poliziotto e non te controllano...».

«Oppure?».

«Oppure me rimedi un passaporto. Uno qualunque». Rocco imitò l'amico e si accese anche lui una Camel. «Prima dimmi del cadavere, di Luigi Baiocchi. Perché non era dove l'abbiamo lasciato io e te quella notte?».

Sebastiano fece un sorrisino. «Non c'era perché l'ho spostato io».

«Tu?».

«Quella notte stessa. L'ho portato a Fiumicino, poi al largo coi serci in tasca».

«E perché?».

«Perché solo io lo dovevo sapere. Tu stavi a pezzi, Rocco, te dovevo protegge. E se cantavi?».

«Io?».

«Tu, Rocco, tu. Te ricordi o me lo ricordo solo io? Dopo che j'hai sparato te stavi a tira' un colpo alla tempia. Te l'ho tolta di mano io la Beretta. Non ce stavi più co' la testa. Così l'ho deciso da solo, l'ho preso e l'ho spostato. E nessuno l'avrebbe più trovato».

Rocco spense la sigaretta. «E perché Enzo Baiocchi sapeva dove stava il cadavere del fratello?».

«Sapeva il posto sbagliato» disse Seba e guardò Rocco.

«Gliel'hai detto tu?».

Prima di rispondere Sebastiano fece un tiro. «Gli ho fatto arrivare la voce. Così le guardie annavano, non trovavano un cazzo e non te diceva più niente nessuno».

«Hai fatto tutto questo per me?».

«Per un fratello questo e altro» rispose Sebastiano. «Be', mo' l'interrogatorio è finito?».

«Hai fame?».

«Sì. Però non è il caso che me faccio vede' in giro». Spense la cicca nel posacenere.

«Direi di no». Rocco si alzò. «Senti un po', tu sei sicuro che non t'ha seguito nessuno?».

«A me? Non credo. Perché?».

«Niente, 'na sensazione. Allora glielo dico a Brizio e Furio che sei qui? Guarda che stanno in ansia pure loro».

Sebastiano si toccò il mento facendo sfrigolare la barba. «Mejo de no, Rocco. Non gli dire niente ancora».

«Che cercavano a casa tua?».

«Chi?».

«Le guardie, perché io me ce gioco tutto che so' loro che t'hanno perquisito l'appartamento».

«E che ne so? Boh... forse sono più importante di quello che pensavo...».

«O forse» disse Rocco, «libero sei una minaccia». La supposizione del vicequestore cadde nel silenzio attraversato solo da una lontana ambulanza. «Che vuoi dire?».

«Sanno che tu vuoi ammazzare Enzo Baiocchi, che Enzo Baiocchi da carcerato era passato a collaboratore di giustizia, parlava parlava parlava, ha sputtanato e messo nei guai un sacco de gente a Roma. Giusto?».

«Giusto sì. Tutto il traffico de coca, no? Due assessori, un segretario de non so che cazzo, un par de generali, due studi di avvocati, bella gente, sì».

«E tutta gente che tanto in galera non ce va, credi davvero che a Baiocchi lo vorrebbero morto?».

Sebastiano ci rifletté. «A che pro? Ormai ha parlato. Se l'ammazzi invece avvalori tutte le spiate che ha fatto».

«Appunto, Seba. E invece tu lo vuoi ammazzare e sei una scheggia impazzita. Capisci?».

Sebastiano annuì. «Baiocchi deve stare vivo?».

«Sembra de sì. E se sta in Svizzera, come dici tu, ce sta perché ce l'hanno messo».

«E quindi cercano me».

«Esatto».

«E se me trovano non è che me vogliono porta' in galera».

«Forse no. Per questo t'ho chiesto se hai la sensazione di essere seguito».

Ci pensò su, poi scuotendo il testone disse: «No, Rocco. Nessuno. Almeno, io non me ne sono accorto».

«Seba, che calibro è?» gli chiese all'improvviso.

«Che ti frega?».

«Non è tua. Dove l'hai presa?».

«Un amico. Tu non ti devi preoccupare. È una nove, Ruger, vuoi sapere altre caratteristiche?».

Rocco sospirò. «No, non voglio sapere altre caratteristiche. Adesso lo posso dire a Brizio e Furio?».

«E diglielo» fece Sebastiano alzando le spalle. «Io intanto me vado a vesti'», si alzò e rientrò in bagno.

«Te darei qualcosa di pulito, ma sei quattro taglie più grosso».

«Sei taglie» lo corresse urlando Sebastiano.

Il vicequestore prese il cellulare e mandò un messaggio a Brizio per avvertirli che Sebastiano era lì, al sicuro, vivo e masticato come una gomma americana sputata. Non fece in tempo a spedirlo che il telefono squillò. Era Brizio. «Che fa là?».

«Je serve 'na cioccolata e un orologio, pare che sta da quelle parti».

«Capito. Come l'hai trovato?».

«Ciancicato. Ha una baiaffa».

Brizio rimase in silenzio. Restavano sul vago, parlare al cellulare era sempre un rischio.

«Gli hai detto della visita?».
«Sì...».
«Salgo?».
«Per ora no».
«Che voi fa'?».
«Lo faccio andare dove deve andare. Stavolta in mezzo non mi ci metto».

Domenica

Alle sei e mezza di domenica la questura era deserta. Invece di salire al suo ufficio, dal corridoio centrale Schiavone svoltò verso i bagni. Arrivò alla stanza dei passaporti e si affacciò. Vuota. Il computer spento, richieste di rilascio in bianco erano poggiate sulla scrivania, sotto alla finestra due armadietti di ferro. Quello di destra conteneva decine di passaporti impilati dentro scatole di cartone, tutti da rinnovare. In quello di sinistra erano stipati i documenti già lavorati in ordine, pronti per la consegna. Cominciò a esaminarli a uno a uno scartando le donne, i giovani, i troppo anziani. Poi s'imbatté in un passaporto interessante. Apparteneva a tale Giovanni Vaillese, anni 51, biondo e con il viso piatto. Occhi marroni. Poteva andare. C'era solo da convincere Sebastiano a tingersi la chioma e la barba, che avrebbe coperto il viso e aiutato il camuffamento. Intascò il libretto insieme ai fogli timbrati e uscì dalla stanza. Rifece il percorso per uscire nel parcheggio. Prese l'auto e si diresse in largo anticipo verso la chiesa sconsacrata per assistere alle esequie di Sofia Martinet.

L'agente Michele Deruta si svegliò all'improvviso e

si accorse che il posto accanto a lui era vuoto. «Federico?» chiamò. Si alzò e trovò il compagno in cucina. Stava preparando la colazione. «Guarda, è spuntato pure un po' di sole» gli disse. «Che ore sono?».

«Le otto e un quarto».

«Il funerale è alle nove!» gridò Michele.

«Quale funerale?».

«Quello di Sofia Martinet. Porca miseria, Schiavone ha ordinato a tutti che dobbiamo essere presenti. In borghese».

«E perché?» chiese Federico versando il caffè bollente dalla moka nella tazzina.

«Non lo so. Però dobbiamo andarci».

«Qual è la chiesa?».

«Aspetta... dov'è il cellulare?», si mise a cercarlo dopo aver afferrato al volo e ingoiato una fetta biscottata integrale che gli si appiccicò al palato. «Ecco'o!». Stava sulla credenza accanto al lavello. «Allo'a 'a chiesa è su a Ècen».

«Ingoia la fetta biscottata e ridillo».

Deruta passò la lingua un paio di volte sul palato riuscendo a scrostare la pappa collosa che s'era creata, la ingoiò, poi ripeté: «È una chiesa sconsacrata vicino a Excenex. I funerali in una chiesa sconsacrata?» domandò Deruta.

«Sarà stata atea».

«Cioè non credeva?».

«Bravo Michele».

«E allora perché una chiesa?».

«Ma che ne so Michele, datti una mossa, ti accompagno io».

«Tu?».

«È domenica, non ho niente da fare».

Michele lo guardò. Federico sorrise. «Sì, andiamo insieme in mezzo ai tuoi colleghi. E allora?».

«E allora? Niente, sono contento. Sì, sono pronto, dicessero quello che gli pare. Mangio una cosetta, mi lavo e sono pronto». Deruta aveva già rimosso di aver appena ingoiato la fetta biscottata che era metà della porzione della sua nuova dieta. «Che fame!» disse sedendosi al tavolo. Gli occhi si intristirono. Sul tavolo solo una fetta marroncina, una mela tagliata a spicchi e un caffè allungato con acqua calda. «Neanche una brioche?».

«Sei a dieta, ti ricordi?».

«Ma che mangio?».

«Finisci la mela, poi l'altra fetta biscottata e ingurgita il bibitone di caffè».

A Federico sembrò che Michele stesse per scoppiare a piangere. «L'hai detto tu che devi perdere peso. È per la tua salute».

«Lo so, però senza i dolci la colazione è triste».

«Ti ci abituerai. Ora mangia che il tempo passa. Forza!».

Deruta infilò gli spicchi di mela tutti insieme e li ingollò come fanno i pellicani coi pesci.

«Michele, devi masticarlo».

«Ah!». La mela era già andata e a Deruta sembrava il pezzo forte del pasto. «Almeno lo zucchero nel caffè?», ma Federico non lo ascoltava più. «Vado a lavarmi i denti. Sbrigati. E non cercare nelle credenze o in frigo, in casa non c'è l'ombra di un dolce».

«Questa non è una dieta» protestò Michele sbattendo i pugni sul tavolo, «è un embargo!», e si mise in bocca l'altra fetta biscottata.

«Non è tua, è di un comico romano» gli urlò Federico dalla camera da letto.

«Siete qui perché dobbiamo osservare tutti i presenti al funerale, quindi voglio che guardiate insieme a me i condolenti, tutti. Le foto ve le ho passate».

«Ma che dobbiamo cercare?» chiese Ugo.

«Non dovete cercare, dovete osservare».

«Lei è sicuro?» domandò ancora Casella.

«No. D'Intino e Italo, aspettate fuori».

«Perché?» chiese Italo polemico.

«Perché lo dico io. Ti basta?».

«Rocco?», Antonio lo fermò sulle scale della chiesetta. «Mi sono informato, Gianluca Cardelli i libri li ha venduti a un collezionista famoso di Torino che l'ha pagato in contanti. Ha detto la verità, sono cinque. Vuoi sapere i titoli?».

La chiesa era piccola, l'altare ormai scrostato e mangiato dal tempo. Delle pitture antiche facevano capolino fra l'intonaco sgretolato e le macchie di umidità. Schiavone era entrato insieme a quelli dell'agenzia funebre con Antonio e Casella. La parte superiore della bara era aperta e si intravedeva il viso di Sofia Martinet coronato di fiori. Vicino alla bara stava un uomo sugli 80 anni, serio, col vestito nero. Rocco e Antonio si piazzarono accanto alle colonne a destra e a sinistra dell'altare a osservare i partecipanti. Il primo a entrare fu Pietro Cardelli, il professore, che salutò con un cenno il vicequestore. Con lui una donna sulla settantina, elegante, con i capelli appena fonati dal parrucchiere, Rocco pensò dovesse essere la donna che aveva sostituito Sofia Martinet nel cuore dell'accademico. Arrivarono altre tre persone che Rocco non aveva mai incontrato, Dario accompagnato dalla madre avvertì tutti del suo ingresso lanciando uno strillo lacerante. Il vicequestore riconobbe subito l'uomo alto e magro coi guanti di pelle, occhialini tondi con la montatura dorata, un cappotto color cammello e una chioma bianca e fluente. Era Jeffrey Montague, l'editore della «ArtVision». Elegante e distaccato, superò le sedie e andò a mettersi in prima fila, a neanche un metro da Rocco. Aveva gli occhi azzurri e portava i calzini colorati che finivano in un paio di Church's. Solo uno sguardo furtivo al vicequestore, poi tornò a osservare triste la bara. Entrarono lente e silenziose altre persone. Un uomo coi capelli talmente biondi da sembrare bianchi e il viso rubizzo accompagnava una signora alta e magra con gli occhi neri di pece. L'ultimo fu Karl Richter, anche lui scortato da una donna, neanche 40 anni. Hjørdis, pensò Schiavone. Karl cercava posto come fosse a teatro, faceva alzare le persone, chiedeva permesso, poi trovò pace in sesta fila. Montague si voltò. Rocco notò che se quegli occhi fossero stati coltelli, Richter sarebbe stato già un uomo morto. «Aua!» urlò Dario e la madre, Rebecca, prese dalla borsa un piccolo thermos mormorando qualcosa al figlio. Arrivò anche Michele Deruta accompagnato da un uomo.

Casella non era sorpreso della presenza del panettiere accanto a Michele. «Mi ha accompagnato lui sennò facevo tardi» gli disse Deruta sottovoce. Casella annuì, poi allungò una mano. «Piacere, Ugo, sono un collega di Michele, ci siamo visti al negozio».

«Piacere» disse Federico.

L'uomo serio col vestito nero prese la parola. «Benvenuti a tutti. Siamo qui per salutare Sofia, e vedo tanti amici e colleghi che l'hanno accompagnata durante questi anni. Io mi chiamo Giorgio Fanelli, per chi non mi conosce sono il rettore dell'università di Torino dove Sofia ha insegnato per tanti anni, diciamo buona parte della sua carriera».

«Crerra!» urlò Dario dalla fila di mezzo.

«C'è anche Dario» disse Michele a Federico. «Quello che ha una lingua sua».

«Mica urlerà per tutta la funzione!» fece Federico.

«Mi sa di sì». Casella ne era convinto. «Non sta bene, io dico che esce prima del missa est».

«Non c'è il missa est» disse Deruta, «è un funerale laico e quello non è un prete».

«E che t'incazzi?».

«Mancherà a tutti...» proseguiva Fanelli con la voce lenta e monotona. Rocco non seguì più il discorso e cominciò a occuparsi dei presenti. Osservava Jeffrey Montague. Ogni tanto tirava su col naso e guardava la volta della chiesetta come per distrarsi. Muoveva nervoso il piede e le dita della mano destra sulle quali il vicequestore notò un anello d'oro. Pietro Cardelli invece aveva gli occhi lucidi, la compagna a braccia conserte si guardava continuamente gli stivali. Richter, gli occhi puntati sull'altare e le labbra in un impercettibile movimento, sembrava mormorasse una preghiera, o un pensiero di cui non riusciva a liberarsi.

«Sofia, spero che troverai la pace».

«Arvro' mirace!» fece eco Dario al rettore che non dava importanza a quello strano rimbombo e continuava con il discorso.

Jeffrey Montague versò una lacrima che stupì Rocco, non sembrava una persona che si potesse commuovere. Magro, duro e asciutto, un patriarca abituato a gestire il potere.

«Valuma' stass cheva!» gridò Dario coprendo la voce di Fanelli. Deruta sembrò divertito e diede di gomito a Federico.

«Drubisci tu!», stavolta Rebecca redarguì severa Dario che puntava gli occhi ciechi sulla volta della chiesa.

«Michele» chiese Federico, «ma cosa dovete guardare tu e gli altri?».

«Boh... Schiavone dice che dobbiamo controllare. Lui fa sempre così. Ti porta nei posti e dice: osservate! Cercate! Ma io non so mai che cosa dobbiamo osservare e cosa cercare».

Casella mollò una gomitata a Deruta e gli fece segno di fare silenzio.

«E sono felice che Sofia abbia regalato la sua importantissima biblioteca al Comune di Aosta».

«Frosta!».

Tranne cinque libri, pensò Antonio, ma se lo tenne per sé. Schiavone decise di aver visto abbastanza e si staccò dalla colonna, imitato da Antonio. A passi lenti raggiunse i suoi uomini, si avvicinò all'orecchio di Casella: «Ugo, puoi anche uscire», l'agente annuì e lasciò la chiesa. Rocco superò Deruta e Federico e indietreggiò fino alla porta principale proprio mentre Jeffrey Montague si alzava dal suo posto. Si tenne distante dalla bara, come se ne fosse spaventato. Ci buttò solo un'occhiata rapida, poi tornò con lo sguardo sulla platea. Si schiarì la voce e cominciò: «Scusate, non mi piace guardare il viso dei miei amici defunti, sono vecchio e per strada ne ho persi tanti. Preferisco ricordarli da vivi. Sofia era la più grande mente che io abbia conosciuto», anche se l'accento era inglese l'italiano del direttore di «ArtVision» era ottimo. «Ricordo la prima volta che ci siamo incontrati, a Firenze, una esposizione di Annibale Carracci. Mi parlò degli studi a Ginevra e a Parigi, e diventammo amici. Tanti anni fa...», abbassò il capo come a inseguire i ricordi. Poi prese fiato e ricominciò: «Da allora Sofia ha sempre collaborato col mio giornale. Pezzi importanti che hanno cambiato gli studi leonardeschi. Ricordo la tesi sul Codice Atlantico, e su quei versi strani del genio riguardo a una dieta», fece un sorrisino. «Fino all'ultimo, nel 2013, del fortunato ritrovamento della lettera di Pacioli che ancora fa discutere e ha spalancato una finestra fino ad allora sconosciuta, sul pensiero e... come dire?, le attitudini di Leonardo da Vinci. Ma io voglio ricordare Sofia, la mia amica, e non la professoressa Martinet. Io vedo in questa chiesa Isabel Trueba», indicò la donna con gli occhi di pece che mosse appena il capo in segno di saluto. «Vedo Heikki Häärvili», l'uomo coi capelli talmente biondi da sembrare bianchi come la canapa si inchinò appena sentito il suo nome, «tutti colleghi, stimati professori e voci importanti della mia rivista, li vedo qui a piangere la collega, l'amica, la donna generosa, attenta, sempre pronta ad aiutare e a collaborare con tutti... quanti di noi hanno ricevuto regali e favori da Sofia? E quanti dovrebbero ringraziare lei per tutta la vita? Ma si sa, la generosità non appartiene a questo mondo, e c'è chi in cambio le ha dato fiele da bere. Ma è un problema che risolverà con la sua coscienza... Farewell, Sofia, may God be with you». Ancora un'occhiata rapida alla bara per risedersi composto.

«Cobitutu!» gridò Dario come ad acclamare il discorso emozionato di Montague. Appena seduto il direttore, dalla fila di mezzo si alzò Karl Richter. Consegnò il cappotto alla donna che l'accompagnava e braccia lungo i fianchi percorse la piccola navata fino al feretro, concentrato, come se stesse contando i passi. Lui invece si avvicinò alla bara, si chinò, strinse le mani della salma. «Mi chiamo Karl, ci conosciamo un po' tutti qua dentro. Io ho voluto con forza questo ultimo saluto a Sofia, che se n'è andata così, nel modo più incredibile e selvaggio che possa pensare. E come tutti qui non avrò pace fin quando il responsabile della sua morte non verrà assicurato nelle mani della giustizia, anche se si tratta di giustizia italiana sempre giustizia è, o almeno dovrebbe». La battuta non piacque a Rocco e ad Antonio. Non piacque a Montague che alzò il viso e sembrò trattenere un'imprecazione, e neanche a Fanelli che scosse la testa guardando la pietra scura del pavimento. Non piacque neanche a Rebecca Fosson che abbracciò Dario. Häärvili non la comprese e neanche la Trueba, ma percepirono l'imbarazzo generale. «Sofia la ricorderò sempre come il primo giorno in cui la incontrai» riprese Richter. «All'università. Io allora avevo 30 anni, aveva letto la mia tesi di dottorato e l'aveva trovata profonda e innovativa e mi prese con sé, sotto la sua ala. Mi disse, ancora lo ricordo: "Com'è che un ragazzone come te perde tempo dentro le biblioteche?", disse proprio così, ragazzone! Be' adesso sono un vecchietto, ho perso i capelli, la pancia s'è gonfiata, ma allora i capelli li avevo tutti, Raffaello mi chiamava Sofia...». Qualcuno sorrise, Richter incontrò lo sguardo tenero della sua compagna. «E non è un mistero che io e Sofia... lo sapete tutti. Anche tu, Pietro», e guardò l'ex marito della Martinet. «Sì, ci siamo innamorati, abbiamo camminato per un pezzo di strada insieme, coscienti che avremmo fatto del male a delle persone, ma l'amore è così, non guarda in faccia nessuno. E in questa strada che abbiamo percorso siamo cresciuti, io sono cresciuto, e se sono quello che sono oggi, lo debbo a te, Sofia. E ti saluto nella lingua di Leonardo: ogni nostra cognizione prencipia da sentimenti... addio Sofia», si chinò, le baciò la mano e poi senza guardare nessuno tornò al suo posto. Antonio si avvicinò a Rocco. «Ma non gli fa impressione toccare il cadavere?».

«Pare di no» rispose il vicequestore.

«A me ’sta cosa della bara aperta non piace» fece il viceispettore. I necrofori si avvicinarono e chiusero il mezzo coperchio aperto per le esequie. Rocco non ne poté più e uscì dalla chiesa.

Italo era poggiato sul cofano dell’auto, rosso in viso, parlava concitato al cellulare, D’Intino osservava il cielo. Appena vide il vicequestore Italo chiuse la telefonata e si avvicinò. «Che hai scoperto?» gli chiese.

«Scoperto poco, visto semmai. Quando sei in servizio, evita le telefonate personali».

«Era mia zia».

«Come no, Italo. C’è altro?» gli chiese. La bocca di Italo si piegò in una smorfia di disprezzo. «No, non c’è altro. Ti farebbe piacere se chiedessi il trasferimento in un altro ufficio?».

«Non me ne fregherebbe un cazzo».

«Bene. Mi hai tolto un problema».

«Te lo sei creato da solo, Italo, te l’ho già detto mi pare, la tua vita non mi interessa più. Anzi, detto fra noi, se te ne vai lasci un posto libero e magari viene un agente più utile di te».

Italo fece un sorrisino di scherno. «Allora te lo voglio proprio fare questo favore».

Rocco si accese una sigaretta, il cielo si era schiarito, forse per un po’ la neve avrebbe dato tregua alla città. La bara sostenuta dai quattro necrofori uscì sul piccolo sagrato. Dietro, in fila, i partecipanti alle esequie. Montague salutò Fanelli e scese le poche scale della chiesa alla destra del feretro, parlava sottovoce alla spagnola e al finlandese, dall’altra parte invece Richter sottobraccio alla sua compagna. Anche Dario e la madre scendevano le scale della chiesa seguiti da Deruta, Antonio Scipioni e Federico. «In ufficio» disse Rocco, e indicò le auto parcheggiate. Michele e Antonio scattarono. Rocco invece si avvicinò a Jeffrey Montague che interruppe la chiacchierata coi due studiosi. «Dottor Montague? Schiavone, questura di Aosta».

«Ah, lei è un poliziotto. Lo avevo capito da come osservava», con uno sguardo allontanò Trueba e Häärvili.

«Ho bisogno di fare una chiacchierata con lei».

«Le lascio il cellulare?».

«Se non l'ha cambiato nell'ultimo anno ce l'ho già» fece Rocco. Montague lo guardò sorpreso. «Che vuole dire?».

«Era nel telefonino di Sofia. L'ha chiamata parecchio negli ultimi mesi».

«Sì, ci sentivamo spesso. Per articoli, ero un po' il suo... come si dice?».

«Confidente?».

«Già, ci conoscevamo da tanti anni».

Rocco guardò l'editore. Dietro gli occhiali tondi da vista brillavano due pupille azzurre e intelligenti. «L'hanno vista».

«Come?».

«A casa di Sofia, spesso, almeno così raccontano i suoi vicini».

«Verissimo. Andavo a trovarla, ogni volta che ero in Italia ci passavo...».

«Lunedì scorso ha fatto un salto da queste parti?».

Montague con eleganza soffocò una risata. «Dottor Schiavone, io lunedì ero nella mia casa a Firenze, e no, non ho nessuno che possa provare. Un alibi per quel giorno non ce l'ho».

«Capisco, e c'è rimasto per parecchio a Firenze?».

«Fino a mercoledì. Ma credo che per lei questo non abbia importanza. Io sono l'ultima persona al mondo che avrebbe fatto del male a Sofia».

«Lei non va molto d'accordo con Richter» osservò il poliziotto. Le labbra sottili di Montague si serrarono in un sorriso sprezzante. «No, per niente. È un cialtrone, e sempre lo sarà. Ha brillato di luce riflessa, quella di Sofia, e lui è un buco nero, se mi accetta la metafora astronomica».

«Visto che l'argomento è Leonardo da Vinci sì, è accettata. Ho letto l'articolo di Sofia».

«Quale? Ne ha scritti parecchi».

«Quello sulla lettera di Luca Pacioli».

«Ah, sì. Bellissimo, rivoluzionario. Ombre sulla figura di Leonardo, non crede? Il documento che aveva trovato è stato vagliato da almeno quattro ricercatori e considerato originale».

«Non sono così addentro alla questione. Forse lei mi può aiutare». Montague annuì e portò le mani intrecciate dietro la schiena. «Ho trovato un appunto sull'agenda di Sofia. Era segnato il giorno dell'uscita dell'articolo in maniera molto evidente, come fosse l'evento più importante dell'anno. E poi sotto, la Martinet aveva scritto due versi di Leonardo». Rocco chiuse gli occhi per richiamare la memoria. «Fuggi lussuria e attieniti alla dieta!».

Montague sorrise. «Sì, una strana poesia del genio, sono consigli per una dieta sana e corretta. Interessante».

«Di quale dieta stava parlando Sofia?».

«Non saprei. Mi ci faccia pensare».

«Tutto il tempo che vuole. Dottor Montague, posso farle un'ultima domanda?».

Montague fece una smorfia di impazienza e guardò i due studiosi che lo stavano aspettando. «Prego» disse forzando un tono gentile.

«A chi ha fatto male quell'articolo?».

«Mah... a parecchie persone. Molti studiosi sono rimasti a bocca aperta».

«Mi faccia un nome».

Si voltò verso il carro funebre, Richter guardava sconsolato la bara caricata nel retro. «Be', a lui, per esempio».

«Ah, sì?».

«Direi di sì, dottor Schiavone...».

«Le devo chiedere di non lasciare il paese, dottor Montague».

«Sono a sua disposizione».

Appena scese dall'auto vide Pietro Cardelli che lo aspettava sulle scale della questura. «Ho appena saputo... che succede, dottor Schiavone? Gianluca?».

«Mi dispiace».

«Cosa ha fatto?» chiese e con gli occhi tradì la paura di sentire la risposta.

«Ci deve spiegare alcuni particolari».

«È stato lui?», gli occhi divennero di fuoco, grandi

e rossi come la pelle del viso, il professore tratteneva a stento la rabbia serrando i pugni.

«Non le posso dire nulla. Solo che qualcosa non quadra con certi suoi spostamenti».

Pietro Cardelli ansimava. Poi si voltò di scatto ringhiando una mezza bestemmia, come a volerla nascondere al vicequestore.

«Mi dica che succede, dottor Schiavone, per favore! È stato lui?».

«La prego professore non insista, devo andare, la contatterò al più presto».

«Dottor Schiavone, Gianluca è un coglione, ma...».

«Gianluca è disperato».

«Tanto da arrivare a uccidere sua madre?».

«Ci sono molte evidenze che portano a lui».

Si mise le mani sul viso. Erano lì, in mezzo al piazzale, tra il viavai di agenti di polizia e persone che entravano e uscivano dal palazzo. La neve ammonticchiata sui bordi dei marciapiedi era nera. Il freddo saliva dall'asfalto del parcheggio e a Rocco non veniva niente da dire. Poggiò la mano sulla spalla del professore. «La terrò informata, mi creda». Il contatto scatenò il pianto di Cardelli. Sempre coprendosi il viso singhiozzava e i lamenti erano strozzati dalle mani tenute davanti alla bocca. Rocco si voltò e cercò aiuto dalla compagna che era rimasta accanto alla macchina. Le fece un gesto, quella capì e a passi rapidi raggiunse i due uomini. Abbracciò Pietro che posò la testa sulla spalla della donna. «Dai Pietro, andiamo, ora andiamo».

«Grazie» disse Rocco, la donna accennò un sorriso

poi si allontanò tenendo il professore stretto a sé. Lo fece entrare in auto, poi passò al posto di guida. Un ultimo sguardo al vicequestore e anche lei sparì nell'abitacolo. Solo allora Schiavone entrò in questura. «Sei in casa?», parlava al cellulare mentre saliva le scale.

«Sì».

«Lo sai che è la prima volta che mi rispondi da mesi?» disse Rocco. Sebastiano sorrise. «Sto qui seduto in salone. Però se mi cercano, questo è il primo posto che vengono a controlla'».

«Hai ragione. Mo' mi do da fare, ti trovo una casa dove stai tranquillo. Per ora da mangiare ne hai?».

«Sì. Tu il passaporto me l'hai rimediato?».

«Ci vediamo dopo», e chiuse la linea. Sebastiano si coprì con il plaid e riprese a guardare un film di guerra.

Salendo le scale si convinceva sempre di più dell'innocenza di Gianluca. Un uomo schifoso, ma il giudizio etico non poteva coinvolgere quello dell'inquirente. Spesso a Rocco sarebbe piaciuto accusare e arrestare persone vigliacche, disoneste, colpevoli solo di essere senza dignità, ma non del reato su cui indagava. Avrebbe costituito un tribunale solo per quella gente, i forti coi deboli e i deboli coi forti, gli infami, gli invidiosi, i calunniatori, gli ipocriti, i voltagabbana, gli approfittatori, i manipolatori, e gli venne da sorridere pensando al poeta che 692 anni prima di lui aveva già compiuto l'opera. Si affacciò nella sala degli agenti. C'era solo D'Intino. «Dove cazzo sta Deruta?».

«È andato a prendere 'nu caffettuccio. Sa com'è, dopo un funerale».

«Se entro cinque minuti non è nella mia stanza lo faccio a voi il funerale, D'Intino».

«Io che c'entro?».

«Non protestare. Non esiste giustizia in questo ufficio, né democrazia, vige anzi un regime di terrore e sopraffazione che tu devi sopportare in silenzio».

«Lo chiamo subito», e sorridendo afferrò il telefono. Era rientrato nelle grazie di Rocco.

Schiavone tornò in corridoio, guardò il cartello con le rotture di coglioni. Diverse grafie avevano aggiunto nuove voci, quel manifesto stava diventando peggio della statua di Pasquino. Qualcuno aveva scritto al sesto livello: la neve. Un altro, col pennarello rosso, le arance secche e aspre. Si sentiva solo di condividere la novità all'ottavo livello, scritta in nero e sottolineata: Ikea. Sospettava che l'autore fosse Scipioni, al tempo delle tre fidanzate che a turno lo trascinavano il sabato a scegliere copripiumini e posate. Lupa s'affacciò dal suo ufficio. Scodinzolava ma non aveva voglia né forza di corrergli incontro. Si guardarono per un po', poi quella rientrò con il muso basso e i passi stanchi. Voleva comunicargli qualcosa, ma Schiavone non capiva il problema, forse avrebbe dovuto fare un salto dal veterinario. La seguì e si sedette accanto alla cagnolona carezzandola sotto l'ascella. Lupa chiuse gli occhi a godersi il trattamento. Montague era un pezzo di merda, di questo Rocco ne era certo. Arrogante e educato, come solo un inglese sa essere. Se lo immaginava a bullizzare i suoi coetanei a Eaton o dove altro aveva studiato, con i pantaloni corti, la cravatta e il ciuffetto biondo a coprire la fronte. Figlio della società che conta, mai ingoiato un rospo o abbozzato a un'offesa. Lo credeva capace di un omicidio? Forse, ma gli sfuggiva il movente. E Richter quel movente poteva averlo? Che poteva essere il più antico del mondo. Cioè l'amore. Richter aveva avuto una storia lunga e proficua, almeno per lui, con Sofia. Montague invece? Tutte quelle telefonate? Solo per prendere accordi sulle pubblicazioni su «ArtVision»?

«Eccoci dotto'!» gridò Casella dal fondo del corridoio. Seguito dagli altri poliziotti, energici, impettiti, marciavano compatti. Mancava Italo. «Forza, da me!», e li precedette nella sua stanza.

«Che avete notato? Parlate pure, la prima immagine che vi viene. Ugo?».

Casella prese la parola. «Che i funerali con la bara aperta non mi piacciono».

«Neanche a me» fece eco Antonio.

«E comunque» proseguì Ugo Casella, «non ho capito chi era quello alto con gli occhiali tondi, quello mezzo inglese».

«Un editore, amico di Sofia».

«Posso?» intervenne Antonio. «Una bella faccia di culo».

«Quell'altro però, quello col cognome tedesco» fece Deruta, «mi sembra una brava persona. È quello che ha organizzato il funerale, no?».

«Esatto, Deruta».

«Ma non ha pianto» osservò Casella. «Non s'è commosso. Il faccia di culo, come dice Antonio, invece sì».

«E che vuol dire, Ugo? Ognuno elabora il lutto come gli pare, mica c'è una regola» disse Scipioni.

«Ma lei, dotto', è certo che lì in mezzo c'è il figlio di buona donna?».

Rocco non rispose. «Siamo davanti a un bivio e mi piacerebbe avere la chiave per spazzare ogni dubbio. Uno è stato atterrato dall'articolo di Sofia, l'altro invece era forse un amante respinto, mi riferisco a faccia di culo, e poi c'è il figlio, che era nell'appartamento ma dice di non essere lui l'omicida».

«Oste, com'è il vino?» disse ironico Antonio.

«Appunto...».

«Dottore?» disse Deruta. «Posso?».

«Devi».

«A quattr'occhi».

«Personale?».

«No, è che forse la chiave ce l'ho io». Tutti si girarono a guardarlo. «Cioè, non ce l'ho io, ce l'ha Federico».

Rocco fece un gesto e Casella e Scipioni uscirono dalla stanza. Schiavone si avvicinò alla macchinetta del caffè e caricò la cialda. «Prima di tutto però, Miche', io ti cercavo per un favore. Tu avevi una casa dove abitavi da solo?» chiese Rocco. Deruta strabuzzò gli occhi. «Sì, come fa a saperlo che me ne sono appena andato?».

«Io osservo, Deruta. Ascoltami bene. Quanto paghi al mese?». Il caffè usciva e spandeva l'odore nella stanza.

«Quattrocento».

«A Roma manco un garage ci prendi».

«No?».

«No. Bene. Non la mollare. Diciamo che mi consegni le chiavi e non chiedi. In cambio io ti do mille euro, calcola che non mi servirà più di qualche giorno», allungò il bicchierino a Deruta. «Che ne dici?».

«Mille euro?», l'agente mandò giù un sorso di caffè. «È tantissimo, e poi questo mese è già pagata».

«Tu non preoccuparti, però in cambio dei mille euro voglio le chiavi e il tuo silenzio. Siamo d'accordo?».

Deruta annuì sopraffatto. «Sicuro dottore, per mille euro posso anche rifare la tinteggiatura alle pareti e cambiare i sanitari». Si mise le mani in tasca e tirò fuori un mazzo di chiavi. «Ecco a lei. Questa dorata è il portone, questa a croce invece la porta di casa. Sta a via Giuseppe Mazzini, al 12, interno 4».

Rocco andò alla scrivania, tirò fuori da un cassetto il blocchetto e firmò un assegno a Deruta. «Tieni, sono mille».

Deruta guardava l'assegno con gli occhi di fuori. «Dotto', veramente mi sembra troppo».

«Non rompere i coglioni, Miche', e incassalo».

Michele provvide subito a infilarlo nel portafogli. «Mo' però mi dice come ha fatto a capire che io...».

«In chiesa non eri solo. E io quel signore lo conosco. È il panettiere».

«Lei sapeva...».

«Certo».

L'agente abbassò gli occhi. «Ora viviamo insieme».

«Sono felice, Michele».

«È proprio lui, Federico, che le deve parlare. Lo faccio entrare?».

«Che ve serve, un testimone di nozze?».

Deruta arrossì. «Non scherzi. Aspetti qui!». L'agente uscì di corsa. Rocco si sedette alla scrivania. Poco dopo Deruta rientrò accompagnato da Federico.

«Buongiorno, Federico Clusaz».

«Dell'omonimo panificio Clusaz, o mi sbaglio?».

«Non sbaglia...».

«Piacere, Schiavone. Mi dica... un caffè?».

«No grazie, l'ho appena preso giù alla macchinetta».

«Al distributore? Lei è un uomo coraggioso».

«Sa cosa? Ci ho ripensato, posso accettarlo? Almeno mi tolgo il sapore». Deruta scattò a prepararlo.

«Mi dica, Clusaz... anzi Federico? Ci diamo del tu?».

«Magari. Oggi sono venuto in chiesa, accompagnavo Michele che era in ritardo e ho assistito alla funzione».

«Sì, l'ho notato».

Deruta porse il caffè a Federico che ne prese un sorso. «Buonissimo».

«Sì, la macchinetta è un regalo dei miei uomini. Mi vogliono bene».

«Sicuro che posso berlo allora, Rocco? Non è che è avvelenato?».

«Lo pensavo anche io, ma sono ancora vivo».

«Dunque, non ti faccio perdere tempo, Rocco. C'era in chiesa quell'uomo, come si chiama?».

«Dario» rispose Michele.

«Dario sì, cieco e un po'...».

«Certo, il figlio della Fosson, il vicino» asserì Schiavone.

«Dunque lui gridava, e non è che si capisse sempre cosa diceva. Michele mi ha detto che parla una lingua inventata».

«Vero» confermò Schiavone.

«Però ci sono due frasi che ha ripetuto, e che Michele mi dice che continua a ripetere, e mi hanno fatto pensare».

«Valuma' stass cheva e Drubisci tu» intervenne Deruta.

«Sì, una roba simile».

Federico finì il caffè e poggiò il bicchierino sulla scrivania. «Mia madre era tedesca, sono bilingue».

«Continua».

«Mi ha fatto pensare che lui in realtà vorrebbe dire: "Warum hast du es gemacht" e: "Und du bist schuld" che appunto in tedesco vogliono dire: "Perché l'hai fatto?" e "È colpa tua!"».

Rocco guardò negli occhi Federico. «Cioè mi stai dicendo...?».

«Siccome Michele mi riferisce che ripete un po' a pappagallo quello che sente e lo storpia, ci tenevo a dirti che secondo me cerca di pronunciare queste due frasi».

Rocco sorrise. «Venite con me».

Rocco, Deruta e Federico arrivarono a via Ponte Romano. Il portone era aperto, entrarono, passarono davanti all'appartamento di Sofia Martinet coi sigilli e raggiunsero il secondo piano. Rocco bussò. Attesero qualche secondo, Rebecca Fosson aprì la porta, aveva l'aria preoccupata. «Vicequestore... che succede?».

«Signora Fosson, le presento il mio agente Michele Deruta e soprattutto Federico Clusaz. Ci fa entrare?».

«Certo».

Dario era seduto sul divano davanti al televisore spento. «Vi offro un caffè?».

«No signora. Dovremmo fare un tentativo. Ci permette di parlare con Dario?».

«Sicuro. Dario?», si avvicinò al figlio. «Ci sono dei signori che vogliono parlare con te. Fai il bravo, eh?».

Rocco fece cenno a Federico di seguirlo. «Ciao Dario. Mi chiamo Rocco. Mi ascolti?».

«Sì» disse Dario. «Aua», e la madre andò zoppicante in cucina a prendere l'acqua.

«Bene, Dario, con me c'è un amico che si chiama Federico».

«Predrico».

«Esatto. Ora lui ti dice una frase e tu mi racconti se ti piace oppure no».

Rebecca allungò il bicchiere al figlio. «Tieni, Dario, acqua». Incerto Dario toccò il bicchiere che poi afferrò con tutte e due le mani e lo scolò in un solo sorso. «Ahhh!».

«Vai, Federico» lo incitò Rocco.

Il panettiere si schiarì la voce. «Warum hast du es gemacht!».

Dario restò con il bicchiere in mano. Torse appena il capo e i suoi occhi vitrei sembravano inquadrare Federico. Gli tremava il mento. «Und du bist schuld!» disse ancora Federico. Dario piegò di lato la testa, come fanno i cani incuriositi da un fischio. Rocco toccò il gomito di Federico e il panettiere ripeté: «Warum hast du es gemacht!».

«Ahhh!» gridò Dario all'improvviso. «Valuma' stass cheva!».

«Bravo Dario» disse Rocco e guardò la madre che non capiva.

«Drubisci tu!» gridò ancora il figlio alzando le braccia come avesse segnato un goal.

«Du bist schuld!» gli fece eco Federico.

«Grazie, signora Fosson» disse Rocco.

«Ma che è successo? Che ha detto questo signore?».

«Signora, che lei sappia, Dario può essere venuto a contatto con qualcuno che parla in tedesco ultimamente?».

«In tedesco?», Rebecca scoppiò a ridere. «Non credo proprio. Dario sta sempre a casa, dove lo trova un tedesco?».

«Un film?» suggerì Federico.

«Signor Federico, mio figlio è un non vedente, e non ascolta neanche la radio, non la capirebbe. Queste due frasi le ripete da giorni. Ma che dice?».

«Valuma' stass cheva!» urlò ancora Dario quasi a certificare l'asserzione della madre.

«Significano: "Perché hai fatto questo?". E l'altra invece: "È colpa tua!"» rispose Federico.

«Non capisco. E dove le ha sentite?».

Rocco indicò il pavimento. Rebecca strabuzzò gli occhi: «Dal piano di sotto?».

In strada Rocco prese il cellulare, Deruta e Federico lo osservavano senza capire. «Dottor Montague?

Schiavone, è ancora in città? L'aspetto in questura fra due ore. Grazie», e chiuse la chiamata. «Miche', torna in questura e allerta Casella, Antonio e pure Italo se lo trovi. State pronti. Federico? Grazie, sei stato fondamentale».

«Davvero?».

«Non sai quanto. Ce l'avevo sotto gli occhi e non avevo capito. Buona domenica» fece Rocco e a piedi lasciò via Ponte Romano.

Proprio davanti all'Arco di Augusto vide Baldi che gli veniva incontro. Pallido, fumava e si guardava intorno, come se fosse inseguito. «Schiavone, cercavo lei...» gli disse e lo prese sottobraccio. «Ma che...».

«Non qui».

Fecero un pezzo di via Sant'Anselmo in silenzio poi svoltarono in via Sant'Orso. Arrivarono all'albero secolare, non c'era anima viva. «Allora? Che succede, dottore?».

«Ho ricevuto una telefonata» disse. «Una sua vecchia conoscenza. Enzo Baiocchi». Si guardarono, i rami del tiglio frusciavano appena sotto la brezza gelida. «Baiocchi ha telefonato a lei?» chiese Rocco.

«Sì. Dice che dopo il nostro incontro, che lei ricorderà, si fida solo di me».

Rocco si mise le mani in tasca. «Baiocchi le confidò che io ero l'assassino di suo fratello e le indicò il punto esatto dove avrei sepolto il cadavere. Lei andò a controllare, un villino nel quartiere Infernetto a Roma, se non ricordo male, e ci trovò, sempre se la memoria non m'inganna, un cestello della lavatrice e una bambola rotta».

«Non sto dicendo che mi fidi di quell'uomo. Ma non posso fare finta di niente. È un latitante, come il suo amico, Sebastiano Cecchetti, ma afferma di avere dei documenti molto importanti da consegnarmi».

«Dei documenti?».

«Così ha detto».

«E di che trattano questi documenti?».

«Non lo so. Non me l'ha riferito. Adesso il mio ruolo istituzionale vorrebbe che io gli organizzassi una trappola per arrestarlo».

«Invece?».

«Invece non so come comportarmi. Scendere a patti con un bandito e vedere che carte ha in mano? Oppure portarlo dentro?».

Rocco alzò gli occhi. Nuvole grigie che si stagliavano sul cielo promettevano il solito tempo da cani per l'indomani. «Baiocchi ha parlato e ha mandato in galera o sotto processo un sacco di gente importante giù a Roma».

«E questo lo so, Schiavone».

«Ora, forse, ha le prove per qualcosa di più potente. La pensi così: perché, latitante, dovrebbe rischiare e chiamarla? Fossi in lui taglierei la corda e mi dimenticherei l'Italia e tutto il cucuzzaro».

«È questo che non capisco». Baldi si avvicinò all'auto. «Di solito un gesto così disperato significa una cosa sola: Baiocchi sa di non essere al sicuro...».

«Finché non inchioda chi lo minaccia».

«Esatto. Se così fosse, allora il punto è: chi lo minaccia? È davvero latitante o è stato aiutato? Da chi? Lo vede che io non posso far finta di niente?».

«Lo vedo, dottore, lo vedo. Perché ne parla con me?».

«Per due motivi, Schiavone. Primo, lei in mezzo a queste situazioni ci sguazza da tutta la vita. Secondo, Baiocchi ha a che fare con lei, che le piaccia oppure no».

«E che propone?».

«Mi richiamerà e mi darà istruzioni. Lei si tenga pronto».

Rocco si morse le labbra. «Se quello mi vede scappa».

«Faremo in modo che non la veda».

«Ha idea di dove si trovi?» gli chiese. Il magistrato strizzò gli occhi. «No, il numero era sconosciuto, neanche italiano. Magari è in città?».

Rocco ci pensò qualche secondo. «Accetti, dottor Baldi, e forse chiudiamo questa storia una volta per tutte».

Il magistrato tirò un sospiro profondo. In tasca Rocco teneva il passaporto rubato in questura che gli bruciava come un tizzone ardente.

Aspettò che Baldi sparisse nel vicolo per prendere il cellulare.

«Brizio?».

«Dimme, Rocco».

«C'è una novità. Riguarda chi sai tu».

«Seba o l'infame?».

«L'infame. S'è messo in contatto col tribunale… vuole un incontro, stiamo allepratі».

«Glielo dici a Seba?».

«Non lo so, Bri'... tu e Furio?».

«Noi saliamo appena ce lo dici tu».

Attraversò la strada, superò l'Arco di Augusto, Porta Pretoria, arrivò a piazza Chanoux e girò a Croix de Ville. Passo veloce, guardava per terra l'ammattonato bagnato di neve sciolta che rifletteva la sua ombra, verde come il loden che indossava. Le scarpe erano nere e zuppe e aveva freddo alla schiena. Arrivò alla palazzina, salì le scale e rientrò in casa. «Devo dirlo a Sebastiano?» pensò infilando la chiave. Se lo verrà a sapere, si disse, si accoda, e l'ammazza davanti al magistrato. Entrò in casa. Sebastiano s'era addormentato sul divano. «Seba? Seba!», lo svegliò. L'amico tornò alla realtà. «Eccolo, che succede?».

Rocco gli allungò le chiavi. «Via Giuseppe Mazzini 12, interno 4. Per un po' stai lì, è la casa di un agente che mo' non ci sta più». Sebastiano ancora intontito prese le chiavi ripetendo l'indirizzo per mandarlo a memoria mentre Rocco lanciava le scarpe verso il bagno. «È sicura?» gli chiese l'amico. «Lì non ti cercherà nessuno» rispose dalla camera da letto mentre indossava l'ennesimo paio di Clarks. «Prenditi pure le chiavi di casa mia però, non si sa mai».

Sebastiano si affacciò alla porta della stanza. «Hai fretta? Che succede?».

«Devo chiudere una storia schifosa».

«Sempre quella sensazione de merda tutt'intorno?».

«Sempre. Appiccicata alla pelle. Merda, fango, grasso delle tubature, sai quello che tiri fuori a tocchi quando sgorghi il lavandino? Ecco, me lo sento anche nello stomaco». Finì di allacciarsi le scarpe.

«Devi cambia' mestiere».

Rocco si alzò dal letto. «Hai ragione. Ma all'età mia chi me se pija più a lavora'?».

«Coi soldi che hai messo da parte te poi fa' li cazzi tua fino a 80 anni».

«Arivacce» rispose Rocco e mollò una pacca a Sebastiano. Poi si mise una mano nella tasca del loden e tirò fuori il passaporto che consegnò a Sebastiano. «Biondo?» disse quello aprendo la prima pagina.

«Biondo, sì». Sebastiano si toccò i capelli. «Biondo...» ripeté come ipnotizzato.

«E fatti crescere un po' la barba».

«Mi chiamo Giovanni Vaillese e ho 51 anni».

«Esatto. Sai tingerli i capelli?».

«Certo» disse Sebastiano con una punta di dolore nella voce. Rocco aveva dimenticato che Adele prima di conoscere Seba faceva quel mestiere. «Me li tagliava lei», e si accarezzò la zazzera.

«Quasi mai, però» fece Rocco con un filo di voce.

«Quasi mai. Me li aggiustava... sì, lo so fare. Prima li devo decolorare e poi metterci la tinta. Mo' trovo un negozio in zona e mi do da fare».

«E dove lo trovi? È domenica».

«Ah... già...».

I due amici si guardarono. Sebastiano aprì la bocca ma poi ci rinunciò. «Cosa?» chiese Rocco.

«Niente, Rocco, niente».

«Perché ho la sensazione che non mi hai raccontato tutto?».

«Perché sei un poliziotto incancrenito, sospetti sempre, e sbagli. Io t'ho detto quello che sapevo. Altro non posso, no? Io pure però Rocco ho la sensazione che mi tieni nascosto qualcosa».

Rocco si accese una sigaretta. «Tu sei sicuro che Baiocchi è in Svizzera?».

«Così ho saputo».

Rocco aspirò una boccata e sputò il fumo verso il soffitto.

«Mi nascondi qualcosa, Rocco?».

«No».

Sebastiano lo guardò negli occhi.

«Se vieni a sapere di più, me lo dici?».

«Contaci» fece Rocco.

Da casa sua alla questura non c'era molta strada ma complici l'acqua, la neve e un paio di pozzanghere ghiacciate le scarpe nuove che aveva appena indossato erano già fradicie. Guardò l'ora sul cellulare. Aveva ancora tempo. Incrociò un agente che lo salutò, davanti alla questura era tornato il professore Pietro Cardelli. Gli andò incontro tenendo le mani in tasca. «Dottor Schiavone, io...».

«Professore, la prego. Torni a Pisa».

«Mio figlio Gianluca è...».

«Un cretino. Uno stronzo vigliacco, ma con l'omicidio non c'entra nulla». Gli occhi dell'accademico ripresero speranza. «Non c'entra?».

«No. Ha solo compiuto un atto infame, ma non ha ucciso sua madre. Ce lo teniamo fino a martedì, poi sarà processato».

«Processato?».

«Ha rubato dei libri di valore in casa di Sofia», omise di dirgli che aveva compiuto il furto mentre il cadavere della madre giaceva sul pavimento. Per il professore quella domenica era stata già abbastanza pesante, non gli parve il caso di renderla ancora più insostenibile.

«Ha rubato?».

«Già. Purtroppo è recidivo, un po' di tempo dentro lo farà. Ma niente a che vedere con l'omicidio».

Pietro Cardelli tirò fuori la mano dalla tasca. «Grazie, dottore».

«Non c'è da ringraziarmi, mi dispiace per suo figlio».

«Anche a me. Ormai temo sia troppo tardi per rimetterlo in sesto».

«Ci dovrà pensare da solo. Oppure dovrà abituarsi a parlare con gente come me, che combini qualche altra cazzata non è un sospetto, è una certezza».

Prese le scale e arrivò al suo ufficio. Antonio Scipioni, Casella e Deruta lo attendevano insieme a Lupa che continuava a dormire come se niente fosse. «Forse ci siamo» disse a tutti. «E dobbiamo essere veloci, se ci ho visto giusto, e rapidi. Quindi io direi di anticipare dei passaggi». Lo guardavano senza capire. «Se invece ho toppato, allora vi state accingendo a fare un lavoro inutile, mal pagato e frustrante. Tutto chiaro?».

«No» rispose Antonio.

«Manco io, dotto', sto a capi'» si aggiunse Casella. Rocco non rispose. Prese il cellulare e cominciò a osservare il display. I colleghi restavano in silenzio, ogni tanto tiravano su col naso e lasciavano andare dei respiri profondi, la pompa dell'aria calda aveva ripreso a ticchettare col solito ritmo sincopato.

«Sapete dov'è Francoforte?» chiese all'improvviso Rocco.

«Signorsì, in Germania».

«Bene. Mi serve un lavoro sulla tratta aerea Francoforte-Torino. Controllate quali compagnie la servono e richiedete le liste dei passeggeri. Tutti i voli di tutti gli orari da sabato scorso a lunedì mattina, giorno dell'omicidio. Oltre non c'è bisogno».

«E una volta che otteniamo le liste?».

«Me le portate, grazie. Andate in pace».

Montague era un tipo preciso e puntuale, erano passate due ore scarse e D'Intino lo annunciò sulla porta dell'ufficio. «Dotto', ci sta uno straniero».

«Ha un nome?».

«Chi?».

«Come chi, D'Intino! 'Sto straniero!».

«Shine. Montagu'».

«Fa' passare, D'Intino, e raggiungi i colleghi, vedi se ti fanno fare qualcosa pure a te, magari anche sgrommare un cesso, saperti con le mani in mano mi mette ansia».

«Signorsì». Il poliziotto sparì, Rocco si alzò in piedi e attese Jeffrey Montague. Serio in viso, i capelli in perfetto ordine, portava il cappotto sull'avambraccio. Si era cambiato d'abito. Su una camicia a quadretti aveva messo una cravatta di maglina a righe, come a righe finissime era la giacca. Un accostamento che solo una persona di gran gusto poteva azzardare, se ci avesse provato Rocco il risultato sarebbe stato un completo degno della pista di un circo. «Buongiorno dottor Montague, prego, si segga. Un caffè?».

«No grazie, mi dice che succede? Ci penso dalla sua telefonata e non le nascondo che è da più di venti minuti che giro sotto la questura in attesa. Sono nei guai?».

«Dipende. Dottor Montague, in maniera sincera, qual era il rapporto fra Sofia Martinet e Karl Richter?».

L'editore fece una smorfia. «Bah... avrà capito che non lo stimo».

«Sì, in chiesa me n'ero accorto».

«È così. Richter è un ipocrita e approfittatore. E sulla mia rivista non scriverà mai, almeno fin quando sarò vivo».

«Le dispiace?». Rocco alzò il pacchetto di sigarette, Montague scosse la testa. «Prego».

Il vicequestore si accese una Camel. «Era uno studente, neanche troppo brillante. Ma Sofia si era innamorata. Ha fatto carte false per lui, a volte anche sfiorato brutte figure. L'amore è cieco, come l'ignoranza». L'editore accavallò le gambe. «Sofia lo sosteneva e spingeva, ovunque. Università, congressi, pubblicazioni. Richter ha scritto sei libri su Leonardo, libri che io sono convinto li abbia solo firmati. Poi la lasciò. Ha trovato un'altra, quella in chiesa, l'ha vista, e s'è messo a fare il professore a Heidelberg, che merita molto di più di uno come Richter in cattedra».

«Allora il tizio sfrutta le conoscenze di Sofia, fa carriera, si trova una donna e...».

«E mette su famiglia. Hanno una bambina di un anno».

«E Sofia era tranquilla?».

«Così diceva».

«E lei ci credeva?».

A Rocco tornarono in mente i versi di Leonardo appuntati sull'agenda dalla studiosa: «Fuggi lussuria e attieniti alla dieta!». Cominciava a capire a cosa si riferissero. Un monito prima di punire una volta e per tutte l'amante che l'aveva abbandonata per una donna più giovane e per una famiglia.

«Non parlavamo di queste cose».

«Eppure parlavate, viste le decine di telefonate intercorse fra di voi».

«Parlavamo d'altro».

«Montague, lei l'amava?».

«Io?».

Rocco tirò fuori dal cassetto una fotografia, l'ingrandimento dell'anello rubato a Sofia. «Guardi qui. Lo riconosce?».

«Sicuro che lo riconosco. Gliel'ho regalato io a Sofia» ammise l'editore.

«È un gioiello di Asprey?».

«Ha buon occhio, vicequestore. Era di mia madre. E siccome io non avrò mai una moglie, avevo scelto Sofia come donna della mia famiglia per proseguire la tradizione. Gliel'ho regalato al nostro matrimonio. Lei in cambio mi donò questo», e mostrò l'anello d'oro. «Bello, bellissimo...».

«Matrimonio?» chiese Rocco.

Montague rise. «Oh, non pensi alla chiesa, al comune... Matrimonio di anime, ci siamo sposati in un ristorante a Firenze, l'unione l'ha benedetta l'oste che era più ubriaco di noi».

«Capisco. Ma lei non è sposato? È vedovo?».

«Sono gay, dottor Schiavone. Ho avuto tante storie, molti amanti, ai miei tempi non è che lo si potesse dire con facilità, anche oggi le cose non sono poi cambiate così tanto. Ora sono vecchio e solo. Sofia era la mia amica, la mia confidente, un pezzo della mia famiglia», gli occhi di Montague si inumidirono. «Mi ha voluto più bene lei della mia famiglia. Ma ormai è acqua passata, è tutta acqua passata. Sono così vecchio e ho visto tante di quelle cose che non so più se la mia memoria partorisce ricordi o invenzioni».

«Forse è per questo che si occupa d'arte?».

«Non ci avevo mai pensato, Schiavone. Sì, forse è per questo».

«Mi dica la verità. "Fuggi lussuria e attieniti alla dieta": Sofia l'ha scritto per Richter?».

«Penso di sì. E visto che ormai le maschere sono cadute, sì, Sofia non ha mai digerito il tradimento di Karl».

«L'articolo sulla rivista, parlava degli studi ottici di Leonardo, giusto? Il campo di Richter?».

«Sì, è così».

«Sofia lo detestava, e d'accordo con lei tira fuori l'asso nella manica... l'articolo che manda all'aria tutta la credibilità di Karl Richter, mi dica se sbaglio».

Montague si tolse gli occhiali, si stropicciò gli occhi con la sinistra, poi li rinforcò. «Non sbaglia. Richter per quell'articolo è stato screditato. Insomma, Heidelberg è Heidelberg, sapere di avere un mezzo ciarlatano annoverato fra i propri docenti non fa bene al nome di quell'ateneo».

«Lo cacceranno?».

«Non si butta fuori un professore con tanta facilità, diciamo che però lo possono mettere da parte. Lui, per avallare le sue teorie su Leonardo, aveva portato come prova alcuni documenti che, dopo l'articolo di Sofia, sono stati controllati e... risultati falsi. Capisce da sé che la contraffazione di documenti storici non depone a favore di un professore universitario, sono azioni che i direttori degli atenei e la comunità scientifica non perdonano».

«La dieta a cui si riferisce sull'agenda è una dieta, diciamo così, riferita alle sue tensioni amorose?».

Montague sorrise.

«L'ha punito, insomma».

«E si è anche portata a casa il premio, il Telamone che vox populi voleva nelle mani di Richter per quell'anno. Ma, ripeto, non si consegnano onorificenze a un falsario imbroglione».

Rocco poggiò i gomiti sulla scrivania e intrecciò le mani davanti alla bocca. «La professoressa Martinet, per come la vedo io, l'ha portato sempre più sull'orlo del baratro, poi quando è arrivato il momento una leggera spinta e l'ha rovinato...». Montague si sgranchì il collo. «Richter era un maiale in un'armatura, se mi passa la metafora, ma sempre maiale resta».

«E Sofia l'armatura gliel'ha tolta».

«Con un colpo da maestro».

«Dottor Montague, perché lei non è venuto da me a raccontare questa storia?».

Si guardò le mani, bianche e piene di macchie, e cominciò a giocherellare con l'anello d'oro. «Perché io non punto il dito contro nessuno. Grazie a quell'articolo il nome di Richter non conta più niente. Come doveva essere. Se io le avessi riferito i fatti sarei potuto passare per un vecchio arrabbiato assetato di vendetta. Invece ho impiegato il tempo in un altro modo».

«Come?».

«Informandomi su di lei». Un silenzio imbarazzato precipitò nella stanza. «Lei è in gamba, dottor Schiavone, ed ero sicuro che prima o poi questa telefonata sarebbe arrivata».

«Lei ne esce immacolato».

«E da cosa? Io esco felice che lei vendichi la morte di Sofia».

«Io non vendico niente e nessuno, Montague. Al massimo arresto il colpevole, quando va bene».

«Per lei è esercizio di funzione, per me è vendetta. Saperlo in galera mi lascerà vivere tranquillo i miei ultimi anni e mi consolerà della perdita di Sofia».

Rocco si alzò dalla scrivania e andò alla finestra. «Ma io sono convinto che lei non sia del tutto innocente.

Era d'accordo con Sofia per distruggere Richter, di questo ne sono certo. Sull'agenda della Martinet ho trovato decine di volte appuntato il suo nome e le sue iniziali e credo che tutte quelle telefonate siano state il piano che avete ordito», poi si voltò verso l'editore. Dal viso dell'uomo non traspariva nessuna emozione. «Certo non si aspettava che Richter uccidesse Sofia, ma è successo e lei ne è in parte responsabile».

Jeffrey alzò le mani. Rocco proseguì: «Almeno mi dica che si sente un pochino di merda».

«Non sa quanto, Schiavone. Non era questo il risultato che speravamo di ottenere. Lo volevamo solo punire».

Rocco alzò la cornetta. «Antonio, state lavorando a quella ricerca?».

«Sì, ma se avessimo qualcosa di più concreto da rintracciare...».

«Signore e signori, Lufthansa è lieta di annunciare che l'imbarco per il volo LH 501 Torino-Francoforte comincerà fra mezz'ora. Precedenza ai passeggeri priority, poi famiglie con i bambini. Infine cominceremo con i posti a sedere dalla fila 36 alla fila 15, seguiranno i possessori dei posti dalla fila 14 alla fila 1, grazie per l'attenzione... Ladies and gentlemen Lufthansa announces we're going to start boarding the flight LH 501 Torino-Francoforte...». I passeggeri, la maggior parte preda di un misto di nervosismo e di ansia prima dell'imbarco, erano già in piedi, controllavano i biglietti. Un bambino piangeva dal passeggino, una giovane coppia se ne stava seduta e discuteva a bassa voce. Turisti dai capelli bianchi e giacche a vento colorate chiacchieravano eccitati, una donna mostrava un libro del Museo Egizio a una sua amica. Un gruppetto di uomini in giacca e cravatta protetti da costosi giubbotti se ne stava in attesa accanto al cartello «Priority». L'odore di carburante, plastica e caffè cattivo riempiva l'aria. Qualcuno ancora seduto lavorava al computer. Una donna leggeva un romanzo dal titolo *Das Labyrinth der Spiegel* e sorrideva mentre scorreva le pagine. Il mormorio salì dal fondo della sala imbarchi, poi divenne un chiacchiericcio, alla fine si tramutò nel movimento sinuoso e ondeggiante di un mare che apriva le sue acque per far passare una nave di notevole tonnellaggio. Due poliziotti dell'aeroporto a passo veloce facevano strada a un uomo col loden e due colleghi in divisa blu. La gente si voltava a guardarli, curiosa e spaventata allo stesso tempo. I viaggiatori del gate 3 per Barcellona, quelli del 5 per Manchester. Il gruppo arrivò al gate del volo per Francoforte. L'uomo con il loden si guardava intorno stringendo un foglio di carta. Lo stesso facevano i due poliziotti in divisa. Uno degli agenti aeroportuali invece si avvicinò alla hostess dietro il banco sussurrandole qualcosa. La hostess annuì e gli mostrò un foglio che l'agente controllò.

«Eccolo!» disse il viceispettore Scipioni indicando la porta dei bagni accanto al distributore di caffè. Karl Richter, trascinando il trolley, si stava riabbottonando il cappotto. Alzò lo sguardo e vide Schiavone. Si paralizzò in mezzo alla sala. Rocco lo raggiunse. «Salve, tutto bene?».

«Bene... che... che succede?».

«Succede che lei non va a Francoforte, ma viene con me in questura», e gli consegnò il foglio firmato da Baldi. «Io? Non credo proprio».

«Ha due alternative, che se ci pensa non sono poche, dal momento che mi girano come due trottole. Venire con tranquillità e signorilità salvando la faccia oppure l'ammanetto in mezzo a tutta questa gente e se dovesse ancora rompere il cazzo in questura ce la porto a calci in culo. Che decide?».

Richter si guardò intorno. «Almeno posso sapere il motivo?».

«Lo sa».

«No, non lo so», gli occhi di Richter erano diventati rossi.

«Omicidio di Sofia Martinet. Ci muoviamo? Non si preoccupi per Hjørdis, si chiama così sua moglie? Qui è pieno di macchine a noleggio, la può raggiungere quando e come vuole». Richter guardò la compagna che aveva assistito a tutta la scena con gli occhi di una triglia seduta composta a una ventina di metri. Sembrava congelata dallo spavento, non riusciva ad alzarsi dalla sedia. «La posso avvertire?».

«Ci pensano gli agenti dell'aeroporto». Antonio e Deruta presero sottobraccio Richter e lasciarono la zona partenze dell'aeroporto Caselle di Torino fra gli sguardi attoniti e imbarazzati dei passeggeri.

«Abbiamo più di un'ora da passare in macchina».

«Non vedo l'avvocato».

«Se lo vedesse dentro l'auto sarebbe agli arresti pure lui e non deporrebbe a favore della sua brillantezza, no?». Richter non rispose. «Montague la odia».

Il tedesco spernacchiò con le labbra e alzò le spalle. «Come se non lo sapessi».

«Invidia?».

«E di cosa? Lui è un editore. E sono certo che l'articolo l'ha voluto lui».

«Quale? Quello che l'ha sputtanata?».

Richter non rispose. Teneva le mani sulle ginocchia.

«Valeva la pena? Poteva difendersi in sede universitaria, in un dibattito, poteva dichiarare falso il documento di Sofia. Ma già, non poteva, i falsi li ha prodotti lei!».

«Io non ho fatto niente, ho perso credibilità, è vero, ho abbozzato, mi preparavo a rispondere su altre pubblicazioni, certo non su "ArtVision". Le avrei dato filo da torcere. Quello che mi ha fatto male è che quel documento lei l'aveva da tanto tempo».

«Da quanto?».

«Almeno dal 2010... l'anno del suo viaggio a Venezia».

Rocco si mise una sigaretta in bocca senza accenderla. «Quindi secondo lei ha atteso la sua gloria per poi tirarla giù».

«Poteva salvarmi, invece io credo che lei abbia preparato con attenzione e pignoleria quella sua uscita. Per farmi il più male possibile».

«E ci è riuscita».

«Non tanto da rovinarmi la vita, commissario».

«Vicequestore… lei ha perso la credibilità, come ha detto poco fa».

Richter rispose con un'alzata di spalle. La macchina guidata da Scipioni si immise sull'autostrada.

«Io non l'ho uccisa».

«Lo vedremo, Richter».

«Perché non controllate anche l'alibi di Montague?».

«Perché non ne ho bisogno. Al momento sono molto interessato a lei. Sofia la odiava. Per via di Hjørdis?».

«Hjørdis non c'entra nulla, mi odiava perché si sentiva tradita. Ma ormai fra me e lei non c'era più niente da tempo. E mi ha fatto lo sgambetto. Un'azione quasi scontata nel nostro mondo. Se per ogni sgarro uno studioso, un accademico, un ricercatore dovesse vendicarsi, non ci sarebbero abbastanza cimiteri sulla terra».

«Strano, no? A nessuno gliene frega niente delle vostre diatribe, solo a una nicchia di persone che si sfasciano la testa su un problema risibile per gli equilibri del mondo, eppure vi accapigliate peggio dei tifosi in un derby».

«Lei crede che la cultura sia inutile?».

«Non ho detto questo, Richter. Anzi, penso il contrario. È proprio la nicchia il vostro limite. Ma a essere sincero, chissenefrega se Leonardo ha letto il libro di uno scienziato arabo di cinquecento anni prima di lui oppure no? Cosa cambia? Non state discutendo un po' troppo del sesso degli angeli?».

«Ci sono rabbini che si massacrano da cinquemila anni su due versi della Bibbia».

«Che a lei risulti, ci sono rabbini che falsificano pezzi, che so... del Deuteronomio?».

Richter non raccolse la provocazione e restò in silenzio.

«Le dico quello che penso? Usate lo studio in maniera pignola e fine a se stessa solo per una questione di potere».

«Potere?».

«Potere di avere una cattedra, potere di essere al centro dell'attenzione, avete un ego gigantesco che consuma quanto una Ferrari e lo dovete nutrire ogni giorno».

«Le accademie, vicequestore, sono importanti quanto i commissariati».

«Non lo metto in dubbio. Per questo dovrebbero fare il loro mestiere. Contribuire, stare in mezzo alla società civile, far sentire la propria voce. Invece siete rintanati nei vostri microlaboratori, nelle aule dell'università, che i ragazzi ignorano appena passato l'esame, e avete lasciato il campo alla peggio feccia. Zozzoni ignoranti, cafoni impreparati che sono diventati i maestri del saper vivere. Loro troneggiano dalle televisioni e pontificano dai quotidiani, voi vi ammazzate per un libro scritto nel 1000 dopo Cristo. E avete la responsabilità di questo imbarbarimento. Ma qual è il problema? Avete paura della realtà?». Richter scosse la testa con un sorrisino sulle labbra. «Vi fa paura il mondo? Vi basta tiranneggiare negli atenei mentre in giro c'è solo monnezza? Pardon, è romano. Immondizia?».

«Vuole dare la colpa a noi per come vanno le cose?».

«Sì» rispose Rocco. «Certo che vi do la colpa. Lei conosce gli Area?».

«No. Cosa sono?».

«Erano un gruppo jazz rock italiano. Lo sa come si intitolava un loro album? *Gli dèi se ne vanno, gli arrabbiati restano!* Parafrasandolo possiamo dire: gli dèi se ne vanno, gli ignoranti restano. Be', mi sono rotto il cazzo di parlare con lei e fino al carcere non mi sentirà più emettere una sillaba, dopo le faccio il culo a strisce, la sbatto dentro e per almeno vent'anni avrà tutto il tempo per pensare all'ottica di Leonardo. Visto? Ogni tanto, raramente, anche la giustizia italiana riesce a seguire il suo corso», e notò il sorriso di Antonio Scipioni riflesso sullo specchietto retrovisore.

Baldi con le mani nelle tasche del cappotto scuoteva la testa. «Richter nega tutto, come sempre, che noia, no?». Rocco in piedi accanto alla porta aperta ogni tanto dava un'occhiata al corridoio.

«Un cieco... e affetto da ritardo mentale». Costa stava già organizzando il racconto per la conferenza stampa. «È un po' poco per sbatterlo in galera, non pensa, Schiavone? Dice che non abbiamo una sola prova decente per portarlo in tribunale».

«Qualcosa abbiamo. Michela?» intervenne Rocco.

Michela Gambino, che fino a quel momento era stata in silenzio seduta sulla poltroncina accanto alla libreria di legno e vetro, si alzò. «In primis c'è il capello biondo tinto. Io non sono stata con le mani in mano e l'ho mandato a Torino per il DNA, ci metteranno un mese ma questa è una prova», estrasse dalla cartellina due fogli che allungò ai superiori.

«Non lo è. Richter può inventarsi una visita di settimane prima e la prova è annullata» obiettò il magistrato.

«È tinto» disse Michela. «Senza ricrescita, questo indica che la tintura risale a non più di una settimana prima della perdita tricologica».

«Sempre un lasso di tempo bastevole per dare al tizio un alibi» insisté Baldi.

«Secundis» fece Michela, «l'impronta di una scarpa in cuoio taglia 46... ecco, vi do le foto dell'evidenza...», e distribuì delle copie a Baldi e Costa. «Come vedete la scarpa è rovinata verso l'interno, segno che il piede destro poggia in maniera sbagliata. Se riusciamo a venire in possesso delle scarpe del tizio io potrei farla combaciare facilmente. E siccome nell'orma sul tappeto ancora umida c'era terriccio raccattato per strada, è facile supporre che sia stata lasciata perché inzaccherata di neve».

«Anche quell'orma può avercela lasciata chissà quando» protestò Baldi.

«No, non può. Come le ho riferito c'erano ancora tracce umide intorno al tacco e alla punta, l'ha lasciata il giorno del delitto. E poi un'orma su un tappeto in una casa vissuta non dura più di uno, massimo due giorni. No, dottore, l'orma lo inchioda, è scientifico».

«Se è la sua» mormorò Costa.

Rocco vide sopraggiungere in corridoio il viceispettore Scipioni con dei fogli in mano. «Scusatemi, è importante» fece e gli andò incontro. «Allora?».

«Allora Karl Richter ha preso l'aereo da Francoforte per Torino domenica sul volo KL 125 delle 9 e 15», gli consegnò il documento.

«Ottimo, Antonio. Adesso vorrei sapere che cosa ha fatto all'aeroporto. Vedi se ha affittato un'auto...».

«Già pensato. Ha preso a noleggio una Toyota Rav 4 alla Hertz alle ore 15 e l'ha riconsegnata lunedì alle 18 e 30. E le dirò di più, mi hanno riportato anche il chilometraggio. 250 chilometri».

«Ti ricordi i filmati?».

«Quali filmati? Ah, sì, certo, quelli delle tre telecamere».

«Bene, Anto', è il momento di guardarli. Sapete chi stiamo cercando». Rocco mollò una pacca sulla spalla di Antonio e rientrò nella stanza. «Signori, questo è interessante», e comunicò la scoperta ai superiori. «Intanto ci deve dire che è venuto a fare in Italia e dov'è andato con l'auto noleggiata».

«Su questo le do ragione» fece Baldi controllando il foglio. «Avrà un alibi, ma come dice lei ce lo deve comunicare. 250 chilometri. Quant'è Torino-Aosta?».

«Sui 110» rispose Costa.

«Quindi siamo dentro. Dove ha dormito? Facciamo una ricerca di tutti gli alberghi e bed and breakfast della Valle e Torino».

«Ci vorrà un po'» disse Rocco.

«Ma serve come il pane».

«Che ci facciamo con il figlio, Gianluca?» chiese Costa.

«Furto aggravato» rispose Baldi. «Quello in tribunale ce lo voglio».

«Abbiamo bisogno della prova schiacciante, Schiavone, perché Richter può ancora svicolare e cavarsela» fece il questore.

«Allora continuo, dottore. Ma è stato lui, sono sicuro».

«Anche io» si unì Michela.

Baldi tirò un sospiro. «Dobbiamo inchiodarlo».

«Il tweed, Michela?» disse Rocco.

«Il tweed?» chiese Costa.

«Quello trovato sotto le unghie di Sofia. Il tweed. Si può risalire al proprietario?».

Michela sospirò. «Non è un tessuto raro. Può appartenere a chiunque. Io lavorerei più sulle calzature».

«E allora devo sentire in procura. Serve una richiesta alla magistratura tedesca che poi la girino alla BKA, un incubo».

«Contiamo sul fatto che la Germania ha una burocrazia molto più efficiente della nostra» disse Costa. Baldi annuì. «Mi faccia pervenire tutti i dettagli su questo Richter», il questore mise dei fogli nella cartellina. «Io lo incrimino» proseguì Baldi. Poi un'ultima occhiata al vicequestore. «Spero lei non abbia sbagliato il bersaglio».

«Non credo, dottore».

Costa sembrava preoccupato. «Lei ci giurerebbe sulla colpevolezza di Richter?».

«Un novanta per cento» rispose Rocco.

«Mi basta». Baldi diede voce a un pensiero. «Sarebbe opportuno ritrovare l'arma del delitto, intendo la statuina».

«Io una mezza idea ce l'avrei» disse il vicequestore. «Il Premio Telamone...».

«Ebbene?».

«Sembra che la Martinet l'abbia tolto dalle mani di Richter e sono convinto che quel tizio l'abbia nascosto da qualche parte in casa sua. A Heidelberg».

«Ci vorrebbe una perquisizione vera e propria» disse Costa.

«E io che ci sto a fare?» concluse Baldi. Poi guardò negli occhi il vicequestore. «Schiavone, noi ci sentiamo», e uscì. Costa, Michela e Rocco rimasero in silenzio. «Cos'ha in ballo con Baldi? Di cosa le vuole parlare?». Rocco allargò le braccia. «Forse della moglie» azzardò. Michela sorrise, Costa si rabbuiò. «Non faccia ironia, Schiavone. Intanto, fino a quando non abbiamo notizie dalla Germania, consideri il caso chiuso per metà».

«Se collaborano, dottor Costa, il caso è bello e chiuso».

«Voi fatemi avere la calzatura» disse Michela combattiva, «e io lo crocifiggo come un tenebrionidae con lo spillo».

«Non puoi dire bacarozzo?» propose Rocco.

«Mi sconvolge tu conosca il nome scientifico della famiglia dei coleotteri polifagi».

«Sono a conoscenza di molti dettagli che ti stupirebbero, Michela».

«Schiavone, tu non sai una beata minchia».

«Vi dispiacerebbe andare a disquisire altrove?» si intromise Costa.

Tornava verso casa. I negozi stavano chiudendo ma le luci delle vetrine erano ancora accese. Una spazzatrice puliva la strada pedonale. Lupa lo anticipava di una ventina di metri, aveva voglia di andare a casa, forse sperava di trovarci Gabriele. Il cellulare squillò. Era Baldi. «Dica, dottore…».

«Ho avuto il messaggio. È per domattina».

«Dove?».

«Ancora non lo so. Lei si tenga pronto. Mi faccio vivo io», e Baldi attaccò.

Era stanco, la giornata l'aveva spezzato, ma non era ancora il momento di andare a casa. Fischiò a Lupa e cambiò direzione. Gli parve di leggere la delusione nelle orecchie abbassate del cane. Arrivò a via Giuseppe Mazzini, alla vecchia abitazione di Deruta, col freddo che gli era salito intorno al corpo come un'edera gelata e gli piegava gambe e schiena. Al citofono suonò all'interno 4. Attese. Nessuna risposta. Riprovò col cellulare, ma Sebastiano aveva il telefono staccato. «Cazzo» ringhiò e ricominciò a bussare. Qualche macchina passava sull'asfalto bagnato alzando una poltiglia di neve, acqua e terriccio. Guardò la palazzina, ma a parte quelle dell'ultimo piano, le altre finestre erano spente. Riprovò ancora. «Dove cazzo sei?» disse consumandosi l'indice sul pulsante, anche Lupa mandò un paio di abbai per dare una mano, ma di Sebastiano nessuna traccia. Forse era tornato a casa sua, pensò, e a passo veloce si diresse verso il centro. Lupa sgambettava agile coi peli delle zampe fradici. Ormai batteva i denti e gli dolevano le tempie. Ogni venti metri riprovava a telefonare all'amico senza risultato. «Stronzo!». Quando giunse a piazza Chanoux rinunciò a correre. Sebastiano era sparito un'altra volta, inutile inseguirlo, inutile anche avvertirlo. Entrò al bar centrale e ancorato al bancone gli scrisse un messaggio: «Baiocchi ha contattato di nuovo il magistrato. Chiama, cazzo!».

«Ha la faccia blu, dottore» disse Ettore.

«Vero? Dammi la cosa più calda che hai».

«Un accendino?».

«Spiritosissimo» fece Rocco.

«Lei ha l'espressione di chi cerca una bella cioccolata calda».

«Bravo! Mi leggi nel pensiero! La sai preparare?».

«Vuole scherzare?», e indicò un contenitore di vetro all'interno del quale roteavano delle pale dorate rimestando cioccolata liquida. «Questa è la numero uno» fece Ettore riempiendone una tazza. «Ci vuole anche la panna?».

«No, basta che è calda».

«Ecco a lei, calda e dolce. E non leggo nel pensiero, basta stare attenti ai dettagli», posò la tazza sul marmo.

Rocco poggiò delle monete. «Che vuoi dire?».

«Lei è entrato infreddolito e ha guardato la campana con la cioccolata dentro. Facile. Bisogna dare peso ai dettagli».

«Ripeti?».

«È una questione di dettagli» obbedì Ettore.

«Dettagli...» fece pensoso il vicequestore. Il cervello si mise a correre. Altro che dettagli. Sebastiano era sparito dopo che Rocco era venuto a conoscenza del contatto fra Baldi e Baiocchi. Una coincidenza strana. E il vicequestore non credeva molto nelle coincidenze.

Ebbe un brivido, ma non per il freddo.

«Andiamo, Lupa», ancora un sorso e uscì dal bar lasciando la tazza piena per metà. Arrivò a casa, come s'aspettava di Seba neanche l'ombra. Si fece una doccia veloce, bollente, gli parve che le ossa riprendessero a respirare, poi telefonò a Brizio. Stava per comporre il numero quando si bloccò. Aprì un cassetto, prese il vecchio telefono con la ricarica e compose il numero dell'amico.

«Ma chi è?» rispose Brizio che non aveva riconosciuto il numero.

«Sono Rocco. Te sto a chiama' col cellulare con la ricarica. È più sicuro. Due cose. Baiocchi ha chiamato il magistrato, lo vuole incontrare e Baldi mi ordina di andare con lui. Due, Seba è sparito proprio oggi».

«Che vuol dire è sparito?».

«Gli avevo trovato un appartamento sicuro. Non c'è. Non è a casa mia, il telefono è staccato».

«Baiocchi è in Valle secondo te?» chiese Brizio.

«Non lo so dov'è, domattina darà l'appuntamento al magistrato».

«Che ore sono?».

«Le otto e mezza».

«Io adesso prendo Furio e saliamo. Non ti lasciamo da solo con 'sta roba».

«Fa un freddo cane, Bri', le strade so' piene di neve, lascia perdere».

«Stocazzo lascio perdere. Mi prendo l'echinacea e salgo».

«Che ti prendi?».

«L'echinacea. Stella me la fa pija' ogni giorno, dice che aumenta le difese immunitarie. Oh, io ancora manco un raffreddore».

«Che dici allora, la pijo pure io?».

«È un'erba, Rocco. Male non ti fa».

«Su questo non ho dubbi».

«Invece Furio prende Immudek, potentissimo. E comunque ho letto nel bugiardino, pure lì c'è l'echinacea».

«Brizio?».

«Eh?».

«Ma de che cazzo stamo a parla'?».

«C'hai ragione. Chiamo Furio, fra un'ora massimo partiamo. Facce trova' qualcosa da magna'».

«È domenica, magnate pe' strada».

«E te pareva... portamo noi allora».

Non aveva fame, neanche sonno, invece avrebbe voluto dormire per dieci ore filate, come Lupa che già s'era accucciata sul suo cuscino. Svogliato aprì il frigo. Lo richiuse. Si versò un bicchiere di vino e si stravaccò sul divano. Era stanco, aveva bisogno di annullare i pensieri, le congetture, abbassare l'ansia, la sentiva salire su per il petto, accese la televisione e la fortuna volle che stava per cominciare un film di Sergio Leone. Questo ci vuole, pensò, si tolse le scarpe e poggiò i piedi sul tavolino. Forse il riscaldamento che aveva ripreso a funzionare, o forse i paesaggi messicani sotto un sole amaro, il sudore sul viso di Gian Maria Volonté e su quello degli altri banditi, la polvere che si alzava dagli zoccoli dei muli, il cielo terso pennellato di azzurro, fatto sta che una carezza calda cominciò ad avvolgerlo come una sciarpa di lana e lento, senza neanche accorgersene, si addormentò lasciando cadere il vino sul cuscino del divano mentre Clint Eastwood lo guardava passandosi il mozzicone di sigaro fra i denti.

«Al cuore, Ramon, al cuore!».

Lunedì

Si svegliò con il cielo tinto di rosso, un'alba col sole come Dio comanda si stava affacciando su Aosta e sui suoi abitanti. Non fece in tempo a guardare l'ora sul cellulare che qualcuno bussò alla porta. Andò ad aprire. Furio e Brizio entrarono portando dentro casa l'aria fredda dell'esterno, odore di legna e sigarette. Buttarono due sacche per terra senza dire niente, Furio aprì una busta e sul tavolo poggiò una quantità inverosimile di cornetti. «Questi vengono dal forno de piazza San Cosimato, non so' caldi ma so' veri! Almeno il caffè ce l'hai?».

«Ce l'ho sì. Lo metto su».

Brizio lo abbracciò. «A guardatte in faccia nun hai dormito».

«Te invece? Pure te Furio, c'hai i calamari sotto all'occhi».

«Abbiamo guidato due ore a testa e riposato abbastanza invece. Oh, all'altezza de Alessandria nun se vedeva manco la strada. Guarda chi c'è!». Furio si chinò a carezzare le orecchie di Lupa.

«Fallo forte il caffè, Rocco!» suggerì Brizio che s'era attaccato alla bottiglia d'acqua minerale.

«Di' un po'» attaccò Furio, «me spieghi che sta a succede?».

«Lo vorrei capire pure io. Ieri ho dato le chiavi di un appartamento sicuro a Sebastiano, gli ho rimediato il passaporto, e poi non l'ho più sentito. Quando la sera Baldi m'ha detto di Baiocchi, Sebastiano non c'era più».

Furio guardò Brizio. «Strano, no?».

«Strano sì» confermò Brizio. «Proprio lo stesso giorno che quel verme rispunta fuori e chiama il magistrato e dice che ha dei documenti, Seba sparisce».

«Una coincidenza?».

«No, Furio, non ce credo. Come se Seba sapesse».

Furio si spaparanzò sul divano e si accese una sigaretta. «Ma perché il passaporto?».

«M'ha detto che Baiocchi stava in Svizzera» rispose Rocco accendendo il gas sotto la moka. «E lui lo voleva andare a stanare lì».

«In Svizzera?».

«In Svizzera».

Brizio addentò un cornetto. «So' ancora boni» fece agli amici. Ne lanciò uno a Furio mentre Rocco ne agguantava un terzo. «Perché non credi nelle coincidenze, Rocco?».

«I capelli» rispose. Furio e Brizio lo guardarono senza capire. «Ho rimediato un passaporto di un tizio biondo ed eravamo d'accordo, io e Seba, che si sarebbe tinto i capelli e pure la barba, perché non è che somigliasse proprio al proprietario del passaporto. Ma ieri era domenica, non poteva comprare tinte, decolorante, no? Aveva rimandato a oggi. E invece sparisce, come se avesse deciso che non gliene frega un cazzo del passaporto o almeno di rischiare di essere beccato alla frontiera. Ecco perché io non ce credo alle coincidenze».

Furio inghiottì l'ultimo boccone. «Se è come dici tu, come faceva a sapere che Baiocchi ha telefonato al magistrato?».

Rocco allargò le braccia. «Infatti non lo so. Però mi fa paura».

Cadde un silenzio rotto dall'acqua che gorgogliava sotto il coperchio della moka. Rocco versò il caffè in tre tazzine. «Quello che stai dicendo, Rocco» fece Furio prendendone una dalle mani del vicequestore, «è che Seba e Baiocchi sono in contatto?». Rocco non rispose. Solo il rumore del cucchiaino di Brizio che girava lo zucchero nel caffè. «È una follia» decretò alla fine. «Non ce posso crede. No, lui è scappato perché magari sa dettagli che noi non conosciamo. Per esempio, chi gli ha detto a Seba che Enzo Baiocchi s'è nascosto in Svizzera?».

«Ha ragione Furio» fece Brizio. «Magari ha un amico che lo sta aiutando e che gli ha riferito: occhio che Baiocchi è in Italia... o magari proprio qui, in Valle... azzardare che Seba e Baiocchi sono in contatto non funziona proprio, non va. E che te sei scordato che Baiocchi a Seba j'ha ammazzato l'amore suo?».

«Non l'ho scordato».

«E che se sta ai domiciliari è perché ha tentato di fare la pelle proprio a Baiocchi? Mo' esce che so' in combutta? Guarda, Rocco, è quasi offensivo», e Brizio posò la tazzina.

«Non è offensivo, ma la realtà è questa, Brizio! A meno che non ci sia un'altra versione».

«C'è, ci sarà, ci deve essere» gridò Brizio scattando in piedi, «e prima di accusare così Sebastiano, forse tocca conta' fino a cento».

«Ho contato fino a settecento, Brizio. E dimmi un po', Sebastiano che sparisce e non ce dice più un cazzo?». Anche Rocco aveva alzato la voce. «Non te sei accorto che Seba non è più lui? No?».

«Resta sempre lui, invece» ribatté Brizio, «e io non ci credo e manco ci voglio pensare. Ricordati da dove vieni, Rocco, e da dove veniamo tutti. Questi non so' pensieri che ci appartengono. E a meno che la vita s'è proprio ribaltata, quello che pensi vale un mozzico de lucertola, cioè niente. Noi non tradiamo gli amici».

«Pensi che non te voglio da' ragione?», Rocco si sedette al tavolo. Respiravano tutti e due con affanno. Furio si schiarì la voce. «Quando lo troveremo, ce spiegherà lui com'è andata. Perché appena spunterà fuori Baiocchi, sicuro che sbuca pure Sebastiano».

Il cellulare di Rocco squillò con la suoneria di Beethoven. Il vicequestore controllò il numero sul display. «È il magistrato», poi rispose: «Dottor Baldi?».

«Ho ricevuto la chiamata. L'appuntamento è a Gaggiolo dopo le undici. C'è un hotel poco dopo il confine di fronte a un benzinaio della IP».

«Come ci organizziamo?».

«Io vado avanti e lei mi segue, un paio di minuti dietro. Ci teniamo in contatto».

«Dottor Baldi, giusto per curiosità, 'ndo cazzo sta Gaggiolo?».

«Al confine con la Svizzera, vicino Varese... da qui sono un paio di ore di macchina. Io alle nove prenderò l'autostrada».

«D'accordo. Starò dietro a lei, contatto telefonico».

«Contatto telefonico».

Poggiò il cellulare. «Allora ci siamo» fece agli amici. «Prendiamo la macchina mia».

«Meglio non andare insieme» disse Furio. «Io e Brizio seguiamo. Se il magistrato s'accorge de noi, come glielo spieghi?».

«Ha ragione, Rocco...».

«D'accordo. Allora famose tutti 'na doccia e teniamoci pronti».

«I cornetti non li finimo?» chiese Furio indicando la montagna di lieviti poggiata sul tavolo della cucina.

«Andiamo in coma iperglicemico» rispose Rocco.

«Ma perché, esiste?».

«Non lo so, Brizio, ma se esiste, quello ci capita se li magnamo tutti. Devo portare Lupa al baby-sitter, prima».

Deruta aveva preso in carico Lupa. Aveva provato a spiegare a Rocco che Federico aveva Zanna Bianca, un lupo cecoslovacco imprevedibile e anarchico, ma Rocco lo convinse che Lupa era docile e sottomessa, non ci sarebbero stati problemi. Di giorno avrebbe dormito nell'ufficio di Rocco, la sera probabilmente sul letto insieme a lui. «E a Federico» disse Deruta.

«E a Federico. Zanna non dorme sul letto?».
«No. Non gli piace. È un lupo vero».
Con Federico decisero di farli incontrare ai giardinetti, prima di metterli in casa insieme. Alle otto e mezza Zanna Bianca odorò Lupa per cinque minuti, alle otto e quaranta si inseguivano sul prato, alle otto e cinquantacinque Zanna l'aveva già montata. Deruta e Federico si guardarono. «Federico, ma Zanna Bianca può fare figli?».
«Che ne so? Penso di sì, castrare non l'ho castrato» rispose il panettiere.
«E Lupa è in calore?».
«Non so neanche questo, Michele».
«Oh cazzo» mormorò l'agente Deruta.
«Oh cazzo...» gli fece eco il compagno.
«Secondo te esistono contraccettivi per cani?».
«Glielo metti tu il preservativo a Zanna?».

Rocco sulla sua macchina, a cento metri di distanza la Rover di Brizio. Parcheggiati, erano in anticipo di qualche minuto e aspettavano l'auto del magistrato che arrivò superando la Volvo di Schiavone lampeggiando due volte. Si immisero sull'autostrada distanziati. «È lei sulla Volvo?» chiese Baldi al telefono.
«La seguo, sto un paio di minuti dietro...».
«130 all'ora, non di più. Ivrea, Santhià poi verso Gravellona...».
«Ce l'ho anch'io la mappa, dottor Baldi. Stia tranquillo, la chiamo solo in caso di necessità».
«Perfetto», il magistrato chiuse la comunicazione. Rocco guidava tranquillo, si accese una sigaretta.

Guardò nello specchietto retrovisore. L'auto di Brizio era dietro di lui, un paio di centinaia di metri. Aveva un vuoto allo stomaco, non poteva dire se si trattava di tensione o era colpa dei caffè. Accese la radio per sentire un programma mattutino sul secondo canale che lo divertiva e lo distraeva. I due conduttori erano ironici, uno romano l'altro friulano, aveva la sensazione di passare del tempo con dei vecchi amici dell'università, anche se lui gli amici dell'università non li aveva mai avuti. Lavorava e studiava, non frequentava, nessun professore l'aveva mai visto seduto ai primi posti nelle aule e quando si sottoponeva all'esame affrontava un'ora di domande a raffica mentre accanto a lui i bravi studenti che seguivano le lezioni prendendo appunti restavano al massimo venti minuti. Per avere un voto decente Schiavone doveva rispondere a tutto, argomentare, non tentennare mai, e alla fine di un'ora di massacro con l'assistente gli toccavano anche le ultime tre domande del professore. Ne sapeva più degli altri, ma i voti non rispecchiavano quella preparazione. Per Rocco Schiavone studente non era mai stato un problema. C'è chi nella vita va in Ferrari chi su una 500, lo sapeva, doveva mantenersi e lavorare per arrivare a dare gli esami. Economia politica e i diagrammi di Keynes ancora gli risuonavano in testa. Non ci aveva capito mai nulla, li aveva imparati a memoria. «Bene, li sa, ora me li spieghi».

«Professoressa, è già tanto se le ho scritto l'equazione, non mi chieda il perché».

«Ventidue».

«Prendo e porto a casa!».

A festeggiare al bar con Seba, Brizio e Furio. «Ma a che te serve?».

«A un cazzo. Però me lo so' tolto».

«Senti un po', c'avemo uno sfascio... invece de scarica' ai mercati generali, stanotte vie' co' noi... arzi più de quattrocento sacchi».

E Rocco andava con i suoi amici. Servivano due marmitte, i cerchioni della Mini, due sedili di un'Alfa, un blocco del cambio della Golf... rapidi e veloci li caricavano sul furgone e li rivendevano. Furti su commissione.

Chiamò Brizio. «Dimme Rocco, stai in vivavoce».

«A rega', ve ricordate il furgone dei fratelli Forte?».

Sentì Furio scoppiare a ridere. «Mannaggia alla miseria se me lo ricordo... ma come t'è venuto in mente?».

«È che quando guido penso...».

«Fu Seba a darci la dritta, al benzinaro sulla Tiburtina, il furgone della ditta Forte, ha tutti materiali edili...».

«Oddio, che ride. Te ricordi quando l'avemo aperto al garage?» disse Furio.

«Duecentocinquantotto canotti, altro che materiale edile», e anche Rocco scoppiò a ridere. «Ma che ci facemmo?».

«Seba li portò a un magazzino a Velletri, se ne presero cinquanta, l'altri l'avemo regalati a mezza Trastevere» disse Brizio.

«Te ricordi sora Cecilia? A rega', grazie, siete gentili, ma che cazzo ce devo fa' co' un canotto?».

«E Furio je disse: sora Ceci', er pediluvio in balcone».

«Che manco ce l'aveva er balcone. Chissà se l'ha mai gonfiato» si chiese Furio.

«Me sa de no, con l'enfisema polmonare, se c'ha provato ha stirato...».

«E invece er fijo de Boccia che lo portò al fontanone?».

«Madonna che me stai a ricorda', Rocco... senti un po', ma se uno deve svuota' la vescica o se vo' prende un caffè?».

Brizio aveva la mania degli autogrill. Ogni viaggio sull'autostrada si doveva fermare e comprare decine di oggetti inutili che riportava ai nipoti di Stella. Macchine di plastica, orsacchiotti, caramelle enormi, era fissato pure coi prosciutti al pepe. «Bri', non c'è tempo. Dobbiamo stare attaccati al magistrato. Al ritorno ti giuro che ci fermiamo e te compri le paperelle» gli disse Rocco.

«Al ritorno, sì» si convinse Brizio. «Ma come saremo al ritorno?».

«Che vuoi dire, Bri'?».

«Dipende quello che trovamo» fece Furio.

Rocco rimase in silenzio.

«Oh, Rocco?».

«Eh...».

«Hai capito che ho detto?».

«Sì, Furio. Mo' ditemi una cosa. Siete nudi?».

«Prima de risponne, senti un po', Rocco, potemo parla' tranquilli su 'sti cellulari?».

«Ormai dico di sì. Altrimenti avrebbero già sgamato l'amico nostro prima che sparisse» rispose Rocco.

«Vuoi sape' se siamo nudi? Col cazzo» rispose Furio.

«E se dovemo passa' la frontiera?».

«Te sfido a trovalle, Rocco» fece Brizio, «stanno imboscate bene, tranquillo».

«Tranquillo sta a Prima Porta».

«Ecco» disse Brizio, «e lasciamolo riposa' in pace...».

«Semmai te le metti in macchina te. Sei un poliziotto, a te i ferri non te li contestano».

«Vabbè, buon viaggio», e Rocco chiuse la comunicazione. «Ma che cazzo ve dovete porta' a fa' le armi?» disse ad alta voce menando un colpo sul volante. Il sole che splendeva sulla Valle già a Ivrea era sparito, a Santhià pioveva e dovettero rallentare l'andatura, solo a Malnate ritornò, pallido, cercava di asciugare tutta l'acqua caduta in mattinata. Ma almeno la neve se l'era lasciata dietro. «Schiavone, sono Baldi. Ci siamo quasi. L'hotel è sulla sinistra, un chilometro prima della dogana. Io lascio l'auto nel parcheggio e l'aspetto. Quando mi vede entrare in albergo faccia il giro dal retro, c'è una porta che dà sulle cucine».

«Come fa a sapere questi dettagli?».

«Ho mandato stanotte un agente da Varese che mi ha fatto un bel disegnino, guardi che anche io sul campo mi so muovere. Mi aspetta alla stanza 23».

«Va bene... a fra poco...», appena chiuse la telefonata chiamò Brizio. «Rega', l'albergo sta a un chilometro dalla dogana. Il magistrato passa dall'entrata principale, io dal retro. Brizio sul magistrato, Furio tu resti fuori e controlli la porta del retro. Tutto chiaro?».

«Chiarissimo, Rocco».

Dopo la curva Rocco notò l'auto di Baldi nel parcheggio dell'albergo. Lasciò la sua sulla statale e scavalcò il guardrail proprio nel momento in cui il magistrato si avviava verso l'hotel. Baldi si bloccò per un attimo nel piazzale, prese il cellulare e lesse qualcosa. Poi riprese a camminare. Rocco guardò la strada. Brizio e Furio erano appena arrivati. Rapido si portò alle spalle dell'albergo. C'era la porta del garage, e una più piccola a vetri. Aprì cauto l'anta. Odore di aglio, detersivo e carne bruciata. A terra il pavimento era viscido. I fuochi spenti, pentole poggiate sul piano di lavoro, sul tagliere delle zucchine a rondelle, nel lavello mucchi di insalata verde galleggiavano nell'acqua. Nessuno in vista. Attraversò la stanza e aprì una doppia porta che lo immise in una saletta apparecchiata per il pranzo. Il televisore trasmetteva un programma di medicina senza sonoro. Passò oltre fino a raggiungere un corridoio dominato da una reception stretta e lunga. Da una porta spuntò un uomo basso e stempiato, portava gli occhiali e si abbottonava la giacchetta. Si accorse della presenza di Rocco, stava per parlare quando il vicequestore gli intimò di fare silenzio mostrando il tesserino e quello si immobilizzò. Dalla reception Rocco raggiunse la hall. Brizio era in piedi, accanto alla porta a vetri, braccia conserte, si guardarono. L'amico gli fece cenno che il posto era deserto. Mentre Brizio portava la mano destra sulla schiena per impugnare la pistola, Rocco lo superò entrando in un altro disimpegno che apriva il passaggio sulle stanze a piano terra. Rocco controllò, erano tutte e tre chiuse.

Proseguì, arrivò al bar. Anche lì non c'era nessuno, solo odore di burro, la macchina del caffè spenta e su un piatto una decina di brioche incellofanate, in un angolo un flipper lampeggiava gli special in attesa di un giocatore. Per un momento vide il suo viso riflesso nello specchio. Teso, spettinato, pallido, gli occhi cerchiati. Uscì dal bar, una porta con su scritto «Direzione», anche quella chiusa a chiave. La carta da parati giallastra era macchiata in più punti, un vaso conteneva tre ombrelli asciutti. Una piccola stanza con una specchiera, sulla quale si aprivano due bagni. Aprì cauto quello riservato agli uomini. L'inno alla gioia risuonò nel silenzio della toilette. «Schiavone, sono Baldi. Primo piano, stanza 23. Salga pure».

Rocco salì.

La porta era aperta. Baldi sull'uscio guardava dentro, si girò appena quando percepì la presenza di Rocco. Ai piedi del letto giaceva supino il corpo di Enzo Baiocchi, un fiore rosso sulla camicia bianca all'altezza del cuore, gli occhi spalancati e vitrei, la bocca aperta dalla quale spuntava il riflesso di un dente dorato. Sembrava voler stringere l'aria con le mani inanimate. Il sangue era sceso lungo il fianco e sporcava le mattonelle rosa. Una macchia sulla patta dei jeans denunciava la perdita di urina. «Fine della corsa» disse Baldi afferrando il cellulare. Rocco guardava il corpo senza vita di Enzo Baiocchi, un mucchio spento di ossa e carne. Ritornò in corridoio e scese le scale. Brizio era ancora lì, nella hall. «È sopra. È morto. Andate via».

«Sebastiano?».

«Non lo so. Un colpo dritto al cuore».

«Ci squagliamo, ma restiamo in zona».

Rocco gli mollò una pacca sulla spalla e raggiunse la hall. L'uomo della reception si era andato a sedere dietro il bancone, le guance paffute sporche di barba di un paio di giorni. «Vicequestore Schiavone, io e lei dobbiamo farci una chiacchierata».

«Che... che è successo?» fece quello tremando come una foglia.

«Stanza 23. Chi l'ha occupata?».

«Eh?».

«Ho chiesto: la stanza 23 lei l'ha affittata?».

«Io non ho affittato niente. Sono arrivato stamattina alle cinque e mezza». Aveva una cadenza emiliana.

«Le dispiace controllare sul registro?».

Il portiere lo aprì. «Qui risulta Marco Micalizzi», e alzò gli occhi terrorizzati su Rocco. «Ma che succede?» tornò a chiedere.

«Chi altro è ospite dell'albergo?».

«Ora nessuno. Le chiavi sono tutte qui», e indicò la rastrelliera alle sue spalle. «A parte la 23 che è occupata, da Micalizzi, appunto. Sono tutti usciti stamattina per lavoro, le colazioni le ho fatte io».

«Ma chi sono gli ospiti? Mi dia i documenti delle persone registrate».

«Sono solo 4. Ecco, aspetti», gli cadde il registro, lo raccolse, aprì un cassetto, ne aprì un altro. «Oddio...» diceva a bassa voce mentre gocce di sudore cominciavano a colargli sulla fronte. «Ecco, ecco a lei», consegnò a Rocco quattro fogli. Sul primo la fotocopia di una carta d'identità, Roberto Terlizzi, anni 42, libero professionista. Sul secondo un passaporto croato apparteneva a Dragan Arap, il terzo un'altra carta d'identità intestata a Fiorella Mari, sotto la professione c'era scritto: architetto; l'ultimo era un altro passaporto italiano di Fabrizio Lilli. «Quando rientrano?».

«Torneranno stasera, credo».

«Crede male. Mi dia i loro recapiti telefonici». Rocco si allontanò dalla reception. Baldi era sceso nella hall. «Ha chiamato la questura?».

«Stanno arrivando. Chi altro c'è fra gli ospiti?».

«Quattro persone. Mi sto facendo consegnare i loro recapiti telefonici. A che ora ha ricevuto il messaggio sul cellulare da Baiocchi?».

Il magistrato lo prese e controllò. «Alle dieci e cinquantatré, un quarto d'ora fa, stavo entrando nell'albergo».

«Un quarto d'ora fa era vivo?».

«Fa bene a chiederselo. Non sappiamo se è stato lui a mandarlo».

«Bel casino. Che facciamo?».

«Ci aggreghiamo alla procura di Varese, questa storia è nostra».

Rocco si passò la mano sul mento facendo sfrigolare i peli della barba. «Non sa quanto la regalerei volentieri».

«Anche io. Sono abbastanza sicuro che i documenti che mi aveva promesso ormai sono uccel di bosco».

«C'è da scommetterci. Sempre che li avesse. Quanto ci mettono ad arrivare?».

«Un po'. Mandano la scientifica da Milano, la magistrata inquirente, Hilary Pagani, siamo fortunati, la conosco da anni».

«Dovrebbe aiutare».

«Farà di tutto per aprirci le porte. Questo è un cadavere scomodo».

«Scomodo è un eufemismo, dottor Baldi. È una rottura di coglioni di livello dieci con lode, bacio accademico, stretta di mano, applauso e pompa atenea».

«Atenea? Cioè nel senso che attiene alla dea Atena?».

«No, sarebbe ateneo al femminile. Universitaria, insomma».

«Mai sentita».

«Neanche io, dottor Baldi. Era uno sfogo».

«No, il bacio accademico sì, anche la stretta di mano, l'applauso l'ho trovato sempre un po' teatrale ma alla pompa atenea non ci sarei mai arrivato. Che ne pensa di pompa cattedratica?».

«Dipende chi ha la cattedra».

«Vero».

«Ci stiamo perdendo, dottor Baldi».

«Tanto, finché non arrivano, non abbiamo altro da fare».

«Io comincio a chiamare gli altri ospiti dell'albergo».

«Io andrò a fumare una sigaretta distensiva qui fuori. Cosa ha provato?» chiese a Rocco.

«Che s'è chiusa una storia durata anche troppo».

«Sollievo?».

«Che vuole che le dica, sì? Lei ancora considerava Baiocchi l'unico testimone per un mio presunto omicidio?».

Baldi ci pensò qualche secondo. «No».
«E allora che me lo chiede a fare? Lei cos'ha provato?».
«Ha presente quando nel forno si sgonfia un sufflè?».

Dragan Arap era un camionista che alloggiava nella stanza 20, quando rispose era all'altezza del Grande Raccordo Anulare di Roma diretto a Napoli. All'una arrivarono Fiorella Mari, trafelata, occupava la stanza 11 e dirigeva un cantiere lì vicino, e Roberto Terlizzi, il libero professionista della stanza numero 15 che testava gli allarmi che lui stesso installava nelle banche, alle otto e trenta era alla cassa di risparmio di Viggiù. L'ultimo, Fabrizio Lilli, che alloggiava alla stanza numero 18, era un cavaliere, tornò sporco di fango da un allevamento di cavalli vicino Rodero. Il vicequestore Ciasullo, in forza alla questura di Varese, aveva mandato i suoi uomini a controllare gli alibi ma Rocco che aveva assistito ai colloqui era certo che fossero tutti confortati.
«Schiavone?», era Baldi, s'era affacciato alla stanza del piano terra che Rocco e Ciasullo avevano usato per gli interrogatori. Erano le due passate, la magistrata Hilary Pagani voleva fare quattro chiacchiere. Rocco seguì Baldi fino al bar, la dottoressa Pagani era seduta a un tavolino immersa nelle carte, davanti a una tazzina piena di caffè ormai freddo e un notebook aperto. Si alzò e allungò la mano. «Pagani».
«Schiavone».
«Prego...».
Hilary Pagani aveva la mano gelata. Bionda, i capelli ricci, magra, portava gli orecchini azzurri intonati agli

occhi, chiusa in una giacca a vento sembrava tremare dal freddo. «Dottor Schiavone, mi può fare un breve riassunto? Chi era quell'uomo nella 23? Il mio collega Maurizio mi ha raccontato, ma vorrei sentire anche da lei come stanno i fatti».

«I fatti sono semplici. Enzo Baiocchi venne a casa mia con l'intenzione di uccidermi. Invece sparò a una mia amica, Adele Talamonti, che sfortuna volle dormiva nel letto al posto mio...».

«Sì, questo lo so. La sua amica era la fidanzata di Sebastiano Cecchetti, mi sbaglio?».

«Non si sbaglia. Sebastiano Cecchetti è un...».

«Pregiudicato» intervenne Baldi.

«Esatto. Ci conosciamo da sempre, Sebastiano voleva vendicarsi. L'ho fermato in tempo in Friuli, aveva scoperto la capanna dove Baiocchi si nascondeva. Fu arrestato per possesso d'arma da fuoco e...».

«Fu lei ad arrestarlo?» chiese Hilary Pagani.

«No, i corpi speciali» rispose Baldi. «Sono arrivati prima loro».

«E come?».

«Una soffiata» disse Rocco, e ripensò a Caterina Rispoli, il suo viceispettore, la donna che gli era entrata nel cuore e che l'aveva tradito.

«Dunque abbiamo Enzo Baiocchi fermato a Udine e Sebastiano Cecchetti ai domiciliari a Roma. Fin qui ho capito tutto?».

«Sissignora» fece Rocco. «Poi Baiocchi è scappato».

«E Sebastiano Cecchetti anche» aggiunse Baldi.

«Un momento, un momento» intervenne Pagani

prendendo delle carte riposte in un raccoglitore di pelle, poi inforcò gli occhiali. «Baiocchi ha collaborato con la giustizia, ha fatto nomi di un sacco di persone coinvolte in un enorme traffico di cocaina nella capitale».

«È così» ammise Rocco.

«Poi però scappa e si perdono le tracce fino a oggi».

«Voleva parlarmi, Hilary» si intromise Baldi, «riferiva di avere dei documenti importanti e che si fidava solo di me. Io l'avevo incontrato la notte del suo arresto a Cividale...».

«Come se...», Pagani posò gli occhiali, «il tipo avesse altre informazioni ma non si fidasse di nessuno. Ma qualcuno è arrivato prima e i documenti in stanza non li abbiamo trovati, neanche il cellulare col quale ti ha mandato l'ultimo messaggio alle dieci e qualcosa, giusto?».

«Giusto Hilary» rispose Baldi, «sempre che l'abbia mandato lui».

«Qui ho i nomi delle persone denunciate da questo Enzo Baiocchi... nomi importanti», mise l'indice sul documento che aveva letto poco prima.

«Già» fece Rocco e si guardò intorno, aveva voglia di un caffè ma dietro il bancone non c'era anima viva.

«Perché ce l'aveva con lei, Schiavone?».

«Chi, Baiocchi? Perché era convinto gli avessi ucciso il fratello». Pagani sgranò gli occhi. «Vede, nel 2007 ho fermato un traffico di cocaina dove era invischiato il fratello di Enzo, Luigi, ma io avevo scoperto solo la punta dell'iceberg. I pesci piccoli insomma.

Quelli grossi li ha denunciati Enzo Baiocchi mentre era in carcere a Udine. Ora, della banda arrestammo tutti, tranne Luigi che sparì. Io seppi che era riparato in Sudamerica, Honduras, Nicaragua, non lo so, invece Enzo Baiocchi s'era fissato col dire che io gli avevo tirato un colpo di rivoltella».

«Per avvalorare la sua denuncia mi rivelò il luogo dove era sepolto il fratello» fece Baldi.

«E tu, Maurizio, l'hai controllato, no?».

«Certo. E non trovammo nulla».

Hilary Pagani guardò Rocco. «Enzo Baiocchi invece era convinto che lei avesse ucciso il fratello tanto che venne a casa sua, ad Aosta, a rue Piave, e le sparò. Meglio, sparò alla povera Adele Talamonti... per fare un'azione del genere doveva essere fermamente convinto, non crede, Schiavone?».

«Penso di sì, ma non sta a me giudicare le patologie mentali della gente».

La magistrata rimise i fogli nella cartellina. «L'ultimo dettaglio. Sebastiano Cecchetti, qualcuno sa dove si trova?».

«No» risposero insieme Baldi e Schiavone.

«Perché mi pare importante scoprirlo. Insomma, se è come ho capito, sarà fuggito per arrivare a Baiocchi. E credo che tutti i sospetti di questo omicidio, al momento, siano concentrati su di lui».

«Sì» ammise Rocco.

«L'aggrego alla questura di Varese, dottor Schiavone. Maurizio, voglio che tu stia dietro a questa vicenda, credi si possa fare?».

«Mi riguarda in prima persona» disse il magistrato. «Io torno in procura. Mi aggiornate?».

«Spero presto». Hilary Pagani recuperò il portatile, la cartellina di pelle, salutò con un sorriso stirato i colleghi e poi uscì dal bar. Rocco e Baldi si guardarono. «Da dove cominciamo?».

«I quattro ospiti dell'albergo sono puliti. Direi di andare su nella stanza a dare un'occhiata».

«Bosetti» si presentò il poliziotto. Indossava una tuta bianca col cappuccio tirato su, il viso cosparso di efelidi. Portava i guanti e le soprascarpe. «Scientifica di Milano».

«Piacere, vicequestore Schiavone... io e il magistrato vorremmo dare un'occhiata».

«Soprascarpe» si limitò a dire. Schiavone e Baldi le infilarono. «Avete recuperato un cellulare?» chiese il magistrato.

«Per ora no... e non c'è neanche una valigia, solo una busta di plastica con un cambio di biancheria».

«Il patologo?».

«È andato via poco prima della mortuaria. Ha lasciato i recapiti giù alla reception. Lo trovate a Varese».

«Sappiamo qualcosa del calibro?».

«È un po' presto... giù in questura saranno più precisi appena analizzeranno il proiettile».

Rocco entrò per primo. Un agente lavorava accanto al comodino, l'altro sulla porta del bagno. Rocco si avvicinò alla finestra, scansò la tenda a fiori pesante che arrivava fino al pavimento e guardò fuori. C'erano le scale antincendio che partivano alla sua destra. Un ponte di metallo le congiungeva a un'altra rampa alla sua sinistra e passava proprio sotto le finestre del primo piano. «La finestra?» chiese agli agenti.

«Era aperta, dottore» rispose quello con gli occhiali. Baldi raggiunse il vicequestore. «Che pensa?».

«È entrato dalla scala antincendio e probabilmente ne è anche uscito. Qui sotto c'è un comodo passaggio di rete elettrosaldata, può reggere decine di persone, niente di più facile. Non capisco come però...».

«Dalla finestra, no?».

«Era aperta. Perché? Fortuna oppure?».

«Oppure?».

«Oppure, dottor Baldi». Rocco si affacciò nel bagno. Piccolo, la doccia striminzita in un angolo, a terra c'erano gli asciugamani che ricoprivano quasi per intero il pavimento. Ne toccò uno, era asciutto, Baiocchi quella mattina non l'aveva usato. Tornò in stanza. «Avete trovato tracce sugli asciugamani in bagno?».

«Niente, dottore. E neanche sotto, sulle piastrelle» rispose l'agente accanto al comodino. «Come se avesse ricoperto le piastrelle, chissà perché. Io dico che stamattina lì dentro non è entrato nessuno, neanche la vittima».

Accanto al piede del letto, Rocco notò un pezzo di cartone rettangolare repertato con un cartellino numerato. «E quello cos'è?» chiese all'agente che stava vicino alla porta del bagno. «L'abbiamo trovato a terra».

Rocco si avvicinò a osservare quel pezzo di cartone. Sopra c'erano due incavi, rettangolari, come se avesse subito una pressione. Si rialzò in piedi. «Qui non c'è niente di interessante. Solo ricordiamo che il corpo di Baiocchi era steso coi piedi verso la finestra. È facile pensare che quando l'assassino è entrato dalla finestra lui fosse di spalle. S'è girato e quello l'ha freddato. Usciamo?».

«Lei sta pensando al suo amico?» gli chiese il magistrato mentre giravano intorno alla costruzione.

«No. Non è stato lui».

«Come fa a saperlo?».

«Perché comincio a mettere insieme i pezzi». Erano arrivati sul retro dell'hotel. C'erano due auto parcheggiate e dei tavolini in ferro ammucchiati uno sull'altro coperti da un telo di plastica. Riconobbero la finestra della stanza 23. «La scala antincendio parte dal secondo piano, poi scende fino a questo piazzale sul retro».

«Può essere entrato da qua, dal piazzale, oppure da un'altra stanza dell'albergo».

«Così pare... io mi vado a fare due chiacchiere con il portiere, anzi coi portieri, perché mi serve qualche dettaglio da quello che ieri ha registrato Enzo Baiocchi».

Tornarono all'ingresso principale, trovarono il vicequestore Ciasullo che fumava una sigaretta. Scuro di carnagione, aveva i capelli corti e ricci, sui 40 anni. «Robe'» fece Rocco, «mi voglio fare una chiacchierata coi portieri di questo posto».

«Ho parlato con quello presente al momento del delitto» rispose il collega. «Se la fa addosso. Parla, si contraddice, un problema».

«Non ti piace?».

«No, Rocco, non è quello. È solo faticoso».

«Dove stanno?».

«Alla reception, tutti e due. Posso farti una domanda?».

«Te credo».

«Questo aveva un documento falso, niente valigie, niente cellulare, che faceva qui?».

Rocco guardò Baldi. «Quando abbiamo un po' di tempo te lo racconto. La storia è complicata».

Baldi e Rocco entrarono nell'albergo e si diressero subito alla reception. I due portieri erano seduti dietro il bancone, stavano chiacchierando ma si interruppero appena videro i due inquirenti. «Allora, nomi?» fece il vicequestore.

«Carlo Delicato» rispose l'uomo che Rocco aveva già incontrato.

«Filippo Lippi» fece l'altro.

«Non è vero» disse Schiavone incredulo guardando Baldi.

«Invece sì. Mio padre era un burlone».

«Vi somigliate?» gli chiese il vicequestore. L'uomo non capì. «Chi, io e il pittore?».

«No, lei e suo padre».

«No, perché?».

«Quindi è mamma che somiglia a un oritteropo».

Lippi guardò il collega senza capire. Rocco l'aveva già catalogato nel suo bestiario personale come un Orycteropus afer, lo strano mammifero notturno africano dalle grandi orecchie e dall'enorme muso lungo. «Lasci perdere» gli disse Baldi. «Dobbiamo farci una chiacchierata. Cominciamo da lei. Signor Delicato, può lasciarci soli?».

Quello non si mosse. Rocco, già provato dalla giornata, scattò. «Il capo vuole che ti levi dai coglioni» suggerì. Solo allora Delicato prese il cellulare e si allontanò inciampando nella poltroncina di pelle. Schiavone poggiò i gomiti sul bancone e guardò Filippo Lippi dritto negli occhi. «Lei ha registrato la vittima?».

«Sissignore. È arrivato alle nove di sera. Mi ha consegnato il documento, a nome Marco Micalizzi, una carta d'identità...».

«Emessa dal Comune di Milano, sì, ho già visto la fotocopia».

«Ha pagato subito in contanti ed è salito alla 23. Non l'ho più visto. Io a mezzanotte ho chiuso il portone. Anzi, quando sono salito in stanza, qui i telefoni interni non li abbiamo, avrà notato siamo un due stelle scarso... insomma, sono salito alla 23 per sapere se voleva ordinare qualcosa da mangiare, abbiamo il servizio con la trattoria qui di fronte, ma non mi ha risposto».

«Erano rientrati tutti gli ospiti?» chiese Baldi.

«Sì, tutti. Per ultimo quello che monta i cavalli...».

«Poi?».

«Poi ho fatto il mio turno, alle cinque e mezza è arrivato Carlo che mi ha dato il cambio».

«E non ha visto niente durante la notte?».

«Niente di strano. Ho guardato come sempre la televisione, mi sono fatto un caffè, alle due ho mangiato un panino».

«Senta un po'» intervenne Rocco. «A che ora vengono quelli delle pulizie?».

«Alle sei e mezza, di solito. Ma io non li incontro quasi mai, vado via prima».

«Marco Micalizzi, al secolo Enzo Baiocchi, ha fatto qualche richiesta? Che so, la sveglia? Qualcosa sulla colazione? Aveva un'auto?».

«Che io sappia no, almeno io l'auto non l'ho vista arrivare. E non ha richiesto niente. Le ripeto: ha pagato ed è salito».

«Ha notato se aveva un cellulare?».

«Sì. Ce l'aveva. Lo teneva in mano. Di quelli vecchi, senza internet per capirci».

«Lei abita qui in zona?».

«Vicino, a Uggiate-Trevano».

«Resti a disposizione, per favore. Dov'è andato il suo collega?».

«Forse al bar?».

«Lei, dottor Baldi, ha altre domande?».

«Per ora no».

«Solo un dettaglio» fece Rocco. Prima di lasciare la reception, si avvicinò a una porticina accanto al banco. «Dove dà questa?» chiese. Lippi si sporse per guardare. «Quella? È un deposito». Rocco aprì. Una stanza di una ventina di metri quadrati colma di scaffali. C'erano stoviglie, lenzuola sporche ammucchiate in un angolo, asciugamani, bicchieri e piatti di plastica, in fondo una porta di ferro. Rocco si avvicinò per aprirla. Dava sul piazzale posteriore dell'hotel. Tornò al banco della reception dove Baldi lo attendeva. «Annamo al bar, dottore», e s'incamminarono. «Mi sembra di tornare ai vecchi tempi» fece Baldi, «quando stavo di più sul campo. È divertente».

«Dice sul serio?».

«Non legge più l'ironia, Schiavone? Ovvio che mento».

Carlo Delicato era al bar, allo stesso tavolino occupato poco prima da Hilary Pagani. Rocco e Baldi si sedettero davanti a lui senza dire una parola. «Come va?» fece Rocco. Quello deglutì. «Così così... mica è una roba da tutti i giorni».

«Parli per lei. Allora, Carlo Delicato, mi dica un po'. Lei non ha sentito niente di niente?».

«In che senso?».

Rocco prese un respiro profondo. «Si ricorda quando m'ha visto entrare? Sì? Poco prima qualcuno dal piano di sopra ha sparato. Quindi ripeto: ha sentito niente?».

«Giuro di no».

«Perché trema?» gli chiese il magistrato.

«Ho paura».

«Di che?».

«Che possiate pensare che sono stato io e mi mettete dentro».

«È stato lei?».

«No!» urlò Delicato. «Io neanche lo conoscevo».

«Questo vuol dire che se l'avesse conosciuto una qualche probabilità che lei sia un assassino ci sarebbe?».

«Non ho capito, dottore».

«Lasci perdere». Rocco riprese le fila dell'interrogatorio. «Quindi nessun rumore. Né ha visto aggirarsi facce sconosciute durante tutta la mattinata».

«No. Io ho preparato e servito le colazioni, poi i clienti sono andati via prestissimo a lavorare, ho messo tutto a posto. Dopo è arrivato il cliente della 23».

«Dunque Baiocchi è sceso per la colazione. A che ora?».

«Sì, per ultimo, dopo che gli altri erano già andati via. Avevo finito di sparecchiare e mettere a posto, quindi secondo me sarà arrivato verso le nove e mezza, quasi le dieci, guardi. Infatti stavo per chiudere la sala. Io l'ho servito, poi l'ho lasciato lì al tavolo, suonava il telefono alla reception».

«Chi era?».

«Era una prenotazione del signor Luigi, un rappresentante che viene spesso».

«Quindi lei non lo sa a che ora è salito Baiocchi in camera».

«No, non lo so, mannaggia».

«Ha visto arrivare quelli delle pulizie?» chiese Baldi.

«La Gina».

«Chi cazzo è la Gina?» fece Rocco.

«Quella delle pulizie. No, non l'ho vista. Dottore, qui in questo albergo è tutto familiare, la Gina sono venti anni che viene, conosce a memoria il lavoro da svolgere».

«E com'è che la Gina è andata via senza aver rifatto la 23?».

«La Gina ha tre lavori. Il patto è che lei pulisce tutte le stanze, se un cliente ritarda a uscire, lei torna nel pomeriggio e la finisce. Avrà visto la 23 occupata e se n'è andata. La Gina arriva alle sei e mezza, massimo alle nove e mezza è già fuori. Qui vengono tutti lavoratori. Trasportatori, rappresentanti di commercio, gente che la mattina esce a lavorare prestissimo. Non è un hotel per la villeggiatura».

«Ah, no? Non si direbbe» fece Rocco, ma Delicato non colse l'ironia. «Io co' 'sta Gina ci devo parlare. Me la chiama?».

«Non potrà venire, a quest'ora starà dalla signora Angelica a farle compagnia».

«E sticazzi Carlo! C'è un omicidio di mezzo, eppure sembrava che avesse capito. Forza, la chiami e dica alla Gina di venire di corsa».

«Sissignore». Il portiere prese il cellulare. «Pronto Gina? Sono Carlo... dovresti venire di corsa all'hotel... no, non per la stanza, è successo un fatto brutto... hanno ammazzato quello della 23. Sì, ti vogliono parlare, vieni...», chiuse la telefonata e guardò contento Rocco. «Ecco fatto».

«Bravo Carlo».

«Senta un po'» fece Baldi, «quando m'ha visto salire le scale per andare alla stanza 23, perché non mi ha chiesto niente?».

Carlo abbassò gli occhi. «La verità, dottore, è che io non l'ho vista».

«Questo non depone a favore della sua professionalità».

«Di solito dopo le dieci in albergo non viene più nessuno, a parte qualche fornitore. Allora avrò abbassato un po' la guardia».

«Ammazza» fece Rocco. «Entra uno sconosciuto, non le dice niente, sale le scale a cinque metri da lei e non se ne accorge?».

«Giuro di no».

«Quindi posso anche pensare» proseguì Rocco, «che

l'assassino sia uscito dalla porta principale in tutta tranquillità, tanto lei non s'accorge di un cazzo».

«Già» intervenne ancora Baldi, «e magari un rumore l'ha sentito ma non ci ha fatto caso, o forse ha pensato, che ne so?, a una stoviglia che cade, a un tubo spaccato, un legno spezzato...».

«Commissario, io non ho sentito proprio niente».

«Primo, io sono un magistrato e non un commissario. Secondo, neanche lui è un commissario ma un vicequestore. Quindi qui la parola commissario non si usa. È chiaro? Detto questo, se lei fosse stato più attento ci avrebbe facilitato il lavoro».

«Con chi era?» chiese brusco Rocco.

«Come?».

«Io sono entrato, lei è spuntato da una porticina accanto alla reception, quella che dà nella stanza che usate come ripostiglio, quindi le ripeto: con chi era?».

«Con nessuno. Ripiegavo gli asciugamani puliti».

Rocco lo guardò. «Secondo lei, in più di venti anni di professione quante persone ho interrogato? Diciamo un migliaio?».

«Ma anche di più, duemila» disse Baldi.

«Duemila? Un centinaio all'anno? Non è un po' troppo?».

«Giusto. Facciamo una media di cinquanta all'anno. Per venti fa mille. Aveva ragione».

«Bene, mille persone, e lei, Delicato, crede che io non mi accorga di quando qualcuno me rincojonisce de bucìe?».

«Bucìe?» chiese il portiere.

«Cazzate, stronzate, menzogne, falsità, frottole». Baldi sembrava non riuscire ad arrestare la sfilza di sinonimi. «Balle, fandonie, imposture, panzane...».

«Grazie, dottor Baldi, credo che il signor Delicato abbia compreso il concetto. Quindi torno a chiederle, e stavolta mi dica la verità: con chi era?».

Carlo Delicato abbassò il capo. «È sposata» confessò con un filo di voce. Quando rialzò gli occhi, Rocco e Baldi lo stavano osservando accigliati, due falchi su una preda sola.

«Gina» disse.

«Embè, e allora? Che non sono più padrona del tempo mio?». Rocco riconobbe subito la cadenza umbro-marchigiana di Gina, al secolo Luigina Casale, anni 41, piccolina, scura di carnagione, il leggero rossetto rosso scuro non nascondeva le grinze sul muso intorno alle labbra; coperta da un piumino viola, portava scarpe luccicanti con la suola di gomma. Le mani erano screpolate, solo due anelli, nessuna traccia di smalto, l'indice e il medio della destra erano ingialliti per la nicotina. «Ora si calmi e risponda. A me e al magistrato non interessa con chi si infratta, interessa sapere se mentre passava il tempo con il signor Delicato ha sentito qualcosa di strano. Un rumore, uno scoppio?».

«Ma che scoppio e scoppio. Stavamo nella stanza che si usa per rimettere a posto la roba, tanto io e mio marito non andiamo più d'accordo, mica me ne frega niente se...». Baldi sbatté la mano sul tavolo. Gina si spaventò. «E che è?» gridò saltando sulla sedia.

«Deve rispondere alle domande, limitarsi a quello, ci riesce?».

«Io mi devo difendere, lo sa? È facile accusarmi, ma bisogna sapere la storia fino in fondo. So' vent'anni che lavoro qui, mai un problema, mai un...», un altro cazzotto del magistrato sul piano di legno, Gina sobbalzò ancora e si azzittì. «A che ora è arrivata?».

«Alle sette e mezza, ero un po' in ritardo, mio marito s'era perso un documento. Ho cominciato a pulire il corridoio e i bagni dell'ultimo piano, poi ho rifatto le stanze dei clienti che so' usciti».

«L'ha visto quello della 23?».

«No. Stava dentro, non potevo rifa' la stanza, no?».

«È sceso per la colazione».

«E mi sa che stavo a rimette a posto le altre camere, perché non l'ho visto».

«A che ora s'è ritirata, diciamo così, con il Delicato nello stanzino?».

«Saranno state le nove e mezza, pure e tre quarti».

«Io sono entrato alle undici e ho visto Delicato uscire dalla stanza. Siete stati lì dentro più di un'ora?» chiese Rocco. «Non so, mi dà più l'idea che vi stavate facendo una sveltina, una roba da cinque, dieci minuti al massimo».

«Quello che stavamo a fa' sono fatti nostri».

«Quindi lei e Delicato siete stati più di un'ora?».

«No».

«Allora quanto?».

«Mi sa che sono entrata dopo, erano forse le dieci passate».

«Quando Delicato è uscito verso la reception, lei che ha fatto?».

«Sono andata via dalla porta sul retro, ho preso la macchina e ho guidato fino alla signora Angelica, che anzi me sta a aspetta'».

Schiavone guardò Baldi che prese la parola. «Mentre voi eravate nello sgabuzzino, qualcuno ha sparato all'uomo nella stanza 23».

Gina abbassò la testa un paio di volte. «Questo l'ho capito, e mi mette paura. Ma io lo giuro che non ho sentito niente».

«Ha parlato con qualcuno mentre faceva le pulizie?».

«No. Ho salutato quello della stanza 20, il croato, viene spesso qui, fa il camionista e si chiama Dragan».

«Nessun altro?» insistette Rocco.

«No, nessun altro».

Schiavone si alzò, osservò le mani di Gina. Da quando s'era seduta continuavano a tremare. «Di che ha paura, Luigina?».

«Di che? Di niente».

«Mi vuole dire la verità?».

Ma Gina strabuzzò gli occhi. «Gliel'ho detta».

«Per caso lei è entrata nella stanza numero 23 mentre il cliente era giù a fare colazione?».

«Io? No» rispose precipitandosi. «E perché sarei dovuta entra', scusi, eh?».

«Non lo so, me lo dica lei».

«Non sono entrata». Gina si portò le mani al petto come a proteggerle. «Vi giuro di no. Posso fumare?».

«No, e aspetti qui, non parli con nessuno e non provi a fare telefonate» le ordinò Baldi che poi raggiunse Rocco e insieme uscirono dal bar. Appena in corridoio il magistrato mandò un agente a controllare che Gina restasse seduta e soprattutto lontana dal cellulare. «Nasconde qualcosa» disse Rocco.

«Quanto la lasciamo con l'agente?».

«Un po'».

Baldi guardò la strada statale che passava poche decine di metri davanti all'albergo. Macchine e camion rallentavano per osservare le tre auto della polizia parcheggiate con le lucciole lampeggianti. «Io torno ad Aosta. Il numero della Pagani ce l'ha. Qualsiasi novità mi riferisca. Vado a seguire Richter, sono convinto che dobbiamo chiudere la storia. Mi tenga informato, Schiavone».

«Ci conti».

«Comunque, ed è la verità, mi sono divertito oggi a stare con lei. Molto meglio che chiuso in procura. Lei che idea s'è fatto?».

«Ancora nessuna. Mi servono un po' di tasselli per capire».

«A più tardi allora. La chiamo se dovessi avere bisogno di lei. Non è che Richter lo possiamo tenere tutto 'sto tempo». Baldi si allontanò fischiettando. Rocco si accese una sigaretta. Ciasullo, il vicequestore di Varese, si avvicinò. «Dici che la donna c'entra?».

«È nervosa come un aspide, le tremano le mani, aggredisce, io dico che nasconde qualcosa. La lascio lì per un po'...».

«Io vado in questura. Ti comunico calibro e novità appena ce li ho».

«Hai fatto controllare tutte le auto nel parcheggio?».

«Tutte, e sono risalito ai proprietari. Insomma, la vittima sembra sia arrivata a piedi. Strano, no?».

Guardò alla sua sinistra, verso il confine di Stato. «La verità è che lo sport preferito di Baiocchi era rubare le macchine e fare rapine ai distributori. Niente di più facile che l'abbia abbandonata chissà dove».

«Continuo a fare le ricerche». Ciasullo si allontanò con le mani in tasca. Rocco aveva bisogno di una passeggiata, per riordinare le idee. Tornò verso l'auto, entrò e dal cassettino prese un cannone già rollato. Lo accese e cominciò a fumarlo. Aprì uno spiraglio d'aria per non soffocare.

«Dovresti essere contento» mi dice. Di giorno non la vedo quasi mai.

«Com'è a quest'ora?» le chiedo. Marina guarda fuori. «Hai capito il senso della parola. Un giorno dovrai toglierti il mondo dalle spalle, Rocco. Guarda che può andare avanti anche senza di te».

«Non ci riesco».

«Fallo. Pare si chiami complesso di Atlante». Alla fine che si è messa in testa? Una seduta di analisi. «Quanto le devo, dottore?», e Marina scoppia a ridere. «Però, un'altra storia che si chiude, no?». Non mi va di voltarmi, la guardo attraverso lo specchietto retrovisore. «Dici? Perché io ho la sensazione che si sia aperto un baratro. Ma non ho voglia di parlare con te di queste cose. Ho da dirti invece che stanotte ti ho sognata».

«Ah, sì? E che facevo?». Sorridiamo insieme.

«Eravamo a New York. Quando mi sono svegliato m'è dispiaciuto che il sogno non fosse un ricordo».

«Lo so».

«Cosa sai?».

«Che mi hai sognata. Io li conosco i tuoi sogni. Ci vivo dentro, te lo sei scordato?».

«Come si sta nei miei sogni?».

«Scomodi» mi risponde. Dallo specchietto vedo arrivare Furio e Brizio. Marina se n'è andata.

Brizio bussò sul vetro, Rocco aprì la portiera. I due amici entrarono. «Ce n'hai una per me?» chiese Furio.

«No, solo questa». Gliela passò. Furio fece un tiro generoso, passò la canna a Brizio. «Bene, so' contento, 'sto fijo de 'na mignotta ha avuto quello che andava cercando da tempo. Dici che è stato Sebastiano?».

«La storia puzza, frate'» disse Rocco. «Ma Sebastiano secondo me non c'entra niente. È facile, fare due più due. Sebastiano lo sapeva in Svizzera, questo invece è rientrato in Italia per parlare con Baldi. Mo' a meno che Sebastiano non abbia qualche spia che non conosco, è arrivato troppo presto al bersaglio. Secondo, Sebastiano lo odiava. Forte. Ce lo vedete che gli spara un solo colpo al cuore?».

Furio e Brizio rimasero in silenzio. Rocco buttò la cicca dal finestrino. «No, Furio. Sebastiano addosso gli scaricava la pistola. E poi c'è un dettaglio che mica fa ride».

«Di' un po'?».

«Abbiamo trovato la finestra aperta».
«E vabbè, magari il tizio gli ha sparato e poi è uscito da lì».
«E quindi da dove è entrato?».
«Dalla porta» propose Brizio.
«Il cadavere era steso coi piedi verso la finestra e la testa verso la porta, questo significa che l'omicida era accanto alla finestra».
«O magari infrattato nel bagno? Poi è uscito e l'ha segato» disse Furio.
«Avrà forzato la serratura. Sai che ce vole a apri', mica era una blindata».
«Ve manca un dettaglio. In bagno c'erano gli asciugamani buttati per terra, se si fosse infrattato io una traccia, un'orma, visto che il bagno saranno tre metri quadrati, avrei dovuto trovarla. Invece niente. So' immacolati. Secondo l'agente della scientifica nel cesso stamattina non è entrato nessuno».
«Aspetta però, spiegame, Rocco» fece Furio. «Se è entrato dalla finestra, doveva forzare la serratura, no?».
«E non era forzata» rispose Rocco.
«Quindi?».
«Quello è comunque entrato dalla finestra, ha aspettato che Baiocchi tornasse dalla colazione, appena dentro gli ha sparato».
«Ma come è entrato se non l'ha forzata?».
«Ci sto lavorando... ora resta un dettaglio terribile, il che mi fa pensare che non è stato Sebastiano». Rocco si voltò per poter guardare negli occhi sia Brizio, seduto accanto a lui, che Furio sul sedi-

le di dietro. «Baldi ha ricevuto un SMS qualche minuto prima delle undici da Baiocchi. Ma io sono convinto che quello era già morto. La domanda è: chi l'ha mandato? E soprattutto, chiunque fosse, sapeva dell'incontro».

Furio si passò la mano sulla pelata. «Si sa a che ora è morto?».

«Sto aspettando, e anche se sento la mancanza di Fumagalli è piuttosto facile. È morto fra le dieci e un quarto e le dieci e mezza, appena è rientrato in camera dalla colazione. Ma una risposta così precisa da un patologo non l'avremo mai».

«E allora, chi ha mandato il messaggio al magistrato?» intervenne Brizio.

«Furio, te stavi sul retro. Hai visto niente?».

«Niente. Solo una donnina che usciva da una stanza ed è salita in macchina. Perché?».

Rocco annuì. «L'assassino è scappato dal retro...».

«Non è che hai visto Seba e non ce lo dici?» chiese Brizio.

«A Bri', ma vaffanculo! Dove dormite?».

«A Cantello... qui vicino».

«'Sto posto mi fa schifo. Pigliateme 'na stanza pure a me. Ci vediamo lì».

Trovò Gina ancora seduta al bar. L'agente di guardia osservava distratto il paesaggio fuori dalla finestra. «Vada pure, ora ci sono io» gli disse. «Gina, come va?».

«Me so' rotta» rispose quella come se fosse offesa.

«E immagino. Adesso si alzi e mi mostri tutto quello che ha fatto, da quando è arrivata stamattina».

Gina guardò Schiavone senza capire.

«Forza, dov'è andata?».

«Prima a prendere il carrello al piano terra, ci ho messo sopra lenzuola e asciugamani. Dovevo rifa' la 11, la 15, la 18 e la 20, quelle libere insomma. So' passata davanti alle colazioni, sulle scale ho visto Dragan e ci siamo salutati. Poi ho cominciato coi due bagni di corridoio al secondo piano, solo quelli, lì non ci so' stanze affittate».

«Saltiamo pure. Dove andiamo dopo?».

«Al primo piano».

Salirono le scale. Gina, incerta, si sentiva presa in giro dal poliziotto e ogni tre gradini lo guardava interrogativa. «Dunque?».

«So' arrivata con l'ascensore. Per prima cosa io apro tutte le stanze, spalanco le finestre e faccio pigliare aria, poi comincio con la prima vicino all'ascensore. Si va più veloce».

«Come le apre le porte delle camere?».

«Col passpartù».

«Dove lo tiene?».

«In tasca, nel giaccone», e per avvalorare l'affermazione tirò fuori una chiave universale. «Questo, vede? Lo porto con me».

«Lei lavora col giaccone addosso?».

«Io?».

«No, stocazzo».

«Ah...», Gina ci pensò su qualche secondo. «No, me lo levo sennò sudo».

«E dove lo mette?».

«Lo appendo al carrello che lascio in corridoio dove tengo li stracci, saponi, lenzuola e asciugamani».

«Quanto ci mette a fare una stanza?».

«Dipende. Quella di Dragan pure quindici minuti perché è uno zozzone, le altre magari di meno».

«La stanza 23 è dietro l'angolo» disse Rocco. «Mentre lei lavorava alle altre, non la vedeva».

«E no. Lo sapevo che dentro c'era ancora il cliente, me so' messa a puli' e non ci ho pensato più».

«A che ora ha finito?».

«Non me ricordo, però mi sa alle dieci passate».

«Carlo dice che il tizio della 23 alle nove e mezza è sceso a fare colazione. Lei a quell'ora stava ancora qui di conseguenza».

«Ma giuro su Dio che non l'ho visto».

«Gina, ora mi ascolti perché è importante. Ha notato qualcuno passare per il corridoio?».

Gina ci pensò su. «Magari lei pensava fosse Carlo, oppure un cliente di una delle stanze che stava pulendo».

«No, giuro che non ho visto nessuno... io canto».

«Che vuol dire?».

«Mentre lavoro, canto, penso ai fatti miei, non sto a vede' chi passa e chi no».

«Va bene. Diciamo che ha finito le stanze. Poi?».

«Fatta l'ultima ho chiuso, ho ripreso il carrello e sono tornata giù con l'ascensore».

«Poi è entrata da Carlo».

«Non proprio. Io stavo già nello sgabuzzino, devo mettere le robe sporche a lava', devo ripiega' gli asciugamani puliti se l'ha scaricati la lavanderia, le tovaglie sporche dalla sala delle colazioni, insomma c'ho un po' da fa'. Lui è entrato e... vabbè, che je devo di'? Du' bacetti...».

«Stop, basta così. Poi è andata via?».

«Sì, dal retro. Carlo invece è uscito dall'altra porta. So' entrata in macchina e sono partita».

«Alle undici».

«Eh. Forse, insomma quando lei e il giudice siete arrivati».

«E non ha visto niente?».

«No, niente. Lo giuro», e riprese a tremare, impercettibile, ma la cosa non sfuggì a Rocco.

«Non abbia paura, Gina. Nessuno le farà nulla». Accompagnati da un sussulto delle spalle gli occhi di Gina cominciarono a lacrimare. «Che succede? Che c'è?».

«Ho paura...».

«Ha visto qualcuno?».

«Mi lasci andare dalla signora Angelica, io non c'entro niente».

«Un uomo? Due?».

«Nessuno».

«E allora perché piange?».

«Lei mi fa paura».

«Gina, io faccio parte dei buoni. Mi dica chi erano, o chi era...».

Con un fazzoletto la donna si asciugò gli occhi che erano tornati distanti e freddi. «Io non ho visto nessuno».

Mentre il sole calava insieme alla temperatura, Rocco si avviò verso l'auto, voleva andare a comprare due sciocchezze per passare la notte in albergo. Provò a chiamare Sebastiano, ma il telefono era sempre staccato. Si fermò a un autogrill, prese lo spazzolino, il dentifricio, due bottiglie d'acqua e trovò anche una maglietta di ricambio con il logo della Ferrari. Fuori, davanti alle pompe di benzina, fu attratto da una pubblicità: «Assicurazioni Ras, fidati di chi conosci».

Afferrò il suggerimento al volo e prese il cellulare. «La vuoi una notizia in anticipo?».

«Buonasera anche a te. Dove sei?» gli chiese Sandra.

«In un paesino lombardo vicino al confine con la Svizzera».

«Aspetta che esco». Rocco sentì un chiacchiericcio, stampanti che vomitavano fogli, tastiere picchiettare, Sandra doveva essere ancora in redazione. «Ecco, sono sulle scale antincendio. Che fai laggiù?».

«Abbiamo appena trovato il corpo di un uomo morto nella stanza 23 dell'albergo... non mi ricordo il nome... Vabbè, a Gaggiolo sarà l'unico».

«Perché mi dovrebbe interessare? E da quando sei in forze a Gaggiolo, che non ho idea di dove sia?».

«Provincia di Varese».

«Allora?».

«Il cadavere è Enzo Baiocchi».

Sandra rimase in silenzio. «Baiocchi?».

«Vuoi che te lo ripeta?». Un grosso camion frenò cancellando le parole di Sandra. «Come?».

«Dicevo, molto interessante. Se mi hai chiamato vuoi qualcosa».

«Sì, voglio qualcosa. Un articolo, se chiami i tuoi colleghi a Torino e lo metti su pagina nazionale mi farebbe comodo».

«Mi stai manipolando per i tuoi interessi?».

«Esatto».

Sentì la giornalista ridere. «Che pezzo ti serve?».

«Racconta un po' chi era Enzo Baiocchi, chiediti cosa ci facesse vicino alla frontiera un ex collaboratore di giustizia che ha mandato in galera nomi importanti della società romana, ti farò avere l'elenco, e poi s'è dato alla macchia, smuovi un po' le acque, metti in mezzo anche il nome di un dirigente del Viminale».

«Sarebbe?».

«Mastrodomenico. Gerardo Mastrodomenico».

«E come ce lo metto dentro?».

«Di' che comandava all'epoca, nel 2007, le indagini sul traffico di cocaina quando fermai a Civitavecchia la banda di Luigi Baiocchi e Silvestrelli. Chiedi perché l'indagine si fermò lì, ai pesci piccoli, e che si sono dovute aspettare le confessioni di Enzo Baiocchi, sei anni dopo, per mandare in galera assessori, un generale, due avvocati e altra bella compagnia cantante».

«Cioè, fammi capire, dovrei lasciare la sensazione che questo Mastrodomenico non fece quanto era in suo potere per approfondire?».

«Esatto».

Rocco sentì Sandra tirare una boccata alla sigaretta. «Perché?».

«Mi dai una mano. La storia è sempre quella, Sandra, e me la devo togliere di mezzo».

«Io non sono scema, e tu neanche. Cosa sospetti?».
«Sospetto che Baiocchi l'abbiano zittito».
«Chi?», Sandra aveva abbassato la voce.
«E qui non ti so rispondere. Ma lo sai com'è? Se fai fumo, le vespe scappano».
«Questa metafora è tua o l'hai letta da qualche parte? Perché è orrenda».
«Non lo so, mi sa che l'ho letta».
«Va bene, lo faccio. A parte questo hai altro da dirmi?».
Rocco lo sapeva, quelli erano momenti, secondi, in cui le parole pesano come pietre, e andavano usate con parsimonia, senza ascoltare la pancia. Restare razionali e non uscire dal seminato, perché quei momenti, appunto, valevano anni di frasi non dette. «Sì, sei una persona preziosa».
«Grazie. Altro?».
«Altro, ma non al telefono».
«Trucco da adolescente».
«Allora dimmi tu qualcosa che...».
«Mi manchi».
Rocco deglutì. «Lo dici sul serio?».
Sandra sbuffò. «Sono sulle scale antincendio al freddo, ho appena buttato giù la sigaretta, batto i denti, ti pare che ho voglia di scherzare?».
«Vuoi ripetere?».
«Sei sordo? Ho detto, sono sulla scala antincendio del giornale, ho appena lanciato giù la sigaretta che s'è spiaccicata nella neve, batto i denti dal freddo e...».
«Grazie Sandra, mi hai appena acceso una luce. Come cazzo ho fatto a non pensarci?».

«A che, scusa?».

«Un dettaglio importantissimo! A dopo, giuro che ti richiamo».

«Disse Ulisse a Calipso».

Finalmente lesse il nome dell'albergo grazie al neon giallo che dominava il tetto del portico d'entrata. «Hotel della Dogana», riportava la scritta. Rocco pensò che i proprietari non difettavano certo di fantasia e creatività. Trovò il portiere di notte, Filippo Lippi. «Due favori. Primo mi dia una torcia». L'uomo si chinò, armeggiò sotto il bancone, ne uscì con una pila. Dopo averla provata la consegnò a Rocco. «Secondo favore. Vada al primo piano e si affacci alla stanza numero 11. Accenda la luce e aspetti lì. Si porti le chiavi anche delle...», fece uno sforzo di memoria, «15, 18 e 20, insomma quelle che ieri erano occupate oltre alla 23, è chiaro?».

«Sissignore, mi porto il passepartout che faccio prima» lo rassicurò l'oritteropo. Rocco fece il giro dell'albergo per ritrovarsi sul retro. Attese che Lippi si affacciasse. La stanza numero 11 era alla sua destra. «Bene...» gli disse appena lo vide sbucare fuori, «resti lì». Accese la torcia e guardò a terra. L'asfalto era asciutto ma non trovò nulla. Rialzò lo sguardo. Le scale antincendio di metallo disegnavano un'acca sul retro dell'albergo. Filippo Lippi era ancora al suo posto, lo vedeva attraverso la grata del ponticello di comunicazione. «Va bene Filippo, ora passi alla successiva».

«La 15?».

«Bravo».

Il portiere sparì. Riapparve poco dopo, a due finestre di distanza. Rocco andò a guardare anche lì sotto, ma a parte una vecchia bustina di plastica che conteneva dei fazzoletti di carta non trovò nulla. «Forza Lippi, ora la 18».

Anche quella si illuminò e il portiere si affacciò. «Eccomi, dottore!». Rocco con la torcia inquadrò una cicca. Piccola, bianca, intorno al filtro un alone di rossetto. La prese in mano. «Chesterfield» disse, e fece una smorfia. «Ora, Lippi, mi serve che vada alla 23».

«Ma posso?».

«Se glielo dico io, tranquillo. Ma non tocchi il cornicione».

Lippi annuì e scomparve. Rocco attese mezzo minuto, poi dall'altra parte apparve il portiere che alzò la mano, come volesse salutarlo. Rocco osservò con attenzione l'angolo. Solo una colonna impediva la vista della 23 dalla 20, ma non dalla 18. Chiese conferma a Lippi. «Senta un po', secondo lei dalla 18 si vede la 23?».

«Direi di sì, io da qui la vedo. Non vedo la 20, ma le altre finestre accese sì».

«Grazie Lippi. Basta così. Lei si ricorda chi alloggiava alla 18?».

Il portiere ci pensò un attimo. «Fabrizio Lilli, il cavaliere...».

«Grazie. Le lascio la torcia alla reception».

La stanza di Brizio era accogliente, legarono con un elastico una busta di plastica intorno all'allarme antifumo e si accesero una sigaretta. Furio stava svaligiando il frigobar, Brizio si mise al telefono con Stella. «Sì amore, non lo so... sì, è un problema grosso... non ti posso parlare... ti chiamo appena finito, ma non ci vorrà molto», ogni tanto guardava Rocco.

«Furio, com'è che Brizio con Stella parla in italiano?».

«E che ne so?».

«Va bene, Stella... certo, co' Furio, vuoi che te lo passo? Come non te fidi... ti amo pure io... bacio e buonanotte», chiuse la telefonata. «Sempre convinta che sto con un'altra».

«Chissà perché?» chiese Furio.

«Te c'hai novità?».

«Sì. Devo far parlare quella delle pulizie. Ha visto qualcosa, ma se la fa sotto».

«Come vuoi fare?» chiese Brizio.

«Domattina le fate una visita. All'alba, a casa».

«Poi ce spieghi» disse Furio tracannando una mignon di J&B.

«Domani dovrei sapere qualcosa di più su calibro e ora della morte, anche se quella ormai è chiara».

«Hai provato a chiama' Seba?» chiese Furio.

«Dieci volte. Sempre staccato».

«Io c'ho avuto un'idea».

«E di' un po', Furio?».

«Che stamo tutti qua è inutile. Allora io torno a Roma dopo che avemo fatto visita a questa delle pulizie, Brizio resta con te. Me piazzo a casa de Sebastiano, ora che sa quello che è successo capace che torna. O magari, rimette er muso a Roma».

«So' d'accordo» fece Brizio. «Vòi la macchina?».

«Vado in treno. La sai la novità, Rocco? Ho perso un par de diottrie, me devo fa' l'occhiali».

«Che tristezza» disse Brizio.

«Ce dovemo fa' tutti i conti» sentenziò Rocco.

«Con che?».

«Con l'annite. È una brutta malattia che prende tutti, e non fa prigionieri».

Rocco entrò in stanza, stanco come avesse corso una maratona, sullo stomaco la cena pesante dell'albergo. Scolò la mezza bottiglia di minerale del frigobar e si gettò sul letto. Un campanello suonò dal cellulare. C'era un messaggio di Gabriele.

«MAJOR TOM TO GROUND CONTROL: TUTTO BENISSIMO, OGGI È STATO UN LUNEDÌ ELETTRIZZANTE E PIENO DI NOVITÀ. SONO ANDATO A SCUOLA, MI HANNO INTERROGATO E HO PRESO QUATTRO. IN COMPENSO HO CONOSCIUTO MIRKO. HA UNA BAND, VOGLIONO UN BASSISTA, DOMANI COMINCIAMO LE PROVE. TU COME STAI GROUND CONTROL? C'È BISOGNO CHE TI DICA CHE MI MANCHI?».

«GROUND CONTROL TO MAJOR TOM: IL QUATTRO NON VA BENE PER NIENTE. POSSIBILE CHE SEI COSÌ PIPPA? LA MATERIA?».

«FISICA».

«E SO' DUE CAZZATE, GABRIE'!».

«SARÀ, MA IO NON LE SAPEVO».

«MAMMA COME STA?».

«BOH. LAVORA. NON PARLIAMO MOLTO. HO SCOPERTO CHE LA METROPOLITANA È COMODA. ORA HO IMPA-

RATO A PRENDERLA E SO TUTTE LE FERMATE. LE VUOI SENTIRE?».

«PREFERIREI TU SAPESSI FISICA E LATINO, NON LE FERMATE DELLA METRO. COMUNQUE NON TI STAI PERDENDO NIENTE. NEVE, FREDDO, POCA LUCE, IL SOLITO».

«E ADESSO LA NOTIZIA DELL'ANNO. MARGHERITA, TI RICORDI? VIENE A MILANO ANCHE LEI. HANNO TRASFERITO IL PADRE. TI RENDI CONTO? RIVEDO MARGHERITA».

«LA NOTIZIA MI RIEMPIE DI GIOIA. DICO SUL SERIO. QUINDI SE PRIMA PRENDEVI 4 A FISICA PREVEDO UN ULTERIORE ABBASSAMENTO DEL LIVELLO SCOLASTICO».

«E QUI TI SBAGLI. RICORDATI CHE MARGHERITA È BRAVISSIMA A SCUOLA. E SE VOGLIO AVERE QUALCHE CHANCE, CARO GROUND CONTROL, NON POSSO FARE QUESTE FIGURE. NO? SENTI LA BAND NON HA UN NOME. SI ACCETTANO SUGGERIMENTI».

«GLI SCATARRI?».

«NON MI FAI RIDERE GROUND CONTROL. IO PENSAVO A UNA COSA DEL TIPO: VICOLO CANNERY».

«E PERCHÉ DI GRAZIA?».

«BOH. È UN LIBRO CHE HA MAMMA. MI PIACE IL TITOLO».

«LEGGILO PRIMA. COMUNQUE PARLA DI UNA BANDA DI SFIGATI. FORSE È IL NOME GIUSTO PER IL TUO GRUPPO».

«MA QUANTE NE SAI? VABBÈ, VADO A DORMIRE. BUONANOTTE ROCCO».

«'NOTTE GABRIELE. IL PROSSIMO MESSAGGIO SOLO SE PIGLI LA SUFFICIENZA».

Mise via il cellulare ma non fece in tempo a posarlo

sul comodino che l'inno alla gioia risuonò. «Ma porca troia!». Era Baldi. «Sono ancora a Varese, dottore».

«E invece domattina alle otto lei è qui. Si era dimenticato di Richter?».

«Cazzo...» disse tra i denti.

«Perché, voleva farsi un riposino?».

«Era quella l'intenzione».

«Si metta in viaggio, ci vediamo».

«Guardi che non è mica tutto chiaro quaggiù».

«E allora? Dopo Richter lei riprenderà l'auto e tornerà a Varese. E che sarà mai? Tempo per dormire, Schiavone, ne avremo dopo la pensione!».

Si mise in macchina con le palpebre che calavano e le luci delle auto in senso opposto che lo accecavano. Si fermò a un autogrill per un caffè. C'erano solo camionisti e due poliziotti. Prese il cellulare e chiamò.

«Michele? Sono Rocco. Come va Lupa?».

Michele Deruta era a letto mentre Federico, davanti alla televisione in salone, seguiva un film horror aspettando l'orario per andare al forno. Deruta guardò Lupa, dormiva beata sulla cuccia accanto a Zanna Bianca che non la mollava di un centimetro. «Bene, dottore, mangia, corre e si diverte con Zanna». Avrebbe voluto aggiungere: «Non sa quanto», ma evitò.

«Ti ringrazio, Deruta. Io non so quando rientro. Spero al più presto».

«Stia tranquillo, dottore, qui è tutto sotto controllo. Posso sapere dov'è?».

«Vicino alla Svizzera. Io e Baldi lavoriamo su un caso».
«Compri la cioccolata!» disse felice l'agente.
«Possibile che non riesci a pensare a altro?».
«No». Poi abbassò la voce. «M'ha messo a dieta».
«E ha fatto bene. 'Notte Miche'».
«'Notte dottore».

Rocco finì il caffè e tornò in auto. Riprese a guidare verso Aosta e pensò solo a restare sveglio. Mancava ancora una telefonata da fare, ma gli era passata di mente. Aveva ragione Sandra, come Ulisse con Calipso, non la richiamò.

Michele Deruta si alzò dal letto. Aggirò il divano occupato da Federico ipnotizzato dal televisore dove un paio di streghe volanti terrorizzava gli abitanti di un villaggio. Aprì il frigo e si infilò in bocca un würstel, lo inghiottì senza masticare.
«Non sono riuscito a dirglielo».
«Prima o poi dobbiamo farlo, Michele. Se Zanna ha fatto centro, non è che lo si possa nascondere».

Martedì

Era ancora buio quando Gina si alzò dal letto. Suo marito Mario grugnì e si girò dall'altra parte. La casa era umida, saggiò il termosifone, era ancora tiepido. Andò in bagno senza curarsi di muoversi in silenzio. Quando Mario aveva un lavoro, Gina ogni mattina si svegliava insieme a suo marito, si gettava una vestaglia addosso per andare al pollaio a prendere le uova e spargere il miglio per le galline, poi rientrava in casa e gli preparava caffè, colazione e pranzo da portarsi in officina. Quello usciva di casa senza un grazie mentre Gina già pensava alla cena, si vestiva e alle sei prendeva l'autobus per l'albergo. Finiti i servizi al motel, l'aspettavano due appartamenti e la sera i tavoli della rosticceria vicino alla dogana. Quando rientrava a casa dopo aver assicurato cibo e ricovero notturno alle galline, Mario era già sotto le coperte con la pancia piena e non si era preoccupato di sparecchiare e di mettere i piatti nel lavello. Gina consumava gli avanzi, se ce n'erano, di cucinare a quell'ora non aveva voglia, guardando qualche programma in televisione, poi anche lei stendeva le ossa sul materasso e si addormentava. Il giorno dopo tutto daccapo. Ma adesso i tempi erano cambiati. Mario non lavorava da un anno e mezzo, soldi a casa non ne portava, Gina era quindi esentata dal preparargli colazione, pranzo e cena. «A che ora torni?» le chiese con una voce catarrosa soffocata dal cuscino. «Dormi, sono le cinque e un quarto...», uscì per prendersi cura delle galline. Ne aveva otto, ottime ovaiole, il gallo invece sembrava avesse perso la voglia di campare. Erano tre giorni che se ne stava sul tettuccio del pollaio a guardare il cielo. Neanche cantava più. Gettò a terra chicchi di mais e tutte si lanciarono a becchettare. Trovò tre uova, un buon risultato in quel freddo invernale. Chiuse il cancelletto di rete di ferro e tornò verso casa. Due ombre apparse dal nulla le sbarravano la strada. «Gina Casale?» chiese quello coi capelli rossi. L'altro se ne stava con le mani in tasca a fumare una sigaretta. Due visi da spaventarsi, per poco non le caddero le uova di mano. «Sì?» disse e si guardò intorno. La strada buia oltre il giardino, solo due lampioni lontani illuminavano una decina di macchine parcheggiate. Nelle altre casette a un piano le finestre erano spente. Dunque era sola con quei due e nessuno nelle vicinanze cui chiedere aiuto. Le galline mangiavano e chiocciavano. Quello coi capelli rossi avanzò di un passo. Mezzo metro più alto di lei, aveva gli occhi dell'assassino, freddi e senza anima. Tirò fuori un pacchetto di sigarette. «Chesterfield, sono quelle che fumi tu, no? Ne vuoi una?». Gina non rispose. Il tizio la squadrò, Gina si strinse la vestaglietta al petto. «Tu hai visto» disse. «Che... cosa ho visto?». Si fece avanti l'altro, quello con meno capelli ma anche lui con gli occhi di un diavolo. «Ieri mattina eri affacciata alla finestra per fumare e hai visto».

«Non mi fate male, io non ho visto niente, non dirò niente, neanche mi ricordo».

«Cosa non dici? Allora è vero, hai visto» disse ancora quello coi capelli rossi. «Eri nella stanza numero 18 e stavi fumando».

Gina annuì in silenzio.

«Mi racconti, Gina?».

«C'era uno nella stanza dove hanno ammazzato quel tizio...».

«Dov'era?».

«Dentro. Richiudeva la finestra».

«Lui ti ha visto?».

«Non lo so. Ha guardato verso di me... Chi... chi siete voi?».

«Mettiamola così» intervenne quello con pochi capelli, anche lui la superava di mezzo metro. «Siamo quelli che se parli sono amici, se stai zitta diventano cattivi».

«Com'era?», il rosso stava diventando impaziente.

«Chi?».

«Non fare la deficiente. Com'era l'uomo nella stanza 23?».

«Aveva una cinquantina di anni, più o meno».

«I capelli?».

«Non lo so. Portava un berretto di lana».

«Un giubbotto? Forza Gina, non è che ti devo tirare fuori le informazioni con le tenaglie, vero? Perché ce l'ho in macchina».

«Blu, il giubbotto era blu. E aveva i guanti. La faccia magra, magra di un morto».

Furio guardò Brizio. Poi si rivolse ancora a Gina: «E tu che hai fatto?».

«Niente. Sono rientrata e ho finito di lavorare».

«Quando sei uscita dallo sgabuzzino, dopo che hai scopato con quello, hai visto niente nel piazzale sul retro?».

«Niente, lo giuro».

I due uomini la guardavano e non parlavano. Con tutta calma il rosso si accese una sigaretta e sputò il fumo bianco verso il cielo. Era più denso del fiato. «Ci vediamo in giro» disse, e i due come erano apparsi sparirono inghiottiti dal buio della strada. Gina con la mano tremante girò la chiave ed entrò in casa. A passo lento andò in cucina e poggiò le uova su un canovaccio. Si sedette e si strinse le braccia al petto. «Mi prepari il caffè?» sentì grugnire Mario dalla stanza da letto. Ma Gina non rispose. Adesso che era lei a portare i soldi a casa avrebbe dovuto essere suo marito a organizzarle la colazione, il pranzo e la cena quando rientrava stanca dal lavoro. Ma oramai Mario era poco più di un impiccio, un coinquilino, un ostacolo disordinato. Gina si alzò, cominciò a prepararsi il caffè. Il primo cucchiaino di polvere finì fuori dal filtro. Strizzò gli occhi e ripeté l'operazione cercando di tenere ferme le mani. Poi avvitò il bricco intorno alla caldaia e mise la moka sul fuoco. «Me lo prepari il caffè oppure no?».

«Vai a farti fottere, Mario» ringhiò. Non si chiese chi fossero quei due, solo pregò la Madonna dell'Ambro di non farglieli incontrare mai più.

Michela Gambino lo fermò all'entrata della questura. Teneva in mano una busta. «Ciao Rocco. Hai la faccia distrutta».

«Vorrei vedere te. Non ho chiuso occhio neanche stanotte».

«Prenditi un Halcion».

«Guidavo».

«Allora meglio di no». Michela aprì la busta marrone e tirò fuori una fotografia che mostrò a Rocco. Era una proiezione dell'orma ritrovata sul tappeto di casa Martinet. «Lavoro sui dettagli dell'omicidio di via Ponte Romano. Sto facendo un raffronto fra il consumo della suola di questa traccia e delle scarpe che abbiamo preso a Karl Richter. Per ora l'usura combacia su almeno sette punti. Io non ho dubbi sia la sua...». Rocco se ne stava con le mani intrecciate dietro la schiena a guardare quella strana fotografia di una suola biancastra, spettrale, con i contorni blu, verdi e gialli luminescenti, sembrava l'immagine di una scarpa passata sotto i raggi X. «Vedi? Ho evidenziato coi colori i punti di coincidenza. Abbiamo la fortuna che Richter usi scarpe con la suola in cuoio, col vibram o altre mescole non avremmo ottenuto lo stesso risultato».

«Grazie Michela. Sto andando da lui, vuoi fare un salto?».

«Con tutto quello che ho da fare?», e sparì nella scala che conduceva al suo laboratorio.

In 42 ore il viso di Richter aveva assunto le fattezze di una maschera di disperazione. Sembrava più pallido, i capelli spettinati, il maglione stropicciato. Una metamorfosi che Rocco aveva già visto tante volte. Le attese, i poliziotti che non ti rivolgono la parola, il non sapere niente del tuo destino, solo la coscienza di essere all'inizio di un calvario infinito che sarebbe potuto durare anni. Rocco lo guardava in silenzio, e più lo osservava più si convinceva della sua colpevolezza. Altri tre giorni e avrebbe confessato lo scatto d'ira per vendicarsi di Sofia e della fregatura che gli aveva dato. La professoressa Martinet, artefice della sua disfatta economica, professionale, sentimentale, doveva pagarla. Provava solo un profondo disprezzo per quell'uomo, e come al solito nessuna soddisfazione per avergli messo le mani addosso. «Tradito da un'imprecazione nella sua lingua madre. Non lo trova buffo, dopo che lei è diventato qualcuno qui in Italia e grazie a un genio italiano?».

Richter non rispose. Si guardava le mani. «Non poteva limitarsi a picchiarla? Doveva proprio ammazzarla?». Rocco si allungò sulla sedia e si accese la sigaretta. Dalla finestrella in alto il cielo nero era screziato dai fari arancioni del piazzale antistante la prigione. «Lei sta solo allungando i tempi perché è colpevole quanto una mina antiuomo. Le consiglio il rito abbreviato, c'è speranza che le scontino un po' di anni. Poi ci sono un sacco di facilitazioni, lo sa? Magari fra un sette, otto anni le concedono i domiciliari. Invece se sta zitto di anni gliene danno una trentina e dal carcere lei esce coi piedi davanti. Ecco, le ho fatto il discorsetto».

«Io voglio l'avvocato».

«Che sta arrivando. Ora io le chiedo: se l'ho inquisita, è perché sono un deficiente? Lei sa di essere colpevole. Sa che siamo già risaliti alla Toyota che ha affittato all'aeroporto Caselle di Torino il giorno prima dell'omicidio, e sa che non ha un alibi per raccontarci dov'è andato, percorrendo più di 200 chilometri e restituendo l'auto verso le sei del pomeriggio di lunedì. Sa anche che adesso ho tutti i miei uomini alla ricerca di immagini sulle telecamere a circuito chiuso intorno a casa di Sofia Martinet, e sa che prima o poi la becchiamo. Come ormai avrà capito, abbiamo più di un indizio che ci porta a lei, ostinandosi a mentire lei allunga solo i tempi. Invece con spirito sportivo e animo sollevato, dovrebbe ammettere che la partita è chiusa, lei ha perso, paga quello che deve pagare e una volta fuori di qui si ricostruirà un'esistenza per gli anni che le rimangono. Magari qualche incubo, Sofia tornerà a visitarla di notte, ma credo che lei sopporterà lo strazio. Finora le è riuscito, no?».

«Lei parla così perché in mano non ha un bel niente e le serve che io scriva una confessione».

«Sbaglia. Faccio un esempio? Le scarpe» gli disse guardandogli le calzature prive di lacci. «È lì che la inchiodo. Il capello, l'auto in affitto... sempre se Hjørdis regge. Perché ora cominciamo a fare le domande pure a lei. E quando le chiederemo dov'era lunedì scorso, io mi gioco la pensione che la sua compagna due chiacchiere con noi se le fa».

«Tutte congetture».

«E non dimentichi un altro dettaglio. L'ha preso lei l'anello?».

«Quale anello?».

«Abbiamo trovato della saliva sul dito di Sofia, fare un confronto con lei sarà un piacere. Non è una prova che la inchioda questa?».

Richter stava per rispondere ma si bloccò perché la porta si aprì. Entrò Baldi seguito da un uomo in giacca e cravatta. «Ecco l'avvocato, dottor Richter...» fece Baldi. «Avvocato Biserni, lei conosce già il vicequestore».

«Sì, ci siamo incontrati», si strinsero la mano. Il viso dell'avvocato era nero come un'ombra.

«Caro Richter» fece Baldi, «ho interessanti novità per lei. Lo sa? I nostri agenti hanno controllato un sacco di filmati, anche il suo avvocato li ha visti, e indovini un po'?».

Richter guardò il suo legale con occhi disperati. Quello si aggiustò la cravatta e sospirò. «Lei parcheggia l'auto in affitto alle 12 e 30 a via Mont Zerbion».

«E questo che vuol dire?».

«Niente!» fece Baldi. «Solo che lei mezz'ora prima che Sofia Martinet morisse ha parcheggiato l'auto a cento metri da casa sua. Non solo» proseguì, «ma ha recuperato l'auto alle 13, come da filmato. Il fatto divertente è che lei indossa un cappotto di tweed grigio scuro e lascia il parcheggio alle 13 e 05. Quindi mi chiedo, anzi lo chiedo a lei: dove è stato fra le 12 e 30 e l'una di lunedì? A guardare la bellezza insostenibile dell'Arco di Augusto? A mangiare un paio di tegole? Oppure a bearsi del fascino del Ponte Romano? Ha preso un aereo da Francoforte domenica per una visita così importante da fare il lunedì?».

Richter non rispose. L'avvocato si sedette accanto al suo assistito.

«Vi lasciamo soli» disse Baldi. «Vi consiglio una strategia difensiva per evitare il peggio, Richter, perché lei è nella merda fino al collo».

Baldi e Rocco si ritrovarono in corridoio. «Sembra che qui la storia vada per le lunghe».

«Già» fece Rocco e si mise a guardare il pavimento.

«Che fa, torna a Varese?».

«Certo che torno a Varese. E stanotte spero di dormire».

«Guidi con prudenza. Il tempo è orrendo. Vediamo di stare lontani da ospedali e funerali per un po' di tempo».

Una luce illuminò gli occhi del vicequestore. «Che coglione!» disse.

«Ce l'ha con me?» rispose serafico Baldi.

«No, io che coglione. Vuole sapere la verità? Faccia riesumare il corpo di Sofia».

Baldi aggrottò le sopracciglia. «Cioè?».

«Riapra la bara».

«E cosa ci trovo oltre alla salma?».

«L'anello».

«L'anello? Quello rubato alla Martinet?».

«Sì. E ce l'ha messo Richter. Ho assistito ai funerali. A parte i becchini nessuno s'è avvicinato alla cassa aperta. Solo lui. E l'ha toccata per ben due volte, dottore. È stato allora che ne ha approfittato per far scivolare dentro l'anello. Faccia come le dico, e vedrà che ho ragione!».

«E se non ha ragione? Che figura faccio?».

«Come sempre, dottore, dia la colpa a me. Se invece c'è l'anello si prenda gli encomi».

«Robe', non me ne frega un cazzo di fare il giro turistico della questura di Varese» disse Rocco al suo collega Ciasullo. «Sono stanco, non ho dormito, ho fatto due ore e passa di macchina. Fermiamoci pure a 'sto piano e dimmi tutto».

C'era un viavai di agenti, sembravano tutti indaffarati, niente a che vedere col ritmo più cadenzato e assopito di Aosta. «Due notizie. È stato ritrovato un cellulare a una ventina di metri dal piazzale sul retro dell'albergo».

«Impronte?».

«Ci stanno lavorando. Intanto sappiamo il numero».

«A chi appartiene?».

«Non lo so, è un prepagato».

«E te pareva!» disse Rocco. «Cosa c'è dentro?».

«Nessuna chiamata in partenza, nessuna chiamata in arrivo, nessun messaggio, come se fosse stato ripulito. Non ha una segreteria e non registra le chiamate ricevute in caso di spegnimento del telefono. Solo sulla rubrica una cifra stranissima», e dalla tasca tirò fuori un pezzetto di carta.

«Sarebbe?».

«CL/XBY24668 SCC. Che vuol dire?».

«E che ne so, Robe'? CL slash XBY?».

«24668 SCC».

«Può essere qualsiasi cosa. Una password, una targa, un numero di una spedizione, tutto».

«Vero, però, Rocco, se è stato memorizzato ha una sua importanza, no?».

«Direi. Mandami un messaggio con questa cifra. L'altra notizia?».

«Il calibro dell'arma. Sette e sessantadue».

«Sei certo?».

«Al cento per cento. Sarà difficilotto risalire all'arma senza bossolo, ma ci stanno lavorando. Tieni» disse consegnandogli un foglio di carta. «Ti ho messo il numero di cellulare ritrovato e i dettagli del proiettile», passò un'agente mora e riccia che salutò Ciasullo. A Rocco sembrò che il collega cominciasse a scodinzolare. «Non ti distrarre, Roberto. Non vorrei andare a parlare col patologo».

«E invece speravo lo facessi te. Io gli obitori non li reggo. Mi viene da vomitare. Puoi?».

Rocco alzò gli occhi al cielo e pensò a Italo Pierron. «Mi ricordi un mio agente che si sente male non appena vede un cadavere».

«Sulla nota che ti ho dato ho messo anche l'indirizzo dell'ospedale».

«Bene. Il patologo si chiama?».

«Dottor Muzii, con due i mi raccomando, ci tiene».

«E mica lo devo scrive. Ti ringrazio, Robe'. Mi fai avere i dettagli in questura ad Aosta?».

«Contaci» rispose il collega.

Rocco si allontanò guardando gli appunti scritti a mano dal collega. Poi tornò indietro. «Roberto, il numero del cellulare ritrovato è 338 54 poi questo che è, un 5?».

«No un due».

«E questo?».

«Un tre».

«Potevi fa' il medico, hai una grafia che fa cacare». Scese le scale e tornò all'ingresso della questura. Appena in strada prese il telefonino. «Alberto?».

«Che c'è, Rocco?», Fumagalli aveva la voce spenta. Rocco lo sopportava meglio quando aveva la voce spenta. «Non mi dire che hai un'altra rottura di coglioni perché sono stanco e poi ho...».

«Ce l'ho ma non ti riguarda. Sto in Lombardia, poi ti spiego. Senti un po', conosci un tuo collega, tale Muzii con due i?».

«Un coglione».

«Lapidario?».

«Definitivo, apodittico, solenne. Studiava con me. Stirava il 20 a ogni esame. Non è capace di distinguere l'ano da una ferita d'arma da fuoco. Stai a Varese, allora?».

«Esatto».

«Io pensavo l'avessero radiato. Fa lui l'autopsia?».

«Lo sto raggiungendo all'ospedale».

«Sei fortunato, Muzii ha un aiuto, una dottoressa molto in gamba, giovane, trentadue anni. Cerca di parlare con lei e fidati. Si chiama Loredana Fumagalli».

«Parente?».

«Mia nipote» disse con orgoglio il patologo. «Ora la chiamo e la preparo al tuo arrivo. Oh, sia chiaro, mettiti l'uccello nei pantaloni sennò te lo taglio con il rachitome».

«Dicesi rachitome?».

«Strumento atto ad aprire le lamine delle vertebre... ma potrei usare anche una sega d'amputazione o se preferisci un divaricatore con doppio artiglio, a te la scelta».

«Hai di me un'immagine sbagliata. Mica so' un maniaco».

«No?».

«Chiama la nipotina, Alberto, evitami 'sto Muzii, dammi una mano che qui la storia è brutta parecchio».

«Chi è il fortunato?».

«Enzo Baiocchi».

«Oh cazzarola...» mormorò Fumagalli. «Dai, fammi telefonare a Loredana, cerco di evitarti Muzii con due i».

Muzii con due i gli andò incontro nel corridoio sotterraneo dell'ospedale. Piccolo e scattante, un evidente riporto a coprire la pelata, gli occhiali dalle lenti spessissime ingigantivano gli occhi. Alberto non era riuscito nell'impresa. «Lei è Schiavone? Sì? Lasci perdere, come se io qui non avessi niente da fare, ora si accumula il lavoro ospedaliero con quello della procura, e cosa crede? Non stacco mai...». Rocco fu investito da un tornado di lamenti, senza riuscire a infilare una parola in quello sproloquio. Doveva adottare la tattica attendista e fiaccante, demoralizzarlo per spegnerlo, quella tattica che salva l'essere umano in situazioni simili, la tattica del *d'altrondismo*. «Io non credo che mai nessuna operazione a un qualsiasi altro medico venga chiesta con tale imposizione...» proseguì Muzii, «sempre certo che non si stia parlando del pericolo di vita. Guardi, lo dicevo ieri a mia moglie. Mia moglie insegna al liceo, la situazione scolastica è allo stato brado. Ma si può, dico io, sottopagare chi forma il nostro futuro? Dice, soldi non ce ne sono... e non parlo solo degli emolumenti, parlo proprio della scuola in quanto struttura... come per gli ospedali...».

«D'altronde...» rispose Rocco allargando le braccia.

«Io poi non ho mai capito, i soldi ci sono per quelle operazioni bancarie, le opere pubbliche senza interesse alcuno, no? Le famose cattedrali nel deserto. Be', guardi, io le dico questo: chissenefrega! A cosa è servita la laurea in medicina e anni di specializzazione? No, me lo dica... per non parlare delle ore a privarsi di sonno mentre gli amici uscivano a divertirsi».

«D'altronde...» ripeté Rocco annuendo.

«Io e mia moglie alla fine ci separeremo. Ma non è stato un problema interno alla coppia. È stato il mondo esterno, l'ambiente di lavoro, il trattamento socioeconomico a polverizzare il nostro rapporto. Cos'altro mi resta? Che posso fare?».

«D'altronde...», e Muzii si calmò. Rocco lo sapeva. Al terzo «d'altronde» di solito il lamentoso si spegneva. Quella del *d'altrondismo* era una tecnica imparata da Furio, l'aveva battezzata lui in quel modo. L'amico la usava spessissimo quando un conoscente deplorava le magagne del suo rapporto di coppia. Niente di più noioso, dannoso e avvilente che ascoltare le problematiche sentimentali, e allora Furio aveva scoperto che quella semplice locuzione avverbiale aveva il potere di placare il piagnucoloso perché non contraddiceva, anzi, era un muro di gomma contro il quale i lamenti si spegnevano, si sublimavano, diventavano aeriformi e perdevano senso e significato. Così Muzii si azzittì e fissò Rocco. Per fortuna da una stanza laterale apparve una donna sui 30 anni, bionda, con un sorriso stampato di benvenuto. «Sono Loredana... prego, dottor Schiavone, venga con me». Rocco si congedò da Muzii e seguì la dottoressa. «Mi scusi, Schiavone, non ho fatto in tempo. Mio zio mi ha avvertita del suo arrivo ma ero impegnata con l'approvvigionamento materiale...».

«Non si preoccupi, me la sono cavata».

«Sì, è dura. Pensi a me che ci devo lavorare».

Mentre seguiva la patologa, Rocco si intristì a pensare che Fumagalli sospettasse un suo interesse sessuale verso una ragazza così giovane. Poteva essere sua figlia. «Prego...», gli consegnò i guanti in lattice e le soprascarpe di plastica. «Mio zio ha detto cose strabilianti di lei».

Rocco scosse il capo. «Suo zio è un bugiardo patologico. Lei è figlia del fratello?».

«Esatto. Mio padre si chiama Bernardo».

«Medico anche lui?».

«Certo. Dermatologo. Tutti medici in famiglia». Entrarono nella sala autoptica. Il corpo di Enzo Baiocchi era steso sul lettino. Rocco si fissò a guardargli le palpebre semichiuse e il taglio a ipsilon. Lo osservava come un oggetto. Non era più Baiocchi, quell'involucro che il tempo avrebbe continuato a deteriorare fino alla sua sparizione. «Ho studiato la temperatura del corpo e della stanza dove è stato ritrovato, e sull'ora del decesso...».

«Ci sono risalito, grazie».

«Bene. Un colpo solo, il proiettile gli ha spaccato costola e cuore».

«Mi hanno riferito il calibro. Altre anomalie?».

«Era malato» disse. «Il fegato. Aveva sviluppato un tumore maligno molto grave, e così, a occhio, la vittima non aveva molto da campare».

«L'assassino poteva aspettare, allora» disse Rocco.

«Forse sì».

«Anche se, mi creda, nessuno piangerà la dipartita di questo tizio».

Loredana divenne seria. «Non ho trovato tracce di sapone sull'epidermide, non si era lavato quella mattina, nello stomaco ancora la colazione. Non abbiamo riscontrato segni di lotta, altre contusioni, nulla di che».

«Io la ringrazio dottoressa. Lei è stata gentile».

«Chi era?» gli chiese Loredana.

«Un figlio di puttana, un criminale».

«Comunque è morto subito, credo non abbia neanche realizzato che gli avessero sparato».

«Diciamo che non me ne frega un cazzo» disse Rocco.
«Era così per dire» fece Loredana.
«Loredana, è stata molto gentile».
«Serve altro?».
«No, a meno che dalla questura non le chiedano approfondimenti, per me è sufficiente».

Lasciò l'ospedale. Un solo colpo, pensava. Preciso al cuore. Sempre più si convinceva che Sebastiano era estraneo all'omicidio. Attraversò la piazza e si incamminò verso via Montebello dove aveva lasciato l'auto. L'hanno tolto di mezzo, si disse, su questo non aveva dubbi. Molti dettagli stridevano, ma ormai la meccanica dell'omicidio gli era chiara. Chiunque fosse entrato nella stanza 23 era in grado di muoversi con una certa perizia. Voleva tornare in albergo, un ultimo giro diurno, osservare con attenzione dettagli che magari gli erano sfuggiti.

Prese la provinciale 3, mezz'ora dopo parcheggiò davanti all'entrata dell'Hotel della Dogana. C'era anche il furgone della scientifica. Entrò nella hall, Carlo Delicato, il portiere, era al suo posto. Silenzioso, appena lo vide sgranò gli occhi ma Schiavone non lo salutò neanche. Salì al piano per raggiungere la stanza 23. La porta era aperta, un agente infilato nella tuta Tyvek era chino accanto al letto. Rocco proseguì nel corridoio fino ad arrivare alla porta-finestra che dava sulle scale antincendio. Osservò il telaio. All'esterno notò una scalfittura. Si avvicinò per osservarla meglio. Due piccoli graffi che avevano tolto la vernice e un avvallamento del pvc all'altezza dell'ingranaggio di chiusura. Tornò indietro per entrare nella 23. «Agente?» disse. L'uomo alzò il viso. Portava occhiali e la mascherina sul viso.

«Schiavone?», Rocco non lo riconobbe. L'uomo si alzò in piedi, si avvicinò, uscì in corridoio e si tolse gli occhialoni. Era Bosetti, il sostituto della scientifica. Si levò anche il cappuccio e rivelò una massa di capelli rossi come una fiamma. «Ah, è lei, Bosetti. Co' 'ste tute sembrate tutti usciti da un film horror». Quello sorrise. «Ho un paio di notizie, Schiavone» gli disse, «forse le possono interessare. Le sto inoltrando anche alla dottoressa Pagani e al vicequestore Ciasullo».

«Sono tutt'orecchi».

«Sul telaio della finestra abbiamo rilevato tracce di polvere da sparo».

«Questo significa che l'assassino ha sparato da fuori».

«Esatto, mentre era in piedi sulla scala antincendio, non è mai entrato nella camera 23».

«No, Bosetti, ci è entrato quando Baiocchi era giù per la colazione. Ha bloccato la serratura con un cartone, è riuscito, si è accucciato sul pontile di ferro che unisce le due rampe della scala antincendio proprio sotto la finestra e ha aspettato la vittima».

Bosetti si morse le labbra. «Sì, può essere andata così».

«Bene, Bosetti. Altro?».

«La pallottola».

«Mi ha detto Ciasullo che è una sette e sessantadue».

«C'è di più. L'abbiamo portata a Milano, dubito si riesca a risalire all'arma. Però sempre sul telaio abbiamo riscontrato nitrocellulosa e nitroguanidina».

«Non ci capisco un'acca» disse Rocco, «che vuol dire?».

«Sono gas propulsori molto potenti del bossolo. Di solito si usano in pistole che non estraggono il bossolo e che devono silenziare il colpo».

Rocco si passò una mano fra i capelli. «Vuol dire che...».

Bosetti incrociò le braccia. «È presto per arrivare a delle conclusioni. Però cerco di spiegarmi meglio. Quando si spara c'è sempre un rumore e soprattutto un lampo della canna. Alcune armi hanno evitato il problema con le cartucce speciali. Invece di farle viaggiare a velocità supersonica, le sparano a velocità subsonica».

«Ci capisco ancora di meno».

«Per rendere silenziata la pistola, la cartuccia è tagliata con gas in polvere che dà velocità. Cioè si sprigionano i gas e il proiettile parte. Lo spintore quindi che fa? Blocca i gas caldi e non li fa uscire impedendo l'onda sonora. Io sono convinto che la cartuccia sia una SP-16».

«Continuo a brancolare nel buio».

«Per farla breve, qui abbiamo la possibilità che sia stata usata un'arma speciale, una appunto che evitasse l'onda d'urto, e i residui che ho trovato sul telaio mi portano in questa direzione. Aggiungiamo che il proiettile ha la testa a punta, cioè come se due superfici piane convergessero», e mise le mani a capanna per chiarire il concetto. «Insomma, faccia conto uno scalpello. Grosso potere di penetrazione. Potrei esagerare e dirle che, a grandi spanne, qui siamo davanti a un'arma non convenzionale. Io mi giocherei un cento euro sulla PSS-2».

«Che sarebbe a dire?».
«È un'arma in dotazione a forze armate e di sicurezza straniere».
«Straniere?».
«Russe, ceche, ma niente di più facile che ne circoli qualche esemplare in Italia».
Rocco guardò con ammirazione Bosetti. «Lei è stato molto prezioso».
«Faccio il mio lavoro, dottore».
«Può fare avere questa relazione alla magistrata?».
«Certo».
«Senta Bosetti, dia un'occhiata alla porta della scala antincendio sul corridoio qui fuori. Ci sono segni di scasso».
«Sissignore. Lei pensa che l'assassino sia entrato da lì?».
«Ne sono certo».
«Ma perché non ha atteso la vittima in stanza?».
«Primo, fuga immediata dalla scala antincendio. Secondo, la sorpresa. Baiocchi poteva reagire alla vista dell'assassino, e lui aveva deciso di sparare un solo colpo. Se entri in stanza e non vedi nessuno ti rilassi. E così ha fatto. Baiocchi è entrato, l'assassino dall'esterno ha spalancato la finestra, quello ha avuto appena il tempo di girarsi che è stato colpito al cuore. Bersaglio fermo, non allarmato, lavoro facile e pulito».
«Uno che sa il fatto suo».
«Uno che lo fa per mestiere, Bosetti».

«Ascolta la chiamata anche tu, Brizio» disse Rocco. L'amico richiuse la porta della stanza dell'albergo e si sedette sul letto, mentre Schiavone compose il numero e attivò il vivavoce. «Dottor Baldi? La sorprendo in un momento problematico?».

«Si figuri, Schiavone, se così fosse non dovrei rispondere mai. Ci sono novità?».

«Ho già riferito alla sua collega, ma volevo parlare io con lei». Brizio si alzò per prendere l'acqua dal frigobar. «Sappiamo che ha usato una pistola sette e sessantadue, ma difficile risalire all'arma. Ho fatto parlare quella delle pulizie, ha visto qualcuno nella stanza 23 prima dell'omicidio chiudere la finestra».

«Ottimo!».

«Abbiamo un vaghissimo identikit». Rocco guardò Brizio. «Riferisce che aveva la faccia magra come un morto, portava un berretto di lana in testa e un giubbotto blu».

Brizio annuì. «Un po' poco» osservò il magistrato.

«Non è finita. Sul luogo è stato ritrovato un cellulare. Le mando il numero, purtroppo le anticipo che è un prepagato e poco possiamo fare».

«Cosa c'è dentro il cellulare?».

«Niente. Come se fosse ripulito. Ci stanno lavorando. A parte una cifra assurda che le ripeto, se vuole può segnarla... allora...», cominciò a trafficare col cellulare. «Resti in linea, eh? Ce l'ho su un messaggio... eccola, gliela leggo... CL slash XBY 24668 SCC».

«E che significa?».

«Non lo so».

«Odio quando si trovano 'ste cose... che rappresenta? Una cassetta di sicurezza?».

«Una targa, oppure una password? In più sul cellulare ci sono delle impronte, aspettiamo qualche riscontro».

«Però sovviene una domanda».

«Dica, dottore».

«Magari col delitto non c'entra niente, perché abbandonare un cellulare laggiù? Se l'è perso qualcuno? L'assassino?».

«Un po' sbadato, non pensa?» fece Rocco. Brizio concordò annuendo vistosamente. «Questo è uno che ha sparato un solo colpo, silenzioso, preciso al cuore e poi si perde il cellulare?».

«Non quadra, Schiavone».

«Non quadra no».

Sentì Baldi accendersi una sigaretta. «Quali pistole hanno come calibro sette e sessantadue?».

Brizio mulinò una mano nell'aria come a dire: «Hai voglia tu».

«Tante, dottore. Ma quello della scientifica azzarda un'ipotesi mica tanto allegra».

«Sarebbe?».

«PSS-2».

«Sembra un videogioco».

«Neanche io mi intendo di armi», guardò Brizio, ma l'amico fece una smorfia e allargò le braccia. «Il tipo della scientifica mi ha riferito che è un'arma speciale, silenziosa, in dotazione alle forze di sicurezza straniere».

«Forze di sicurezza...».

«Straniere sì, però non esclude che qualche pezzo possa girare anche qui da noi».

«Una pistola PSS-2... mi vado a informare...».

«Faccia pure, dottor Baldi. Qualsiasi novità la chiamo».

«Spero a presto Schiavone... ah, più tardi apriamo la bara della Martinet. Le faccio sapere», e chiuse la comunicazione.

«Forze speciali?» chiese Brizio appena Rocco poggiò il cellulare su un tavolino.

«Ma che ne so? Così pare».

«E Sebastiano dove l'avrebbe preso un ferro del genere?».

«Non l'aveva».

«Cioè?».

«Io in tasca gli ho trovato una nove millimetri, una Ruger, non una sette e sessantadue».

«Poteva averla infrattata da qualche parte».

«Non aveva bagagli, Brizio».

Impiegarono due ore per tornare ad Aosta. Trovarono il cielo coperto e minaccioso, la città fredda e indifferente. Brizio andò in albergo, Rocco in questura. Lupa gli saltò addosso appena lo vide salire le scale, lo leccò sul mento e si buttò pancia all'aria. Si affacciò Deruta dalla stanza degli agenti. «Dottore, buonasera. Lupa è stata buonissima».

«Grazie Michele, ti devo un favore».

«Ma si figuri, dove c'è un cane ce ne possono stare due. È il contrario della storia del saggio indiano. La conosce?».

«No, non la conosco».

«Allora, c'è un tizio in India che ha preso un cane per la figlia. Ora il cane fa i bisogni, morde le ciabatte, abbaia, un casino. Allora il tizio va dal santone e gli fa: "Santone mio, ho preso un cane per mia figlia che lo desiderava tanto, ma è un bordello. Casa nostra è di 20 metri quadrati, siamo io, mia moglie, mia madre, mio figlio maschio, mia figlia femmina e ora pure un cane. Come posso fare?". Il santone lo guarda e gli dice: "Prendi un altro cane". Il tizio è sbalordito da questo consiglio, però obbedisce e prende un altro cane. Non le dico dottore il casino in casa. Doppio abbaio, pantofole che spariscono, doppia cacca per terra e pipì, un inferno. Allora il tizio torna dal santone e gli dice: "Santone mio, m'hai dato un consiglio e ho preso il secondo cane, ma adesso è pure peggio. Che devo fare?". E il santone lo guarda e gli dice: "Bene, ora dai via il secondo cane e sarai felice". Ha capito il messaggio?».

«Credo di sì, Michele. Grazie. Ma non c'entra un cazzo con Lupa».

«È per dire che poi i cani ci insegnano molto».

«Benissimo. C'è altro?».

Avrebbe voluto dirgli la verità, che Zanna aveva montato Lupa, ma non ebbe il coraggio. «Sì, c'è. La dottoressa Gambino la cercava. Sembrava urgente».

«È nel suo ufficio?».

«Così mi ha detto. Dottore?» gli disse Deruta mentre quello stava tornando indietro per raggiungere il suo ufficio.

«Dimmi, Miche'?».

«A proposito di cani, lei sa quanto dura la gestazione?».

«Mi pare un paio di mesi, ma perché?». Realizzò. «Deruta, cazzo!».

L'agente abbassò lo sguardo. «È successo all'improvviso, dottore, non abbiamo fatto in tempo a fermare Zanna».

«Cioè mi stai dicendo che Lupa è gravida?».

«Forse, o forse no. Ha avuto le sue cose?».

Rocco ci pensò. «Ma sì, mi pare che il giorno del ritrovamento della Martinet fossero finite». Fece due conti al volo.

«E per quanto tempo un cane può essere fertile?» domandò spaventato l'agente.

«Mi pare...» disse grave Rocco, «dai 2 ai 21 giorni».

«Porca puttana!».

«Porca puttana» gli fece coro Rocco. Guardò Lupa che scodinzolava felice. «Ma cazzo...».

«Non si arrabbi con me, dottore, è stato un attimo e...».

«Non mi arrabbio con te, è colpa mia, dovevo stare attento... solo che questa chissà quanti ne sputa fuori».

«Troveremo chi se li prende».

«Dici, Miche'?».

«Sicuro dottore, mettiamo l'annuncio su internet, saranno bellissimi, no?».

«Su questo non ho dubbi». Rocco guardò Deruta. «Ma chi se lo sarebbe mai aspettato che io e te alla fine diventavamo pure parenti».

«Una parentela canina, dottore, ma sempre parentela è!».

Rocco si chinò accanto al cane. «Lupa? Diventi mamma?».

Lei lo guardò, sembrava sorridesse. «Zoccola!» le disse, e la baciò ripetutamente sul muso. Era il caso di festeggiare la notizia con uno spinello, ma quando entrò nell'ufficio trovò Baldi che lo aspettava. Il magistrato cominciò a battere le mani attirando l'attenzione degli agenti che si affacciarono. «Dovete tenervelo stretto questo qui» disse il magistrato. Deruta, Casella e Antonio si guardavano senza capire. «Schiavone, aveva ragione. L'anello era nella cassa... e con questo gesto fatto da Richter davanti a una platea di persone, penso che il caso sia chiuso. Vuole venire in carcere con me?».

«Come posso rifiutare un invito del genere?».

Lento, quasi ieratico, Baldi poggiò l'anello sul tavolo. Rocco si avvicinò a guardarlo. Lo riconobbe immediatamente. «Che ci dice, Richter?».

L'avvocato Biserni guardò il cliente. Richter con la barba lunga di tre giorni chiuse gli occhi. «Che dimostra?» fece il legale cercando disperato una via d'uscita.

«L'abbiamo trovato nella bara di Sofia, l'ha fatto scivolare lei durante le esequie» disse il magistrato.

«Non potevo lasciarglielo, avevo pensato, poi invece... era meglio se lo teneva lei». L'avvocato guardò il cliente, gli strinse l'avambraccio ma Richter allontanò la mano di Biserni con un gesto di stizza. «Me lo sono portato dietro, volevo darlo a Hjørdis... chissà che m'era saltato in testa». Alzò gli occhi su Baldi e Rocco. «Non doveva andare a finire così. Non ero lì per vendetta, solo per parlare. Ma voi Sofia non la conoscete, non l'avete conosciuta. Mi ha umiliato, mi ha messo in mano la statuina. Tieni, mi ha detto, questa ti appartiene, se non altro per la figura che hai fatto con mezzo mondo...». Si portò le mani sul viso, si stropicciò gli occhi, poi guardò di nuovo gli inquirenti. «Non avevo il diritto di farmi una vita con una donna che non fosse lei? Non l'amavo più da un pezzo, e credetemi, non gliel'ho mai nascosto, ma Sofia non l'ha accettato», poi alzò le spalle, una smorfia di disprezzo. «Montague, anche lui è responsabile di tutto questo. L'ha messa contro di me. Prima mi ha cercato, blandito, corteggiato, poi è diventato un cane rabbioso. Tutto perché era innamorato di Sofia che invece non lo ha mai voluto. Le dava il tormento, sapete? Almeno una telefonata al giorno», sorrise guardando l'anello che trafitto dalla poca luce della finestra schizzava bagliori rossi sul tavolo di formica verde. «Il piano è stato suo, lo so. La Sofia che ho conosciuto mi avrebbe chiamato e detto: "Occhio Karl, ho un documento in mano che smentisce tutti i tuoi studi"... Invece quel serpente s'è messo di mezzo, le ha suggerito di distruggermi la carriera. Volete sapere la verità? Se non mi aveste trovato, lui sì, lui sarebbe stato il prossimo, perché è lui che odio più di tutti! Montague. Lo sapete cosa faceva prima di diventare un editore? I falsi! E li vendeva ai musei».

«Bella ricostruzione, Richter. Solo un errore, Montague non era innamorato di Sofia, forse spiritualmente sì, ma altro lui non poteva darle. Si informi» fece Rocco. Baldi e l'avvocato si guardarono incerti. «Credo non ci sia altro da aggiungere» disse il magistrato.

«Direi di no» si accodò Schiavone. Poi insieme lasciarono la stanza. Come se avesse esaurito tutte le energie residue, Richter si lasciò andare sulla sedia.

«Karl Richter è l'omicida della professoressa Sofia Martinet, le prove raccolte lo inchiodano, abbiamo una sua confessione in procura, quindi per quanto riguarda la questura di Aosta il caso è da ritenersi chiuso». Costa voleva liquidare la conferenza, aveva preso un impegno con il fisioterapista, da una settimana un dolore acuto sotto il tallone non lo faceva dormire.

Alzò la mano un giornalista della televisione. «Prego Giovannetti» disse l'addetta stampa in piedi accanto a Costa. «Riprendendo le sue parole, signor questore, Richter si è visto preso in giro dalla Martinet, che prima lo ha supportato e poi gli ha giocato un brutto tiro facendogli perdere la faccia. Quanto questa vendetta però nasce in seno alla loro relazione sentimentale?».

«Caro Giovannetti» rispose Costa, «come questi uffici le hanno fornito abbondanti informazioni sulla relazione passata fra i due, così non possono certo avanzare ipotesi che la mano omicida sia stata guidata anche da quel sentimento».

«Dottor Costa, sono Michelini, "La Voce di Aosta". È vero che la dottoressa Martinet ha donato tutti i suoi preziosi libri alla Biblioteca Comunale?».

«Vero, nascerà un'ala dedicata alla compianta studiosa».

«E per quanto riguarda il figlio?» insistette il giornalista.

«Per lui c'è furto aggravato. Credo di aver risposto a tutte le vostre domande».

«A me sembra una follia» commentò Barberi del «Corriere», «un omicidio per una disquisizione accademica».

«Succede quando il mondo va dietro alle banalità e ignora la parte migliore del paese», a rispondere era stata Sandra Buccellato, il viso di Costa era diventato subito paonazzo. «Se la parte migliore del paese, come dici tu Sandra, si nasconde nel buio delle proprie abitazioni e non è più in grado di guidare il paese, quella parte migliore ha una certa responsabilità» ribatté il giornalista.

«Può darsi, Barberi, ma il discorso è più complicato di così. Siamo figli di trent'anni di rincoglionimento, anche noi, io te e tutti i colleghi qui presenti, siamo stati gli agenti che hanno privato l'intellighenzia delle sue armi. Se i nostri direttori davano più spazio alla notizia di un matrimonio fra due imbecilli semianalfabeti di qualche programma televisivo spazzatura invece che a Sofia Martinet, non pensi che la colpa sia anche un po' nostra?».

«Parla per te. Io e il mio giornale siamo sempre andati contro le direttive governative!».

«Tutti puliti col sapone degli altri» osservò Sandra. Barberi si alzò in piedi. «Tu Sandra sei l'ultima che può parlare! Io sono figlio di operai, tu vieni da una delle famiglie più ricche della Valle, che cazzo ne sai delle lotte sindacali? Siete tu e i tuoi famigli che avete usato le pagine dei giornali per ridurre al silenzio gente come la Martinet».

«Io non ti permetto di fare accuse del genere, stronzo!».

«Signori!», Costa alzò le mani come un direttore d'orchestra cercando di riportare la quiete nella sala stampa. «Signori, per favore, stiamo andando fuori dal seminato».

«Non parlare per me e il mio giornale, Barberi, non mi pare di aver mai visto sul mio quotidiano servizi a tre colonne ai deficienti che affollano le televisioni pubbliche e private». Sandra rossa in viso urlava contro il collega.

«Per favore, Sandra! Barberi!». Un altro giornalista si alzò in piedi e cominciò a inveire. «Ma voi due dove eravate mentre il paese era in mano agli interessi privati di quattro speculatori senza freni?».

«Fai il piacere Guido, non ti ci mettere pure tu!».

«No, dottor Costa, mi ci metto eccome! Io e i miei colleghi non ci siamo mai tirati indietro, abbiamo denunciato il governo di questa regione, del paese, da sempre, e ne abbiamo pagato le conseguenze. Se c'è un motivo per cui la forza intellettuale è sparita lo si deve solo alla vigliaccheria della forza intellettuale!».

«Falla finita, idiota!» gridò Barberi. «Fino a ieri prendevi le mazzette da mezzo emiciclo per i tuoi articoli di merda!».

«Ma io ti rompo il culo, deficiente!». Guido Belleri si lanciò sul collega a volo d'angelo colpendo la telecamera che finì a terra provocando una bestemmia del cameraman contro la Madonna addolorata. «Fermi, cazzo, fermi!» urlò Costa. Mentre i due giornalisti si menavano pugni a casaccio, tre agenti intervennero per sedare la rissa. Altri professionisti dell'informazione, chi difendendo un collega chi l'altro, si unirono alla zuffa, volò una sedia che prese in pieno petto l'addetta stampa della questura, Sandra Buccellato fu colpita da uno zainetto sullo zigomo sinistro, Costa evitò per un pelo un cellulare che si sfasciò sul muro. Ci vollero dieci minuti e sette agenti per placare le acque. Sandra riportò un grosso ematoma sul volto, il suo ex marito la condusse agli uffici per darle i primi soccorsi. Barberi e Belleri furono portati via da Casella e Pierron.

«Mi spieghi che ti salta in mente?» le disse l'ex marito mentre Sandra premeva una pezza con quattro nodi piena di ghiaccio sulla guancia. «Non lo so che m'è successo...».

«Hai scatenato una rissa per un motivo futile e pretestuoso. A ogni modo discussioni che non dovrebbero accadere durante una conferenza in questura, su questo siamo d'accordo».

Sandra annuì contrita, allontanò per un momento l'impacco dal viso. «C'è il segno?».

Costa si avvicinò di mezzo passo. «Non mi pare».

«Puoi venire più vicino, mica mordo».

«Questo lo pensi tu» le disse, però sorrise. Era il primo sorriso che le dedicava dopo sei anni dalla separazione.

«Veniamo a un argomento più serio?». Sandra aprì la borsa e gli consegnò un foglio. «In realtà ero venuta per questo».

«Di che si tratta?».

«È un articolo che esce domani in nazionale. Riguarda il caso che coinvolge Baldi e Schiavone, leggilo per favore». Costa ubbidì. Per un minuto gli unici rumori che riempirono la stanza furono quelli di una stampante che lavorava in qualche ufficio adiacente e di un'ambulanza che passò a sirene spiegate sul corso.

«Quanto ne sai di questa storia?» le chiese restituendole il foglio.

«Quello che hai letto lì sopra, qualche informazione sui giornali nazionali, ho scavato un po', e infine le parole di Rocco».

Costa andò a sedersi. «Baiocchi è un nervo scoperto. Uno dei migliori amici del vicequestore è fra i principali sospettati di questo omicidio, anche questo sai?».

«Sì, Rocco me ne ha parlato».

«Sandra, stai mettendo il naso in un affare che non ti riguarda. Ho paura che...».

«Aspetta!».

«No, aspetta tu. Ho paura che Rocco ti stia usando. E non è l'ex marito che parla, è il questore. Schiavone ha tutti gli interessi di tenere fuori questo Sebastiano Cecchetti dall'omicidio, e forse sta lavorando per questo».

Sandra si rimise l'impacco sullo zigomo. «Andrea, ho letto i vecchi articoli, ho sentito due colleghi a Roma, Rocco non sta mentendo riguardo all'indagine del 2007. Troppi lati oscuri in quel traffico e troppi nomi eccellenti. Da qui il sospetto, comprensibile, che dietro questo omicidio ci sia altro».

Il questore si passò le mani sul viso. «Ora ascoltami bene. Assumiamo la mia teoria come quella esatta. Ti stai rendendo complice di un insabbiamento, se non peggio, di un intralcio alle indagini. Se invece ho torto, e non ti nascondo che spero di averlo, allora chi ha eliminato Baiocchi è pericoloso, la storia è brutta e di mezzo ci va la tua incolumità. Come vedi ogni strada che percorriamo ci porta a una minaccia concreta alla tua persona».

Sandra rifletté sulle parole del questore. «Ho capito. E ti ringrazio. Ma ormai è troppo tardi per fermare la stampa. E anche se tu dovessi telefonare per chiedere un favore a qualcuno per bloccare la pubblicazione, si verrebbe a sapere e sarebbe peggio».

«Infatti neanche l'ho proposto. Il pezzo uscirà, Sandra, speriamo che, come la maggior parte degli articoli, finisca nel dimenticatoio o nella gabbia di qualche canarino a raccogliere merda».

Rocco finì lo spinello e chiuse la finestra. La solita sensazione schifosa di sporcizia lo aveva avvolto come una coperta. Lo squallore del gesto di Richter, un uomo che avrebbe gettato volentieri nel fiume con le pietre nelle tasche, la logica omicida, la miseria di una mente fallata, tutto puzzava di fango e merda. Richter sarebbe stato processato, qualche anno in carcere perdendo cattedra e famiglia, per quale motivo? Arrivismo? Egocentrismo? Ambizione smodata? Stupidità? Lento si infilò il loden, doveva scendere dalla Gambino, lo cercava da un paio d'ore, c'era poco da piangersi addosso. Il cadavere di Baiocchi minacciava i suoi pensieri. Non gli era piaciuta la voce di Michela al telefono, scese le scale con la certezza che quello che stava per sentire dal sostituto non era una bella notizia.

Michela Gambino aveva la pelle del volto pallida e si mordeva le labbra. Sulle pareti della stanza ancora le foto della suola della scarpa di Richter. Sul quadro luminoso invece delle impronte digitali.

«So che stai per darmi un'informazione che non mi piacerà».

«No, Rocco...», la donna si voltò a guardarlo. «Allora, mi hanno mandato il cellulare ritrovato sulla scena del crimine, all'albergo di Gaggiolo. Meglio, mi hanno mandato le impronte».

«Com'è?».

«Il collega di Milano è un amico caro, mi ha chiesto un aiuto e io non lo rifiuto. Lo sai che la migliore delle dattiloscopiste nel paese è mia intima conoscente? L'ho inviate a lei, sta cercando nel casellario giudiziario».

«E?».

«Per ora ha ristretto la ricerca a tre individui. Uno dei tre... non è una bella notizia» gli disse.

«Spiegati, che vuoi dire?».

«Appartengono a un latitante, Sebastiano Cecchetti. Credo che tu lo conosca».

«E gli altri due chi sono?» chiese Brizio masticando il pane in attesa della pasta.

«Un tizio che sta scontando vent'anni all'Ucciardone, l'altro è un balordo che fa dentro e fuori per spaccio e sta a Bari».

Brizio prese un respiro profondo. «Allora il cellulare è di Seba?».

«Michela me ne darà conferma al massimo domani».

«Allora una carbonada», e la cameriera sorridente posò il piatto fumante davanti a Brizio. «Per lei invece gratin di tagliatelle, buon appetito».

«Che cazzo so' 'ste striscioline?» disse Brizio osservando il piatto.

«Carne, de vitello me sa».

«Ma non è la carbonara!».

«No, infatti se chiama carbonada con la d».

«Io pensavo a un errore di stampa sul menu. E mo' che faccio?».

«E che fai, Bri'? Te la magni, è buona...», e infilò la forchetta nelle tagliatelle. Brizio lo imitò e attaccò il suo piatto. «Allora il cellulare è di Seba, ma non significa che ce l'ha lasciato lui».

Rocco mandò giù il boccone. «Già. Chi?».

«Qualche fijo de 'na mignotta?».

«Solo che per la magistratura Sebastiano era sul posto. È un'idea che si conficcherà nel cervello della Pagani e forse pure di Baldi e toglierla sarà un problema».

«Tu puoi sempre dire che l'arma in possesso di Seba era una nove millimetri».

«Così confesso che nascondevo un latitante in casa?».

Continuarono a mangiare in silenzio. «Secondo te come so' andate le cose?».

«Primo dettaglio: Seba di cellulari ne doveva avere due. Uno è quello col numero che continuiamo a chiamare e risulta sempre staccato. L'altro era questo, vecchio e sorpassato».

«E perché gli hanno rubato questo?».

«Non lo so. Meglio, mi faccio un po' di domande. Dobbiamo capire che cazzo significa quella sigla che c'era dentro. Forse la risposta è lì».

L'inno alla gioia risuonò, Rocco afferrò il telefono. «Dimme Furio».

«C'avete novità?».

«Chiamame sull'altro telefono, il prepagato», e attaccò. Attese qualche secondo e dalle tasche del loden appeso alla sedia si sentì il trillo vivace dell'apparecchio.

«Le notizie so' brutte, Furio. Sai del cellulare ritrovato sul luogo?».

«Sì, Brizio m'ha detto».

«Sopra ci stanno le impronte digitali di Seba».

Furio non disse niente. Rocco sentiva lontano il traffico. «Hai capito, Furio?».

«Ho capito. Ma non quadra. Primo la pistola, secondo Gina, quella delle pulizie, ha visto uno con un giubbotto blu, te m'hai detto che Seba ce l'aveva verde e non s'era portato manco un bagaglio».

«Appunto».

«E allora?».

«E allora Furio, qualcuno l'ha messo lì».

«Ma dove gliel'hanno preso? Mentre era a casa tua? Allora sapevano dove stava!».

Brizio gettò le posate sul tavolo. «Ecco che cercavano da Seba a Trastevere!» disse con gli occhi illuminati.

«Hai ragione, Brizio!», anche Rocco era giunto alla stessa conclusione.

«Che ha detto Brizio? Non ho sentito» chiese Furio.

«Abbiamo capito cosa cercavano a casa di Seba qualche giorno fa» rispose Rocco al telefono. «Un vecchio cellulare».

«E hanno acchittato il ritrovamento?».

«Proprio così, Furio».

«Ma chi?» gridò quasi l'amico al telefono.

«E che ne so? E soprattutto dove sta ora Seba?».

«Non a Roma, e qua mi sento inutile, domani salgo, tanto se Seba rimette la faccia da 'ste parti Claudio o Chicco me chiamano. Vengo sicuro, sei occhi vedono meglio di quattro, pure se me devo fa' gli occhiali».

«Va bene, Furio, a domani». Rocco rimise il cellulare nella tasca del cappotto. Guardò il piatto pieno per metà. «Non ho più fame».

«Manco io» fece Brizio. «Anche se è buona 'sta carbonada con la d, ma non me va più».

Quasi all'unisono bevvero il vino e poggiarono i bicchieri. «Che famo, Rocco?».

«Non lo so, Brizio, annamosene a dormi'. Io a questo punto devo riflettere».

«E tutto 'sto ben di Dio?».

«Lo porto a Lupa. Lo sai? Forse è incinta».

«E ce mancava...».

Aveva cominciato a nevicare, fiocchi enormi, a migliaia, precipitavano sulla strada e coprivano macchine, strade, lampioni, persone. Il vento li muoveva ora a destra ora a sinistra come tende bianche. Ogni tanto un mulinello li avviluppava in un gorgo improvviso per poi lasciarli cadere a terra. Se avesse avuto quindici anni sarebbe uscito con Lupa a giocare insieme a loro. Invece andò a letto, si abbracciò alla cagnolona e si addormentò di schianto. Quella notte sognò di stare su una barca sospesa dalla bonaccia in mezzo al mare insieme a uomini che in realtà erano ombre senza viso.

Mercoledì

Le strade ricoperte, gli spazzaneve già all'opera dall'alba, arrivò al bar in piazza Chanoux con la voglia di tornarsene a letto e non fare niente per tutto il giorno. Guardava la tazzina piena di caffè cremoso e non si decideva a berlo. Un giornale gettato sul bancone lo fece sobbalzare. «Ecco qui» gli disse Sandra. «È uscito il pezzo, come ha chiesto lei, dottore, o almeno spero».

Rocco la guardò. «Non hai dormito?».

«No».

«Cos'è quel livido sullo zigomo?».

«C'è stata una conferenza stampa piuttosto movimentata».

«Ti hanno picchiata?».

«Volavano oggetti, e io ho fermato uno zainetto col viso».

Rocco prese il giornale e cominciò a leggere l'articolo. «Costa è preoccupato» gli disse Sandra, «è sicuro che tu mi stia usando per i tuoi intrallazzi». Rocco proseguiva nella lettura. «Cosa sta succedendo?». Il vicequestore le restituì il quotidiano. «Ottimo. Quello che serviva. Cosa succede? Non lo so neanch'io. Ci vedo poco, e quel poco non mi piace».

«Vuoi parlarne?».
«Non ancora. Quando avrò capito saprai tutto e prima degli altri, prima anche di Costa».
«Promesse... ne fai tante ma mica le mantieni».
«Dici?».
«Sto ancora aspettando una telefonata dall'altro ieri».
Rocco bevve il caffè. «Hai ragione».
«Quando l'argomento si fa spinoso tendi a fuggire, vero?».
«Non c'è nessun argomento spinoso fra me e te!».
«Ah!» urlò Sandra. «Allora sono tranquilla. Io vado a lavorare, Rocco, ti auguro una buona giornata. Il mio numero ce l'hai. Sai dove trovarmi. Ma dimmi solo questo: chi è Mastrodomenico?».
«Te l'ho detto, un dirigente degli Interni».
Sandra abbozzò un sorriso. «Poi?».
Rocco guardò Ettore dietro il bancone mentre ordinava le tazze sulla macchina del caffè, poi un cliente miope che per mancanza d'occhiali era piegato sul tavolo a leggere un quotidiano. «Devo fumare» disse.

Lupa non aveva voglia di ficcanasare in giro e annusare il marciapiede, respirava con affanno e guardava il cielo. «Mastrodomenico è l'uomo che desiderava farmi a pezzi. Da sempre. All'epoca del mio trasferimento voleva buttarmi fuori dal corpo di polizia».
«E per te mica sarebbe stata una brutta notizia».
«A dire il vero no», e le fece un sorriso sbilenco. «Esagerai durante un'indagine su un ragazzo che violentava minorenni. Quando gli misi le mani addos-

so lo gonfiai come una zampogna. Tu sai cos'è una zampogna?».

«Dicesi zampogna un vecchio strumento musicale di pelle di pecora ancora in uso nell'Italia meridionale».

«Brava. Solo che il tizio era figlio di un sottosegretario potente... così fui trasferito qui, nella ridente Valle d'Aosta. La sigaretta è finita, lasciamo il portico e dirigiamoci ognuno al suo ufficio», gettò la cicca e si incamminò facendo attenzione ai cumuli di neve.

«Allora questo Mastrodomenico è molto legato al politico, no? Farti fuori era un favore per costruirsi reputazione e appoggio. Non funziona così?».

«È quello che ho sempre creduto anche io».

«Invece?».

«Invece c'è qualcos'altro. Caterina Rispoli, il viceispettore che mi spiava, era roba sua».

Sandra annuì. «Quindi questo Mastrodomenico t'è sempre stato addosso».

«Appunto. Ormai il favore al politico l'aveva fatto, no? Che senso aveva tormentarmi? Addirittura mettermi una spia in casa? Sono convinto che sia stato lui a decidere Aosta come mia destinazione».

«Ingarbugliato».

«No, Sandra, a me sembra semplicissimo e diretto. Io gli do fastidio, ma non so il perché. E questo tuo articolo a me serviva per smuovere le acque. Se mi sbaglio non succederà nulla, non ti sei esposta, l'hai solo nominato come capo delle indagini di quella partita di droga nel 2007. Se invece succede altro...».

«Mi trovo nella merda» concluse Sandra.

«Ci troviamo nella merda» la corresse Rocco. «E, sia detto per inciso, io la puzza comincio a sentirla. Ti ho messo in una brutta situazione, me ne rendo conto, posso prometterti che farò in modo che non ti succeda nulla».

«Rocco, un giorno ti racconterò la mia vita e capirai che tutto questo non mi fa paura».

«Curati il livido».

Aveva bisogno di una canna. Seduto alla sua scrivania tirò fuori dal cassetto chiuso a chiave uno spinello già pronto. Lo accese, al primo tiro sentì il sapore irrorargli palato, cervello e polmoni. Riprovò distratto a chiamare Sebastiano, ma come sempre la fredda voce femminile lo avvertì che il cliente desiderato non era al momento raggiungibile. «Al momento?» disse ad alta voce. Prese un pennarello, scrisse su un foglio a caratteri cubitali le cifre trovate nel cellulare di Sebastiano: CL/XBY 24668 SCC. Lo osservò. «Che vuol dire?» sussurrò. Provò a separare le cifre, a ogni numero abbinò una lettera: B D F F H. Niente. Non ne veniva a capo. Se era una password doveva essere importante, dal momento che Sebastiano aveva cancellato tutto, messaggi, rubrica, fotografie, per lasciare solo quella scritta. Una targa, allora? Di quale mezzo? Nessuna targa aveva tutti quei numeri. Andò alla finestra, la aprì e l'aria gelida gli carezzò il viso. Gettò la cicca che atterrò sulla neve del terrazzamento che copriva l'ingresso della questura. «È permesso?». Si voltò. Era Antonio Scipioni. «Che succede?».

«Ho saputo... posso essere utile?».

«No, Antonio, grazie». Poi ci ripensò. «Guarda un po'?», gli mise il foglio con le cifre sotto gli occhi. «Secondo te cos'è?».

Il viceispettore osservò la scritta, poi fece una smorfia. «Mah... non lo so».

«Può essere una targa?».

«Non italiana. E neanche europea, credo, troppi numeri, troppe lettere. Poi sinceramente lo slash su un'auto non l'ho mai visto».

«Una password?».

«Nemmeno. O forse sì ma sai, richiedono sempre un segno tipo parentesi o asterisco e alcune cifre. Questo mi sembra più un codice».

«Chi mi può aiutare?».

«Prova con Carlo, il figlio della donna di Casella. Te lo chiamo, ma non ci sperare troppo».

Carlo Artaz era come sempre rinchiuso nella sua stanza buia piena di monitor e potenti computer con le ventole costantemente accese. Ugo Casella era in piedi alle spalle di Rocco e del ragazzo che osservavano la scritta. «Dottore, è un po' complesso. Vediamo, ha provato a metterlo direttamente in rete così com'è?».

«No...».

«E allora diamoci da fare». Carlo digitò le cifre, apparvero decine di siti. «Allora, può essere il codice di un bicchiere in vendita online, numeri di riferimento di un dottore a Palermo, di un avvocato a Sestri Levante... poi cominciano i siti stranieri. C'è un cavallo da corsa nelle Cotswold, un corso di educazione ricreativa a Rio de Janeiro... mi sembra tutta roba inutile, dottore... ma è solo il numero che il motore di ricerca coglie, vede? 24668. Le lettere non le prende in considerazione quindi prevalgono numeri di telefono, di previdenza sociale, date di nascita, niente di interessante».

«Aspetta un attimo, date di nascita hai detto...». Rocco chiuse gli occhi cercando la concentrazione.

«Sta pensando a qualcuno nato il 24 giugno del 1968?» chiese Carlo.

«Adele!» gridò Rocco. «È la data del compleanno di Adele, la compagna di Sebastiano».

«Quella poverina che uccisero a casa sua, dotto'?» chiese Casella.

«Esatto, Ugo. Adele Talamonti».

«Bene» fece Carlo, «ora dobbiamo scoprire che rappresentano queste altre cifre. CL/XBY e SCC. Se metto CL su internet spunta fuori qualsiasi cosa».

Rocco osservava il monitor come se volesse bucarlo con lo sguardo. «SCC, forse lo so. Il mio amico si chiama Sebastiano Cecchetti ma la madre di cognome faceva Carucci... ogni tanto lui usava il cognome della madre, non ho mai capito perché...».

«Forse odiava il padre?».

«Forse, Ugo, o forse lo usava per incasinare le acque. Potrebbe essere, no?».

«Allora diciamo che abbiamo tre quarti dell'enigma, ma non sappiamo a cosa si riferisce. È chiaro che non è un codice generato da qualcuno, dottor Schiavone, ma l'ha creato il suo amico scientemente scegliendo la data della compagna e le sue iniziali».

«Già. Ma quelle due lettere all'inizio?».

«Io ragionerei al contrario» propose Casella.

«Di' un po'?».

«Dove si usano dei codici?».

«Scarterei la password per siti internet» si intromise Carlo, «troppe lettere e neanche un segno diacritico o una parentesi, cancelletti e simili».

«Sì, anche Scipioni era della tua opinione».

«Dottore, io più ci penso più mi viene in mente un token».

«Un che?».

«Un token, sa quegli affarini per fare operazioni bancarie online? Stanno quasi scomparendo, ma visto che il cellulare sul quale c'era questa cifra lei mi ha detto che è vecchio, è una strada che proverei. Questa può essere la password per accedere. Lei sa di quale banca si servisse il suo amico?».

«Faccio una telefonata e lo scopro» disse Rocco e si alzò dal tavolo. Casella e Carlo rimasero soli. «Ugo, ma che stiamo cercando?».

«Si tratta di un omicidio».

«Ancora?».

«Sì, ma questo sembra più complicato. È morto un bandito, una vecchia conoscenza di Schiavone, il tizio che lo voleva ammazzare ma che invece sparò a quella Adele che abbiamo nominato».

«E che c'entra Sebastiano Cecchetti? È un sospettato?».

«Non te lo so dire...».

Rocco rientrò. «Banca Popolare di Sondrio» disse.

Carlo annuì e digitò sul computer. «Dunque, la banca si serve di un servizio che si chiama Scrigno... vediamo se riusciamo a entrare», poi si bloccò e guardò Schiavone. «Dottore, quello che sto facendo è illegale, lei mi dà il permesso?».

«Vai pure, che te stai a preoccupa' se una cosa è illegale».

«Se lo dice lei». Il ragazzo proseguì. «Eccoci, siamo nella schermata. Bisogna inserire il codice utente e il pin. Provo?».

«E prova».

Carlo lavorò per almeno due minuti. «Dovrei considerare queste cifre il codice utente e dare la caccia alla password. Un lavoro che può prendere del tempo».

«Ce l'hai?».

«A disposizione» rispose Carlo. «Ma non assicuro il successo».

«Tu provaci lo stesso» fece Rocco e lasciò la stanza insieme a Ugo.

In salone c'era Eugenia in piedi vicino alla finestra. Guardava Rocco e Ugo con gli occhi preoccupati. «Che c'è?» le chiese Casella.

«Dottore... non le nascondo di avere un po' paura».

«E di cosa, signora?».

«Questi servizi che lei chiede a Carlo, sono pericolosi? Io ho solo lui, e non vorrei...».

«Signora Artaz, non permetterei mai a Carlo di fare qualcosa di pericoloso, mi creda».

Eugenia incrociò le braccia. «Sia chiaro, mi fa felice, e anche Carlo quando può lavorare per lei è orgoglioso. Ma sono sua madre...», guardò Ugo. «Tu Ugo mi capisci, vero?».

Casella annuì. «Stai tranquilla Eugenia, il dottor Schiavone è persona responsabile».

«Sì?» chiese incerta la signora Artaz.

Rocco si avvicinò a Eugenia. «Eugenia, io non sono una persona responsabile, sono anzi l'esatto contrario. Ma l'aiuto di suo figlio è fondamentale. Ci tira sempre fuori dai guai. Ma se dovesse succedere qualcosa, pagherei io, non certo Carlo. Su questo le do la mia parola».

«E a me basta. E sarei più tranquilla se anche Ugo non ci andasse di mezzo».

«Eugenia, per favore...» intervenne Casella.

«Deficiente» gli disse Rocco, «non vedi che è una dichiarazione d'amore? Nossignora, neanche Ugo. Solo io».

«Grazie, dottor Schiavone».

«Sì, ma da oggi Rocco».

«Grazie Rocco».

Passò il resto della mattinata al telefono con Ciasullo, il vicequestore di Varese, e con la magistrata Pagani, con l'orecchio sudato dopo le ore di conversazione aveva una sola certezza, che le impronte digitali sul cellulare erano quelle di Sebastiano Cecchetti. E ora, seduto sulla sedia scomoda nello stanzino di Baldi, gli era ormai chiaro come fossero andate le cose. «Schiavone, il cellulare apparteneva a Sebastiano Cecchetti, si rende conto?».

«Certo che me ne rendo conto. Ma questo non significa che Sebastiano Cecchetti fosse sul luogo dell'omicidio».

«Ah, no?».

«No. Deve sapere qualche dettaglio in più. Per esempio che gli hanno devastato casa qualche giorno fa, dottore, alla ricerca di cosa?».

«Come fa a saperlo?».

«Mi hanno chiamato amici in comune. Tutto l'appartamento sottosopra e a detta sempre dei miei amici non mancava nessun oggetto di valore».

Baldi restò pensieroso per qualche istante. «Chi?».

«Guardie».

«Polizia? Carabinieri?».

«Senza divisa, però» rispose Rocco.

«Quelli che stanno a piazza Dante, per capirci?».

«Forse. Baiocchi andava eliminato».

«E se quello che lei dice è giusto, Schiavone, mi spiega perché ora?».

«Questo è il punto più inquietante, dottor Baldi. Baiocchi la chiama, di lei si fida. A proposito, è risalito al cellulare dal quale la mattina le ha mandato il messaggio?».

«Un prepagato svizzero» fece Baldi.

«Allora la chiama, le dà un appuntamento perché, a suo dire, avrebbe dei documenti importanti da consegnarle. Di cosa si tratta lei non lo sa. Ma il particolare allarmante è il fatto della coincidenza. Lo seguivano? Oppure seguivano lei?».

Baldi sgranò gli occhi. «Me?».
«Lei, sì. Sono arrivati poco prima del vostro incontro, io non credo alle coincidenze. Quindi le cose sono due: o controllavano Baiocchi o qualcuno ce l'ha addosso lei».
Baldi si alzò di scatto. «Me?» disse guardando la parete nuda della piccola stanza. «Spiano me?».
«E che c'è di strano?».
«Che sono un magistrato, cazzo!».
«Non mi pare che in passato si siano fatti troppi problemi».
«Come fanno?».
«I metodi sono tanti. Magari tramite il suo cellulare, o qualche cimice in questa bella stanzetta nuova che le hanno preparato, oppure a casa sua».
«Mi suggerisce una bonifica?».
«Non farebbe male a una mosca».
«Questo se la sua versione dei fatti è quella giusta».
«Lo è».
«Invece», Baldi alzò la voce, «pensiamo al suo amico come assassino di Baiocchi». Rocco scosse la testa. «Avanti, perché no?».
«L'omicida è entrato in camera di Baiocchi, nella 23, dalle scale antincendio quando quello stava facendo colazione. Il passepartout l'ha trovato nel giaccone della donna delle pulizie. Ha messo un cartoncino sulla serratura della finestra ed è uscito di nuovo fuori accucciandosi sul ponteggio di metallo che corre intorno all'edificio. Quando Baiocchi è rientrato ha semplicemente aperto la finestra e ha sparato, un solo colpo, preci-

so e silenzioso al cuore. Questo è lavoro di chi ci sa fare. Sebastiano è un bandito, dottor Baldi, non un killer. Colpi ne avrebbe sparati di più, con rabbia, e poi mi deve dire dove ha rimediato quell'arma assurda che è stata usata».

«Non ne siamo certi».

«Che sia però un'arma silenziata sì, non è che le armi silenziate si trovano a Porta Portese. La PSS-2 è stata fabbricata per quel motivo, sparare e trattenere il rumore. Sebastiano se lo può sognare un attrezzo simile. E torniamo alla coincidenza. Perché Sebastiano Cecchetti era lì guarda caso qualche minuto prima di lei? E soprattutto, i famosi documenti di Baiocchi, dove sono? Che se ne fa Sebastiano Cecchetti di quella roba? Una volta portata a termine la vendetta, non avrebbe senso. E dov'è il cellulare di Baiocchi col quale le ha spedito il messaggio? E poi, è stato davvero Baiocchi a mandarglielo o a quell'ora era già morto? E se era già morto, che ne sapeva Sebastiano Cecchetti della sua presenza, dell'incontro? Infine, perché le avrebbe mandato un SMS? Andiamo, dottor Baldi, fa acqua da tutte le parti».

«Sì, fa acqua da tutte le parti. Mi dica, Schiavone, da quanto tempo non vede Sebastiano Cecchetti?».

«Dai tempi dell'arresto di Baiocchi, mesi fa».

Baldi si accese una sigaretta. «Sto fumando troppo».

«A chi lo dice».

«Comincio a essere stanco, Schiavone. E se i fatti sono andati come dice lei, c'è da stare svegli la notte».

«Ci sarebbe da scoprire che razza di documenti le voleva consegnare quel figlio di puttana».

Baldi aspirò il fumo, lo sputò verso il soffitto, poi guardò il vicequestore. «Baiocchi mi ha contattato e ciò mi fa propendere per la sua versione. Si sentiva braccato, questo è certo, altrimenti non mi spiego il motivo, in più, visto che ora sta sul lettino autoptico all'obitorio, i suoi erano sospetti fondati. Le credo, Schiavone, e appoggio la sua teoria. Ma non so da dove cominciare».

«Questa è monnezza che viene da Roma. E io da lì comincerei».

Saltò il pranzo e tornò in questura. Appena entrato Deruta gli andò incontro. «Dottore, è urgente».

«Che succede?».

«La cerca Costa, su in ufficio».

«Che vuole?».

«Non lo so, però era molto nervoso, diciamo pure incazzato».

Prese l'ascensore e salì al piano del questore. Bussò. «Avanti!» gridò Costa. Nell'ufficio oltre al superiore c'erano due uomini. Un tizio alto e dal fisico imponente, biondo e con il viso pallido e spaventato. L'altro era una vecchia conoscenza di Rocco, il primo dirigente Gerardo Mastrodomenico, che lo guardò con occhi da rettile e il sorriso di una iena prossima al pasto. «Schiavone, che piacere rivederla!» disse senza allungare la mano. Rocco lo guardò appena, lo stomaco si strizzò e allora chiuse i pugni e trattenne la rabbia ingoiando saliva. «Mi ha fatto chiamare, dottor Costa?».

«Lei conosce il dottor Mastrodomenico, vero?» gli chiese Costa.

«Certo che lo conosco. E lui conosce me» rispose freddo e asciutto.

«Si chiederà, Schiavone, cosa ci faccio qui ad Aosta».

«Settimana bianca?» chiese Rocco.

«La sento nervoso».

«Schifato, sarebbe il termine più adatto».

Costa tossì due volte per attirare l'attenzione. «Schiavone, lei conosce anche il signore qui presente?».

Rocco lo guardò. Non gli diceva niente. «No, non ho il piacere».

«Glielo dico io chi è?» fece Mastrodomenico. «Questo signore si chiama...».

«Giovanni Vaillese» rispose il gigante biondo.

«Bene» proseguì il dirigente, «ha 51 anni, residente ad Aosta e credo siamo tutti d'accordo che si trovi qui fra noi in carne e ossa. Allora io vorrei sapere, Schiavone, com'è possibile che il qui presente Vaillese martedì abbia passato la frontiera in Lussemburgo, e da lì preso un aereo... per la precisione United Airlines, per Città del Messico e da lì un altro per Montego Bay che lei saprà si trova in Giamaica».

«Non ne ho la più pallida idea» rispose Rocco.

«L'aiuto?».

«Se ne sente la necessità».

Mastrodomenico si avvicinò alla scrivania di Costa. «Abbiamo convocato il signor Vaillese perché il suo passaporto è sparito. Coincidenza vuole che sempre il signor Vaillese proprio ieri avesse un viaggio di lavoro. Dove?».

«Dovevo andare negli Emirati» fece l'interessato.

«Allora è venuto qui ma il suo passaporto non c'era. Strano però che si trovi in questo momento a Montego Bay. Allora se la matematica non è un'opinione, chi ce l'ha il passaporto del signor Vaillese?».

«Chi ce l'ha?» chiese Rocco.

«Non lo so, era in questa questura, ora invece è dall'altra parte del mondo. Lei ha un'idea di come ci sia arrivato?». Mastrodomenico senza perdere il sorriso si sedette sulla poltrona e accavallò le gambe in attesa di una risposta. Rocco guardò il questore. «Vorrei sapere perché lo chiedete a me».

«Qualcuno l'ha rubato».

«E secondo lei, Mastrodomenico, l'ho rubato io?».

«È una pista».

Rocco scoppiò a ridere. «Cioè mi spieghi, lei viene da Roma per accusarmi di aver rubato un passaporto? Non avete di meglio da fare al Viminale?».

«Se sono qui è perché ho un sospetto. Glielo vuole dire lei, dottor Costa?».

Costa si sistemò sulla poltrona e cominciò. «C'è stato un omicidio importante l'altro ieri che coinvolge lei e il dottor Baldi. Il sospetto numero uno è Sebastiano Cecchetti, un suo amico d'infanzia. Suo è il cellulare trovato sul luogo del delitto. Si sospetta che sempre lui sia il possessore del passaporto, e che lei l'abbia aiutato nella fuga».

Rocco sentì un freddo improvviso dietro le scapole. «Mi state accusando dunque di aver sottratto un passaporto da questi uffici, averlo dato a Sebastiano Cecchetti, latitante da tempo, avallato il suo piano omicida e quello della fuga. Giusto?».

Mastrodomenico ironico alzò il pollice. «Centro!».

«Potrebbe tornare tutto. Però prima gradirei che il signor Vaillese uscisse da questa stanza». Costa guardò prima Schiavone, poi Vaillese. «La prego, si accomodi fuori». Quello obbedì, sembrava non vedesse l'ora di levarsi di torno. Appena chiuse la porta Rocco riprese la parola. «Ma adesso io chiedo a voi. Primo: dove ha trovato una PSS-2 Sebastiano Cecchetti? Pistola silenziata in dotazione alle forze di sicurezza ceche e russe? Secondo: come faceva a sapere che Baldi stava raggiungendo Baiocchi che aveva promesso al magistrato documenti importanti da consegnargli in tutta segretezza?».

«Gliel'avrà detto lei?».

«Quando? Baldi me l'ha comunicato domenica sera, quando eravamo qui da lei, dottor Costa, a definire il caso Martinet. Lunedì io e il magistrato siamo partiti all'alba per andare a incontrarlo, il luogo lo conosceva solo Baldi, potete chiederglielo, di lui almeno spero vogliate fidarvi, ma qualcuno è arrivato qualche minuto prima di noi. Torno dunque a domandare: come faceva Sebastiano Cecchetti a conoscere il nascondiglio di Baiocchi? E essere talmente fulmineo da anticipare me e Baldi uccidendolo e sparendo come un'ombra in meno di un minuto?». Costa e Mastrodomenico si guardarono. «Non lo sapete perché è impossibile. Chiamate la magistrata Hilary Pagani e fatevi dare i dettagli, capirete che sarebbe pura fantascienza. E ancora: perché Sebastiano Cecchetti, una volta realizzata la vendetta, si porta via i famosi documenti di Baiocchi e il suo cellulare?». Ancora una volta Mastrodomenico e

Costa si guardarono in silenzio. «E proseguiamo: come è possibile che Sebastiano Cecchetti, ammesso sia l'assassino, perda un vecchio cellulare inutilizzato sul luogo del delitto, vuoto, con solo una curiosa numerazione in rubrica? E infine: chi ha svaligiato la casa di Sebastiano Cecchetti giorni fa prelevando, molto probabilmente, il suddetto cellulare?».

«Se anche fosse vero, lei perché lo sa?» gli chiese Mastrodomenico.

«Perché si dà il caso che lavori in polizia, non se n'era accorto?».

«Supposizioni» liquidò Mastrodomenico con un'alzata di spalle.

«Fatti, dottor Mastrodomenico. Le supposizioni sono le sue. A meno che lei non sappia più di quanto dice, e allora sono qui pronto, tutt'orecchi, a sentire la sua versione». Attese. Mastrodomenico non parlò. Allora Rocco si rivolse al suo superiore: «Dottor Costa», aveva cambiato tono di voce, accorato e profondo, voleva l'attenzione totale del suo superiore. «Qualcuno spia il dottor Baldi, ne siamo certi. Come siamo certi che quel qualcuno sia l'omicida di Enzo Baiocchi. È chiaro che quei documenti scottavano. E ha cercato di buttare la colpa su un bandito da quattro soldi».

«Chi?» urlò Costa.

«Non so risponderle».

«Siamo al complottismo!», Mastrodomenico scoppiò in una risata.

«Sono felice si stia divertendo. Ma se la mia parola non è degna, forse quella di un magistrato inquirente lo è di più. Vi consiglio di fare un salto in tribunale a scambiarci quattro chiacchiere. Se abbiamo finito io avrei un lavoro da fare. L'aria di questa stanza, dottor Costa, è mefitica. E non per colpa sua». Si voltò e raggiunse la porta.

«Schiavone!» lo richiamò Mastrodomenico.

Rocco, con la mano poggiata sulla maniglia, si voltò. «Lei non mi è mai piaciuto, e prima o poi le faccio il culo, stia certo. Andrò fino in fondo alla storia e dovrà rendermene conto».

«Non vedo l'ora» lo minacciò Rocco. «Il fuoco ha questo di bello, basta un soffio di vento e cambia direzione. Ne ho visti tanti convinti di preparare una grigliata e trasformarsi in bistecche. Con permesso».

Nonostante l'ora di pranzo fosse passata da un pezzo, Brizio Rocco e Furio mangiavano e si guardavano in silenzio. «Non ci posso ancora credere» disse Furio con la bocca piena di spaghetti. «Seba all'estero?».

«Esatto» fece Rocco. «Se n'è andato in Giamaica».

«Ha avuto la stessa idea tua» concluse Brizio asciugandosi la bocca col tovagliolo. «Con quali soldi?».

«Avrà svuotato il conto prima di venire qui».

«La vedo difficile» fece Furio. «Che fa, un latitante va in banca a prelevare i soldi e le guardie se ne stanno zitte e buone? No, l'avrà spostati, semmai, online, sempre che sul conto de Roma soldi ce ne stavano».

Rocco lasciò la forchetta nel piatto insieme a metà porzione. «Mastrodomenico s'è mosso» fece, «questo è importante».

«Dici per l'articolo che hai fatto uscire sulla stampa?».
«Oppure solo per interesse. Perché vuole mettere le mani su Sebastiano? Che gliene frega?».
«S'è tradito» disse Brizio. «Guarda caso muore Baiocchi, sparisce Sebastiano e lui è qui. Non ti viene in mente che sa più di quello che dice?».
«Sì, Brizio, e su 'sto fatto ci devo ragionare».
«Porca puttana», Furio tirò un pugno sul tavolo attirando l'attenzione della cameriera. «Se quello che dici è vero questi seguono un magistrato, eliminano un testimone pesante, e ora cercano di buttare la colpa su Seba che invece se n'è scappato e chi s'è visto s'è visto?».
«Magari fra qualche giorno ci chiama» azzardò Brizio.
«Magari la Roma vince lo scudetto. Sapete cosa non torna?».
«Dicce, Furio...».
«Che senso ha eliminare Baiocchi? Quello era da tempo che cantava. Ha denunciato un sacco di gente importante, allora?». Furio scansò il piatto e si versò un bicchiere di vino. Si fissarono tutti e tre a guardare il liquido rosso colare nel bicchiere. «Sapeva di più?» disse appena riposta la bottiglia ormai vuota sul tavolo.
«E quel di più lo voleva tirare fuori ora? Perché?». Brizio rubò un sorso dal bicchiere di Furio.
«Io dico che l'ultimo pezzo della denuncia se l'è tenuto per sé. Era la garanzia che non lo avrebbero toccato. Poi la situazione si deve essere complicata, e ha cercato l'alleanza col magistrato. Ma sono arrivati prima gli altri».

«Po' esse', Rocco. Secondo te l'omicida lo prenderete mai?».

«Mai, Furio, ormai ne sono convinto».

«Io la vedo così», Brizio si allungò sulla sedia e prese un respiro profondo. «Chissenefrega chi è stato, quello che è certo è che Sebastiano è innocente, è scappato, sta al sicuro e gli auguro tutta la vita che gli resta di godersi il mare e la spiaggia».

«Io questo non lo posso dire» fece Rocco. «Io devo andare fino in fondo. Non mi posso accontentare, perché sono convinto che al centro de 'sto schifo c'è quel boiaccia de Mastrodomenico. Per chi lavora io non lo so, chi deve coprire nemmeno. Troppe strade portano a lui. Pensate a quello che m'è successo».

«Che stai qui ad Aosta?».

«Anche. Mi mette la Rispoli addosso come un'ombra e guarda caso quando eravamo arrivati a capire dove fosse Baiocchi, zac! Intervengono le forze speciali e se lo prendono. Ve lo ricordate, no? Seba era a un metro da lui, col ferro in mano e bastava che tirava un colpo e...». Rocco si azzittì all'improvviso. «Come cazzo ho fatto a non pensarci prima?».

«A cosa?».

Rocco guardò gli amici. Quello che stava per dire pesava come un macigno. «E se quelli che so' arrivati a arrestare Baiocchi quella notte, le forze speciali, sono i buoni?».

«Non ti seguo» disse Brizio. Furio si avvicinò perché Rocco aveva abbassato il volume della voce. «Se le forze speciali non erano comandate dai bastardi ma da chi i bastardi li voleva crocifiggere, e l'hanno fatto perché, arrestando Baiocchi, hanno ingabbiato un sacco di gente? Allora... non ci posso pensare...».

«Ma a che?».

«La spiata che Caterina Rispoli ha fatto non era per fermare Seba o me. Era per far arrestare Baiocchi. Questo vuol dire che Caterina Rispoli ha fatto il doppio gioco. Fingeva di stare con Mastrodomenico, invece stava con gli altri».

«Aspetta, aspetta... non ci sto capendo più niente. Noi eravamo arrivati a scoprire il nascondiglio dell'infame, quelli ci hanno preceduto e l'hanno arrestato grazie alla soffiata di Caterina Rispoli, il tuo viceispettore che, fra l'altro, te sei portata a letto».

«Questi sono dettagli inutili, Furio».

«Però è così. Tu credevi che fosse Mastrodomenico a tirare le fila della faccenda, il capo segreto della Rispoli, invece...».

«Invece quella lavora per qualcun altro» concluse Brizio. «Fa arrestare Baiocchi testimone prezioso, e Seba deve rinunciare alla vendetta. Vabbè, diciamo che Seba è un microbo in un ingranaggio enorme. È andata così?».

«Sembrerebbe di sì...» fece Rocco e guardò a lungo la tovaglia sporca di sugo.

«Porca troia» sospirò Furio. «Allora non avevi capito un cazzo».

«Niente» confermò il vicequestore. «Ma è certo che Mastrodomenico ha recuperato terreno perché è lui che ha ammazzato Baiocchi, lui nel senso uomini suoi. Certo resta assurda la coincidenza della fuga di Sebastiano».

«Se la sarà vista brutta e ha deciso di scappare. Affanculo la vendetta, no?».

«Forse è così, Furio, forse è così. Però a me le coincidenze non piacciono. Meglio, ci credo poco».

L'inno alla gioia risuonò. «E cambiala!» suggerì Furio. «'Sta suoneria fa schifo!».

«Dica, dottor Baldi».

«Dov'è?».

«Al ristorante».

«Quale?».

«Quello su via Croix de Ville».

«La vengo a prendere. Intanto lei vada subito sul sito dell'Ansa».

«Mi viene a prendere? Perché? Che succede?».

«Vada sul sito dell'Ansa, le ripeto, e legga la cronaca. Lo faccia ora!», e attaccò.

«Ce l'hai il campo?» chiese Rocco.

«Penso di sì, dà qua», Brizio gli strappò il telefonino dalle mani, ci pasticciò pochi secondi poi glielo restituì. «Ecco qui. Che succede?».

«Era il magistrato».

«Che devi leggere sull'Ansa?» gli chiese Furio. Rocco saltò le notizie di politica interna, gli esteri, poi si fermò sulla cronaca. Rocco lesse l'articolo ad alta voce: «È stato rinvenuto il corpo di un uomo di età indefinita nei bagni dell'area di servizio Brughiera sulla Milano Laghi. L'uomo privo di documenti...». Rocco guardò i suoi amici. «Che significa, Rocco? Chi è che hanno rinvenuto?».

«Se il magistrato corre, ci deve essere un motivo».

«Io e Furio restiamo qui e paghiamo il conto, tu ci tieni aggiornati» disse Brizio.

L'auto guidata da Baldi inchiodò davanti alla trattoria. Rocco salì a bordo. «Che succede?» chiese agganciandosi la cintura di sicurezza mentre Baldi ingranava la retromarcia. «La prossima volta vada in un ristorante comodo fuori dal centro storico».

«Che succede?» ripeté Rocco.

La macchina schizzò su piazza della Repubblica. «Prenda il mio cellulare. Dentro ci sono tre fotografie. Osservi con attenzione le prime due». Ritraevano il cadavere di un uomo sui 40 anni. Cappello di lana e giubbotto blu, viso magrissimo. «Allora?».

«Ricorda la descrizione della donna delle pulizie?».

«Lei pensa che questo sia l'assassino di Baiocchi?».

«Non ha documenti, indossa scarpe costose, sotto il giubbotto porta un completo di Caraceni, in tasca un paio di guanti di lattice, in più hanno rintracciato la sua auto. Una Mercedes GLB. Nessun documento all'interno, né portafogli o altro. Ma se vuol sapere cosa c'era nel bagagliaio, apra la terza foto».

Rocco eseguì. «Una pistola?».

«Una PSS-2, se vogliamo essere precisi».

Rocco guardò il magistrato. «Cazzo...».

«Già, è la stessa parola che ho profferito quando Hilary mi ha mandato questo materiale. Fra due ore siamo sul posto, ho chiesto di non muovere uno spillo».

«Tracce del cellulare di Baiocchi? Fogli, cartelle, fotografie?».

«Niente. L'auto era pulita. Per avere la certezza matematica che l'assassino sia lui, non resta che mostrare queste foto alla donna delle pulizie».

«Ricevuto». Rocco trafficò sul suo telefonino. Inoltrò le foto a Brizio insieme a un messaggio: «Tornate da Gina, mostrate le foto e chiedete una verifica».

«Con chi è in contatto, Schiavone?» disse Baldi bruciando un semaforo.

«Mando messaggi ai miei uomini, così risparmiamo tempo».

«Ben fatto!».

Durante le due ore di viaggio si era acutizzato il dolore alla schiena al quale si era aggiunto quello del taglio della nefrectomia che sembrava un affare ormai risolto. Schiavone claudicante scese dall'auto di Baldi, il sole stava calando e le nuvole da grigie cominciavano a tingersi di nero. «Che ha?».

«Qualche dolore» rispose Rocco con una smorfia.

«Ancora il taglio dell'operazione?».

C'erano due macchine della polizia ferme accanto alla porta dei bagni pubblici, inagibili. Il vicequestore e il magistrato catalizzarono gli sguardi dei tre benzinai al lavoro. Ciasullo era appoggiato al cofano dell'auto con i girofari accesi. «Ci rivediamo prima del previsto» fece il vice di Varese.

«Che ci dici?».

«Dico che i bagni sono inagibili da venerdì e non si capisce come sia entrata la vittima».

«Cioè fammi capire, questi bagni sono chiusi al pubblico?» chiese Rocco.

«È così. Oggi all'alba sono entrati gli operai per riprendere i lavori e hanno trovato il cadavere».

Rocco guardò Baldi. «Le suona strano, dottore?».

«Ma parecchio. Perché non ha usato i bagni agibili? Credo che la stazione ne abbia altri in sostituzione, o no?».

«Certo, dall'altra parte, quelli chimici».

«Che pensa?».

Rocco si avvicinò alla porta delle toilette. Graffi evidenti erano presenti sul metallo di rivestimento all'altezza della serratura. «È stata forzata» disse rivolgendosi ai colleghi.

«Prego, di qua», Ciasullo come un anfitrione li anticipò all'interno. A sinistra il bagno delle donne, a destra le toilette destinate agli uomini. La porta era aperta. «Le soprascarpe» disse una delle tre tute bianche intente al lavoro. Rocco riconobbe subito la voce. «Bosetti, come va?». Quello alzò la testa, imbacuccata nel cappuccio. «Schiavone! Felice di rivederla».

«Il corpo era qui» fece Ciasullo spingendo con una matita la porta di un gabinetto. Non c'era più, aveva lasciato a terra e sulle maioliche dietro la cassetta di scarico tracce evidenti di sangue. «Come è morto?» chiese Baldi.

«L'assassino è spuntato dall'altro bagno, credo, si sarà arrampicato sul water, un solo colpo, lama appuntita proprio qui», e indicò una zona alla base del collo, «e il nostro se n'è andato in pochi minuti».

«Doveva essere una lama lunga» osservò Schiavone.

«Non è detto. Se si è poggiato con l'addome sul divisorio per sporgersi, anche un dieci centimetri bastano».

«E la vittima era seduta sul water?» chiese Baldi.

«Così l'abbiamo trovato, e coi pantaloni calati».

L'odore di fogna era insopportabile e strozzava la gola. Rocco guardò la chiusura di sicurezza della porta. Fece scivolare il piccolo paletto che finiva dritto in una U di metallo per assicurare la privacy ma a metà corsa quello si bloccò. «Io vi dico che invece è entrato dalla porta senza bussare».

«E come?».

«L'amico non si sarà certo chiuso dentro. I bagni erano inutilizzabili, ha lasciato aperto, poi il paletto manco funziona».

«Ne è certo, Schiavone?».

«Io avrei fatto così», e sorrise a Baldi. Guardò gli specchi alle pareti, i lavandini. «Non c'è una telecamera?».

«Purtroppo no» rispose Ciasullo. «Stiamo sequestrando i video di quelle sul piazzale e nel bar, le esamineremo con attenzione».

Rocco uscì dalle toilette seguito dal magistrato e da Ciasullo. Appena fuori si guardò intorno. Accanto scorreva l'autostrada con il suo muggito continuo. I fari potenti illuminavano a giorno la stazione. Al centro del piazzale c'era la costruzione del bar su cui campeggiava il logo della compagnia petrolifera. Una sola telecamera puntava la zona dei bagni, piazzata sotto il tetto della stazione di servizio. Rocco si avvicinò per controllarla. «Solo questa dovete esaminare, se c'è qualcosa è qui, le altre non servono a niente».

«Dici?».

«Dico. Gli ha dato poche chance...» disse Rocco a Baldi.

«Che vuoi dire?» si intromise Ciasullo.

«Il cadavere che avete portato via è quello dell'assassino di Baiocchi all'hotel».

Ciasullo rimase a bocca aperta. «È così?».

«Crediamo di sì» si unì Baldi. «Quando è morto?».

«Ci stanno lavorando sopra».

«Muzii con due i?».

Ciasullo sorrise. «Credo di sì».

Appena uscì dalla palazzina di via delle Brigate Partigiane Gina ebbe un brivido di freddo. La temperatura era scesa insieme al sole. La strada era buia, la donna si accorse della presenza di Brizio e Furio solo quando i due uomini spuntarono fuori dall'ombra e sorridendo le sbarrarono la strada. Restò congelata sul marciapiede, senza muovere il capo, girava gli occhi alla ricerca di qualcuno che la potesse aiutare, ma la strada era deserta. «Ciao Gina» disse Brizio avvicinandosi, «ci rivediamo».

«Vi prego, non mi fate del male».

«Stai tranquilla, ci serve un altro favore». Furio si spostò silenzioso alle spalle della donna, Gina si voltò per controllarlo, poi tornò a guardare Brizio che mise rapido una mano in tasca. La donna sobbalzò spaventata, convinta che stesse per estrarre un'arma, ma si tranquillizzò appena vide che Brizio stringeva un innocuo cellulare. «Ora guarda questa foto, e ci dici se è l'uomo che hai visto chiudere la finestra nella stanza 23».

Gina osservò con attenzione. «Perché ha gli occhi chiusi? Dorme?».

«No» rispose Furio alle sue spalle. Un brivido scosse la testa della donna. «No?».

«No» chiarì Brizio.

«Sì... sì, è... lui», con la mano tremante restituì il telefonino a Brizio. Quello sorrise e come erano apparsi sparirono nel buio della strada. Gina restò ancora qualche secondo davanti alle macchine parcheggiate, poi sentì un calore correrle fra le cosce. Si era pisciata addosso.

«Perché l'hai voluta fa' caca' sotto?» chiese Furio tornando all'auto.

«Me l'ha insegnato Rocco. Se vuoi un'informazione e metti l'individuo in sudditanza, canta che è una bellezza».

«Schiavone! Mi scusi, eccomi qui... se volete seguirmi», stavolta la nipote di Fumagalli era riuscita a evitare l'incontro con Muzii anticipando il suo superiore. Indicò la doppia porta che immetteva nella sala autoptica. «Piacere, Loredana Fumagalli».

«Maurizio Baldi» disse il magistrato stringendole la mano.

«Dottor Baldi, l'aspettavo, ho avuto una telefonata dalla dottoressa Pagani».

Entrarono nella sala e si avvicinarono ai frigoriferi. Loredana aprì il primo. «Eccolo qui» e fece scivolare la barella. Scoprì il volto. L'uomo era magro con le guance risucchiate, visibile all'altezza del collo la ferita inferta dall'assassino. «Lama con doppio taglio, una larghezza intorno ai due centimetri. Un solo colpo, ha trafitto la vena giugulare».

Baldi si avvicinò a guardare la ferita. «Quand'è morto?».

«Lunedì... sull'ora della dipartita fra le 12 e le 17, non riesco a essere più precisa. Età direi sui 45 anni, ha subìto interventi chirurgici all'addome e alla gamba sinistra», indicò con la penna una piccola piaga sul quadricipite. «Ecco, una ferita d'arma da fuoco, vedete? Questo è il foro di entrata, vecchio, una decina di anni. Ha una ricostruzione di ottimo livello al secondo e terzo molare di destra arcata superiore. Come potete evincere da soli era piuttosto in forma, muscolatura ben sviluppata, pochissima massa grassa».

«Uno sportivo, allora?» chiese Baldi.

«Sì, direi un uomo d'azione. Ci sono tre vecchie fratture ossee al polso e alla mano, un'altra al perone, il naso è rotto, tutto mi dice che praticasse sport di contatto».

Rocco guardò il magistrato. «Io non ho dubbi, lei?».

«Pochissimi ormai. Sarebbe bello risalire all'identità».

«Dottor Baldi, io del nome del tizio non ho bisogno. Dottoressa» disse poi rivolgendosi alla patologa, «grazie ancora per la sua precisione. Le saluto suo zio?».

«Chi è lo zio?» chiese Baldi.

«Alberto Fumagalli, il nostro patologo di fiducia».
«Ma pensa un po'... piccolo il mondo».
«Mica tanto» intervenne Loredana, «siamo sette nipoti, di cui cinque patologi... incontrarci non è così impossibile».

«Perché non ha bisogno di sapere il nome del morto?» chiese Baldi mentre tornavano all'auto.
«Perché l'assassino non lo prenderemo mai. Glielo scrivo nero su bianco, se vuole».
«Non la seguo».
«Sono onesti servitori dello Stato. Sia quello che abbiamo appena osservato sul lettino autoptico, sia quello che ce l'ha mandato».
Baldi aprì l'auto e salì a bordo. «Ne è certo?».
«Non è la prima volta che li incontro. Lei la faccenda la conosce. Mentre torniamo ad Aosta le faccio il resoconto di come sono andati i fatti. E i documenti di Baiocchi, sempre se sono esistiti, ora li ha l'assassino del nostro uomo senza nome».
Baldi annuì pensieroso, poi accese il motore. «Io spero ancora nelle telecamere della stazione di servizio».
«Sa cosa vedremo? Un uomo imbacuccato entrare nella toilette e uscirne cinque minuti dopo. Non saremo in grado di riconoscerlo, non avremo niente per le mani, solo un'ombra, di quelle che sfuggono anche agli archivi. Mi creda, dottor Baldi, ci sfasciamo le corna e non arriveremo mai a una conclusione. Lasci le indagini alla sua collega, la Pagani, e vedrà che fra sei anni non avranno fatto un passo avanti. Se vuole e le sembra il caso, potrà

riferirle tutta la storia che ora le racconto». Un campanello l'avvertì dell'arrivo di un messaggio. Rocco controllò il cellulare e lo lesse. «Abbiamo la certezza, dottor Baldi» disse. «Lunedì mattina il morto, prima di diventare tale, era nella stanza 23 a sparare a Baiocchi».

«Informazione dai suoi uomini?».

«Già».

«Ha visto? Li prende sempre in giro, invece sono molto efficienti e affidabili. Bene, s'è chiuso il cerchio. Vuole raccontarmi?».

Il questore Costa restò in silenzio per qualche secondo a rimuginare tutta la storia che Rocco aveva raccontato per l'ennesima volta. Baldi invece sembrava concentrato a guardare la foto del Presidente della Repubblica. «Come ci muoviamo?» chiese il questore rompendo il silenzio.

«Non possiamo muoverci, dottore. Meglio, è inutile. Erano interessati ai documenti di Baiocchi, li hanno presi, possiamo solo attendere».

Costa sorrise e si lasciò andare sulla poltrona. «Quindi, Schiavone, suggerisce silenzio stampa?».

«Vorrebbe dire ai giornalisti la verità?» si intromise Baldi.

«Se la sapessi...» rispose Costa incrociando le mani e avvicinandole al mento.

Restarono ancora in silenzio. «Che dicono a Varese?».

«Ho raccontato a Hilary Pagani i fatti. Andrà fino in fondo, se avrà bisogno di noi, noi scatteremo. Giusto?».

Rocco annuì.

«Mastrodomenico non è salito solo per l'articolo del giornale» disse all'improvviso Costa. «Voleva altro, non lo pensa anche lei, Schiavone?».

«Certo. Il cadavere nei cessi della stazione di servizio è roba sua».

«Dice?».

«Azzardo ma è possibile. Per questo è salito, dottor Costa. Perché non ha visto arrivare il suo uomo con i documenti rubati a Baiocchi».

«Questa è una supposizione» intervenne il magistrato. «Stiamo sempre parlando di un primo dirigente della Polizia di Stato».

«Che puzza come un pesce marcio» disse Rocco.

«Parla così perché con lei ha un conto aperto da tempo?».

«No, dottor Costa, parlo così perché le strade portano a lui. È interessato a Sebastiano Cecchetti, l'ha visto, perché è convinto che lo porti da Baiocchi. Poi Baiocchi l'ha trovato da solo, anzi, l'ha trovato spiando il dottor Baldi, e non so ancora come. Ma l'uomo viene ucciso, non torna a Roma, lui si presenta qui seguendo una sua pista. Disperato, ve lo dico io, perché Sebastiano Cecchetti con l'omicidio dell'albergo non c'entra nulla. È una partita fra Mastrodomenico e i servizi».

Costa impallidì. «Allora le informazioni di Baiocchi...».

«Sono pesanti, dottor Costa, valgono la vita di un sacco di gente».

Alle dieci di sera, chiuso nel suo ufficio, Rocco fumava. Brizio e Furio lo aspettavano al ristorante per mangiare qualcosa, li avrebbe raggiunti senza passare da casa, non ne aveva voglia. Stanco, il dolore dell'operazione al rene era svanito grazie agli antidolorifici che aveva ingurgitato in auto mentre tornava da Varese. Tutta la storia aveva un odore pessimo, di intrallazzi, segreti, sporcizia nascosta sotto i tappeti della Repubblica nelle stanze di chi ha il potere di cambiare l'aspetto di una nazione, ma non ne ha la volontà né la convenienza. Guardò Lupa che era stata tutto il giorno insieme a Deruta e ora dormiva a pancia all'aria sul pavimento. Mastrodomenico era dentro all'affare fino al collo, su questo non aveva dubbi. E forse quei documenti lo inchiodavano. Se ci aveva indovinato, era lui l'uomo che in qualche modo proteggeva Baiocchi, meglio, era ricattato da Enzo Baiocchi. Si sentiva soffocato da quella valanga di sterco che da giorni gli era piombata addosso. E non c'era da lavarsi per togliersi il fango, pulirsi le mani e i vestiti, perché Rocco sentiva che le brutte notizie non erano finite, anzi. Più si addentrava nella storia, più il buio si faceva pesante e impenetrabile.

«Non è colpa tua» mi dice mentre accarezza con un piede la pancia di Lupa.

«Non si tratta di avere colpa o meno Mari', so solo che non ce la faccio più».

«Hai visto? Alla fine la parola segreta l'hai capita».

«Sì, l'ho capita. Ma a che serve?».

«Ora ti racconto una storiella». Sbuffo e lei diventa seria. «Che sbuffi? Fa' attenzione».

«So' vecchio per le storielle».

«No, sei stupido se non le ascolti. C'era un re, superbo e curioso, che studiava gli astri, ne voleva carpire i segreti. I segreti del tempo, dei pianeti. E così si alleò con Crono contro Zeus. Il dio non gliela perdonò e lo punì, lo costrinse a sopportare sul collo la sfera celeste che lui aveva tanto studiato. Ecco la punizione per chi prova a spiegare i misteri della natura, Rocco. *Sfasciarsi le corna sugli stessi problemi, sempre, ogni giorno, e forse non risolverli mai. Ma senza quel re e senza la sua curiosità, molti segreti sarebbero restati tali e mai svelati all'umanità».*

«Che c'entro io?».

Scuote la testa. «Non ti rendi conto? È la stessa cosa, Rocco. *Non puoi... non farcela più, come dici, sarebbe come rinunciare alla tua natura. La realtà si nasconde e a te, nel tuo piccolo, tocca decifrarla. E fa male, un piccolo successo costa caro. Ma non sei l'unico. Tutti, in un modo o nell'altro, compiono questa lotta. Esimersi sarebbe rinunciare alla vita».*

«E vale la pena?».

«Mi chiedi se vale la pena di vivere? Te li ricordi quei versi del poeta russo? In questa vita non è difficile morire, vivere è di gran lunga più difficile?». Poi Lupa si sveglia. Le salta in grembo. Marina l'accarezza e alla cagnolona piace. «Solo alleggerisci il peso che ti porti» mi dice.

«C'eri tu, prima, era più facile».

«E ora ci devi riuscire da solo e non è mai stato facile».

«Ma dimmi una cosa. Dopo ci si sente liberati?».

«Dal peso?».

«Sì».

«Secondo te? Che dici? Ti sei messo a fare domande stupide, amore mio, sei stanco».

Marina continua a carezzare la pancia di Lupa che chiude gli occhi e muove appena la coda. Poi mi sorride e se ne va. Lupa si ritrova sul divano e resta lì a dormire. Succede a tutti, allora, anche ai cani, di mischiare i sogni con la realtà. Solo che non mi rendo più conto della differenza, e non so più se Marina è un ricordo o resta un sogno. Ho sete, ma non trovo l'acqua.

Dal tocco sulla porta, Rocco riconobbe subito l'agente Casella. «Avanti, Ugo!».

Quello si affacciò. «Posso?», teneva un foglio in mano.

«Ancora qui a quest'ora?» gli chiese Rocco, il viso dell'agente era pallido e stanco.

«Dotto', mo' mo' mi ha chiamato Carlo. Ho novità. È arrivato a capire la stringa di numeri, quella che stava sul cellulare...».

«Davvero? E cos'è?».

«Allora, CL slash XBY 24668 SCC. Lei ha azzeccato tutto, mancava quel CL slash XBY. È un conto corrente della Caisse d'Épargne de Luxembourg. È stato bravo, eh?».

«Una banca in Lussemburgo?».

«Proprio. E mo'?».

«E mo'? Niente, Case', il proprietario del cellulare aveva un conto laggiù».

«Ah, e chi è? Il suo amico?».

«E mi sa. Scappato all'estero».

«Con la cassa».

«Così pare... vado a mangiare, vacci pure tu».

«Sì, oggi Eugenia ha fatto le orecchiette. Mi vengono i brividi, dotto'».

«Il matrimonio è anche questo. Dille che ti sono piaciute lo stesso».

«Certo, e mica so' pazzo. Primo, mangio senza cucinare, secondo se facessi io la fonduta non se la piglierebbero manco i cani, terzo Eugenia...».

«Fermati, non mi interessa, Case'. E ricordami che a Carlo dobbiamo comprare un regalo per tutti i favori che ci fa».

«Non lo so dotto', dice che si diverte».

Quando arrivò al ristorante, nonostante l'ora tarda c'erano ancora clienti, i suoi amici lo aspettavano seduti. Si tolse il loden, lo appese all'attaccapanni, stava per sedersi anche lui quando lo vide a un tavolo mentre mangiava da solo. Si fissò a guardarlo, tanto che anche Brizio e Furio si voltarono. «Chi è?».

«Mastrodomenico» disse Rocco. «Forse è meglio se cambiamo ristorante».

«Sì, forse è meglio» concordò Furio proprio nel momento in cui il dirigente della Polizia di Stato alzò gli occhi e guardò Schiavone. Sorrise, denti stretti, e riprese a mangiare. Rocco prese posto accanto agli amici. «Tanto avevo lo stomaco già chiuso da una bella notizia. Seba è scappato ma prima è passato in Lussemburgo a ritirare soldi da un conto cifrato».

Furio e Brizio restarono in silenzio. «Aveva soldi all'estero?».

«È così. E se li è portati a Montego Bay, Giamaica».
«Non so se mettermi a ridere o a piangere. Notizia certa?».
«Direi abbastanza certa. L'ha scoperto un tizio che ogni tanto lavora per me, un mezzo genio».
Brizio prese un grissino. «Non c'ha mai detto un cazzo».
«No. Avrebbe dovuto?».
«Sì!» esplose l'amico. «Sì, ci siamo sempre detti tutto noi quattro, Seba di me sa anche a che ora vado in bagno e che uso lo spazzolino elettrico».
«Davero?» si interessò Furio.
«Perché, non se può?».
«No certo, Bri', ma mi chiedo, è meglio? A me il dentista m'ha detto che...».
«Ma che cazzo me ne frega del dentista, Furio! Sebastiano ci ha nascosto tutto, da sempre, ha tenuto a battesimo il nipote de Stella, t'ha fatto da testimone alle nozze» ringhiò Brizio.
«Ma poi ho divorziato».
«Ma che c'entra, Furio?».
«È inutile che t'incazzi, Bri'» lo interruppe Rocco. «È così, fattene una ragione. Sebastiano s'era nascosto i soldi all'estero e non ha detto niente a nessuno. Da dove vengono i soldi? Non lo sappiamo. Aveva i suoi affari, no? Qui in Italia se farebbe il carcere, dovunque sia andato invece no».
«So' d'accordo con Rocco» disse Furio.
«Ma mi volete almeno fa' sfoga' 'st'amarezza che m'è venuta?».

«Sfogate, però fallo a bassa voce», e Rocco indicò il tavolo occupato dal dirigente di polizia.

Ordinarono, poi ripresero a parlare sottovoce. «Che c'è rimasto da fare?».

«Niente, Furio, niente. Te l'ho detto, Baiocchi l'hanno risolta le guardie. Stanno in lotta fra di loro. E lo sai?», indicò Mastrodomenico con un gesto del volto. «So pure quello che ci rimetterà de più. Se la fa sotto. Diciamo che i nodi del 2007 sono venuti al pettine, e quello c'ha i capelli ricci».

«Bella 'sta metafora, Rocco», e Brizio scoppiò a ridere. «Dove l'hai letta? Sui Baci Perugina?».

«Bella compagnia!». Alle loro spalle la voce di Mastrodomenico li congelò. «Mi presenta ai suoi amici? Ma tanto li conosco già. Furio Lattanzi e Brizio Marchetti... com'è da queste parti?».

I visi di Brizio e Furio si trasformarono. Occhi come feritoie, aria strafottente, labbra increspate in un sorriso ironico, era la maschera che gli amici mettevano ogni volta che avevano a che fare con le forze dell'ordine. «Diciamo i cazzi nostri» rispose Brizio.

«Invece noi non la conosciamo. Lei è?» chiese Furio.

«Gerardo Mastrodomenico. Per voi basta solo dottore».

«È medico?».

«No, signor Lattanzi, sono un dirigente della Polizia di Stato».

«Sicuro?».

Il viso di Mastrodomenico si rabbuiò. «Vuole vedere il mio curriculum?» disse forzando un'ironia nervosa.

«Ah, no, ce credo, dipende però. Mica tutti se meritano il posto che c'hanno, vero, Rocco?».

«Su questo le do ragione, signor Marchetti», la voce di Mastrodomenico non riusciva a nascondere la rabbia che gli saliva dallo stomaco. «Lei e il suo amico, per esempio, non meritereste di stare in questo ristorante, ma a Rebibbia».

«Bella battuta, dottore» fece Brizio mentre Furio applaudiva ironico, «m'ha fatto ride, sul serio dico, però vede noi un paio di giri all'albergo Roma ce li siamo fatti. Posso dire? Niente di che. Servizio scadente e camere poco accoglienti».

«Sì, pensavo meglio anche io. Pure la vista, mica è un granché».

«E la clientela, Furio?».

«Per carità, gentaglia, dottore, gentaglia!», e si fissarono a guardarlo, il sorriso sempre stampato sul volto, la sfida eterna che non sarebbe mai terminata. «Perché non se lo fa pure lei un giro a Rebibbia? Così lo prova in prima persona».

«Però non mi avete risposto. Che fate ad Aosta?».

«Siamo venuti a trovare un nostro grande amico», e Furio poggiò la mano sulla schiena di Schiavone che fino a quel momento era restato in silenzio.

«Ho il sospetto, e ditemi se sbaglio, che stavate cercando notizie di Sebastiano Cecchetti. Non è così?».

Brizio scoppiò a ridere. «Stava ai domiciliari, dottore, v'è scappato sotto il naso, perché dovrebbe essere qui ad Aosta?».

«Perché è un grande amico di Schiavone, o no?».

«Sebastiano amici ne ha centinaia. Le conviene sbrigarsi a fare il giro d'Italia. Per esempio, lo sa che aveva un'amante ad Ascoli Piceno? Te ricordi, Bri'?».

«E come no? E pure un cugino che vive a Isernia. Magari lui sa qualcosa».

«Una zia s'è sposata e sta in Sicilia» aggiunse Furio, «con un po' di fortuna, chi sa? Gira che te rigira, magari a Seba lo becca laggiù».

«E no, non lo becco più. Se ne è andato all'estero, vero Schiavone? Con un passaporto rubato alla questura di Aosta, guarda caso...».

«Cioè, dottore, mi faccia capire. Rubano un passaporto ad Aosta e lei conclude che è stato Sebastiano Cecchetti con la complicità di Schiavone?».

«Hai capito Bri' perché questi risolvono il 40 per cento dei casi?».

«E l'ho capito sì!».

Mastrodomenico si voltò verso il vicequestore. «Lei Schiavone ha notizie?».

Rocco alzò lo sguardo e lo inchiodò dritto negli occhi di Mastrodomenico. «Lo sai qual è la cosa brutta?».

«Da quando ci diamo del tu?».

«Stai nella merda, io e te lo sappiamo. Ti servivano quei documenti, ma qualcuno ha intercettato il tuo uomo e ora te la fai sotto. Io non so che nascondi, ma da come ti sei impegnato nascondi tanto, solo che io il culo non te lo posso salvare perché te lo stanno facendo quelli di Roma, forse i carabinieri? Forse piazza Dante? Non lo so, ma fossi in te seguirei l'esempio di Sebastiano che tu dici è scappato all'estero. A Kingston non c'è estradizione e vivi felice fino a quando arriverà l'ora tua. Magari ti dice bene e te ne vai mentre prendi il sole sulla spiaggia. Guarda che se finisci a Rebibbia, mica fai una vita tenera. Però, e questa è solo una supposizione, visto come lavorano di fino i tuoi ex colleghi, forse manco arrivi a Linate».

Mastrodomenico rimase in silenzio, i pugni stretti, la fronte arrossata. «Sono un tuo superiore, Schiavone, e posso...».

«Scappa, senti a me. Quelli arrivano» gli disse tranquillo il vicequestore.

Mastrodomenico si avvicinò per sputargli le parole in faccia, insieme a schizzi di saliva. «Metterti contro di me è la più grossa cazzata che potevi fare».

«Mastrodomenico!» intervenne Furio alzandosi. «Forse è meglio che te levi dal cazzo. Non lo ripeto».

La minaccia risuonò nel ristorante, un paio di clienti alzarono appena gli occhi curiosi per rimetterli subito sul piatto.

«Gera', ma a Roma lo sanno che stai qua?» gli chiese Brizio. «Me sa de no, vero?». Mastrodomenico lanciò un ultimo sguardo sprezzante sul terzetto e uscì dal ristorante.

«Non ci crederete, rega', ma m'è tornata la fame» disse Rocco.

Brizio e Furio preferirono partire subito dopo cena, non aveva più senso restare ad Aosta. Rocco li salutò, poi a passo veloce tornò verso casa. Lupa lo seguiva mogia, un passetto dopo l'altro guardando per terra, ogni tanto si fermava ad annusare l'aria. La notte era fredda ma non aveva voglia di tornare a casa. Gli venne invece voglia di chiamare Sandra, per sentirsi meno solo, per parlare di qualunque argomento che non fosse Sebastiano, Mastrodomenico e la vita che se ne andava un pezzettino al giorno, veloce e silenziosa. Prese il cellulare, poi cambiò idea.

«Gabriele?».

«Rocco!».

«Stavi dormendo?».

«Macché, ripasso storia».

«Non ci credo».

«Fai bene», e lo sentì ridere. Rocco si fermò per accendersi una sigaretta. «Stai bene?».

«Ha detto sì».

«Chi ha detto sì?».

«Luciana, quinto ginnasio, ha detto sì».

«Sono contento, Gabriele. Qual era la domanda che le hai fatto?».

«Sei scemo? Non l'hai capita?».

«Congratulazioni, Gabriele. Descrivimela un po'?».

«Bruna, riccia, gli occhi chiari».

«E Margherita?».

«Margherita?».

«Non me lo devi chiedere, Gabriele, mi devi rispondere».

«Margherita è… vabbè, acqua passata. Posso dirti un segreto?».

«Certo».

«Milano è una grande città!».

«Sono felice di sentirtelo dire. Hai visto che avevo ragione?».

«È vero, Rocco. È bellissima. Io la amo».

«Luciana o Milano?».

«Tutte e due. Vabbè, buonanotte Ground Control... ci sentiamo».

«Ci sentiamo, Major Tom».

Rimise il cellulare in tasca. Sarebbero passati giorni prima di risentirlo, lo sapeva, nella voce aveva avvertito il frullo delle ali del piccolo che spicca il volo, un momento triste per chi resta ma splendido per chi va. La vita era sua, di Gabriele, gli augurò di viverla con tutta la gioia che lui non aveva mai trovato.

«È una lacrima?». Marina mi cammina accanto sottobraccio.

«Come?».

«Quella, è una lacrima?».

«No, è il freddo» le dico. Mento. Ma lo sappiamo tutti e due.

«Non dipende da te, amore mio».

«Lo so, io sono incidentale. Ma non posso farci niente».

«Non è vero, sei importante».

«Ah, sì? E per chi?».

«Per un sacco di gente».

«L'hai notato? Se ne vanno tutti».

«Non è vero, non se ne vanno. Qualcuno sì, qualcuno lo cacci tu».

Ha ragione.

«Togliti la paura, amore, e soprattutto trova le chiavi, batti i denti come nacchere dal freddo».

Giovedì

Rocco dormì fino alle tre del mattino quando il citofono lo svegliò. Si alzò di scatto. Lupa aveva drizzato la testa e ringhiava di gola. «Chi cazzo è?». Si alzò senza accendere la luce. Arrivò in salone. «Chi cazzo è?» ripeté alla cornetta.

«Mi fai entrare?», era una donna. Rocco non la riconobbe.

«Sandra?».

«Non sono Sandra, Rocco. Sono Caterina».

«Che vuoi?».

«Ho una cosa per te. Credimi, è molto importante».

Chiuse gli occhi, poi premette il pulsante del citofono. Lasciò la porta aperta e andò a sedersi sul divano. Fuori le luci della piazza illuminavano gli antichi dipinti floreali del palazzo di fronte. Qualche fiocco di neve aveva ripreso a scendere lento. La porta di casa si aprì. La donna entrò cercando nel buio. «Rocco?» disse.

«Sono sul divano» le rispose. Caterina Rispoli si richiuse la porta alle spalle, entrò portando l'odore di freddo da fuori. Imbacuccata in un giaccone imbottito, i capelli all'indietro legati in una coda di cavallo, qualche fiocco di neve ornava la pettinatura. «Perché non accendi la luce?».

«Perché non ho voglia di vederti».

Caterina si sedette sulla poltrona. Le scorgeva solo una porzione del viso, quella che il lampione, dalla strada, gli permetteva. Si accese una sigaretta senza offrirgliela. «Ti sono cresciuti i capelli».

Caterina se li carezzò. «Un po'».

«Che vuoi?».

«Parlare, Rocco. Ho provato in passato, ma non me l'hai mai permesso».

«Lo trovi strano?».

«No, mai detto, però ora sono qui. Io...».

«Non mi hai mai tradito, lo so» le disse interrompendola.

«È così. Non potevo svelarti la verità. Lo capisci?».

Rocco fece un tiro alla sigaretta. La brace illuminò gli occhi e le guance del vicequestore. «Non lavoravi per Mastrodomenico».

«No, non lavoravo per lui. Lo tenevo d'occhio. Come l'hai capito?».

«Lascia perdere come l'ho capito. Caterina, mi dici chi cazzo sei tu?».

La donna scosse la testa. «Sono una poliziotta, Rocco, che spera di essere sempre stata dalla parte giusta della barricata».

«Chi sono i tuoi superiori?».

«Non te lo posso dire».

«Rispondimi almeno a questo. Come si chiamava l'assassino di Enzo Baiocchi?».

«Flavio Vinciguerra. Ex Nocs, non portava più la divisa, se vuoi saperlo».

«Che ha a che fare con Baiocchi?».

«Lo sai, Rocco, l'hai capito. I documenti. Questi...», mise una mano nella borsa e tirò fuori dei fogli piegati in quattro. «Sono fotocopie che tu non dovresti neanche vedere, ma alcuni di questi fogli in realtà ti riguardano», allungò la mano, Rocco restò al suo posto, si limitò a spegnere la sigaretta nel posacenere. «Non è tutto il dossier, ma questi sono importanti» disse Caterina tenendo la mano sospesa verso il vicequestore.

«Per quale motivo me li dai?».

«Perché ti voglio bene, e credo che tu debba sapere se non tutta almeno una parte della verità. Ti avverto, quello che c'è qui dentro è terribile, almeno per te, quindi puoi fare una scelta. Se vuoi sapere, eccoli! Altrimenti li rimetto in borsa e non mi vedrai più».

Rocco fissò il plico, indeciso se allungare la mano oppure no. «Tu immagino li conosca a memoria».

«Certo».

«E allora dimmelo con parole tue, ho gli occhi stanchi e non voglio accendere la luce».

«Ti fidi?».

«Ciecamente».

«Torniamo al 2007... il traffico di cocaina... la banda che fermasti era formata da Luigi Baiocchi e altri scagnozzi. Ma chi controllava il traffico erano tre persone... una era Mastrodomenico, le altre due sono un deputato e un sottosegretario agli Esteri, non ti faccio i nomi, li leggerai sul giornale, credimi. Mastrodomenico insabbiò tutto, in un certo senso ti bloccò. Tu ci rimettesti la persona più preziosa, tua moglie».

Rocco restava in silenzio. Gli occhi si erano abituati al buio, ora scorgeva quasi tutto il viso di Caterina. Aveva l'aria stanca, sfiorita, gli occhi umidi, parlava guardandolo in faccia anche se Rocco sapeva di essere poco più di un'ombra. «La banda di criminali da strada fu presa, tranne Luigi Baiocchi di cui si persero le tracce. Tutto si fermò, ma non calcolarono il fratello di Luigi, Enzo, che era stato ben informato dal fratello con tanto di prove depositate presso il suo avvocato. Valeva soldi, questo dossier, e per Baiocchi anche la vita».

«Perché Mastrodomenico si è incarognito con me?».

«Aveva paura di averti fra le scatole».

«Qui ero sotto controllo?».

«Così credeva».

E la vide sorridere. «E perché insiste con Sebastiano Cecchetti?».

Caterina prese un respiro, si aggiustò i capelli. «Perché Sebastiano Cecchetti era nella banda di Mastrodomenico, da sempre».

Una voragine si aprì nello stomaco del vicequestore, poi un freddo glaciale lo avvolse come se tonnellate di neve gli fossero precipitate addosso. «Non ti credo».

«Lo capisco, ma è così. Sebastiano Cecchetti era da sempre in quel traffico di droga, Rocco. Da sempre alleato con Gerardo Mastrodomenico, e purtroppo ci è scappato».

Rocco si alzò in piedi. Le gambe molli, le mani tremanti. Sebastiano, il suo amico, era nella banda, la stessa banda che aveva ucciso Marina. E lui gliel'aveva nascosto da sempre. Era troppo grande la notizia per poterla ingoiare e digerire come un bicchier d'acqua, la sua vita stava facendo di nuovo testacoda. Dovette appoggiarsi alla spalliera del divano. «Quello che dici, Caterina, è vero?».

«Fino all'ultima parola. Capisci adesso perché non potevo parlarti?».

«Ti costava dirmi che il mio migliore amico, l'amico di una vita, è responsabile della morte di mia moglie?».

«No, non per quello. Perché io non potevo svelarti chi fossi, in realtà. Ora lo sai, ma non c'è più bisogno di tenere il segreto».

«Io vado a letto» disse Rocco. «Tu fai quello che vuoi», e barcollando tornò in camera. Lupa fece qualche festa di bentornata a Caterina, poi raggiunse il padrone.

Chiuse gli occhi, ma le uniche immagini erano quelle di Marina colpita da un proiettile e la sua vita che gli sfuggiva tra le dita piene di sangue, il viso di Sebastiano quando correvano per i vicoli di Trastevere, il padre di Sebastiano, un omone alto due metri che lavorava ai mercati generali e che li inseguiva con una cinta per tutta piazza San Cosimato.

«Che cazzo hai fatto...» sussurrò. Si portò le mani sul viso e cominciò a piangere. Aveva voglia di urlare con tutta la voce che aveva fino a sfinirsi e a cadere per terra svenuto. «Che cazzo hai fatto, Seba?» gridò verso il soffitto. L'ombra di Caterina apparve sull'uscio. «Non volevo farti del male, ma dovevi sapere».

Si coprì di nuovo il volto per cancellare le lacrime. «Perché non te ne vai?» le disse.

«Non me la sento».

«Avevi un compito, l'hai svolto benissimo, non hai più niente da fare qui».

«Questo lo pensi tu». Caterina si avvicinò e si sedette sul letto. «Era solo il mio lavoro, Rocco. Ma non pensare che quello che ti ho detto non sia vero. Non sarei qui a raccontarti dettagli che non dovresti conoscere. Io ti ho voluto bene, e te ne voglio ancora, non ti ho mentito su questo». Gli afferrò le mani e delicata le allontanò dal viso. Avvicinò le labbra e gli baciò gli occhi, poi le guance, infine la bocca. Rocco ricevette il bacio fino a quando sentì la lingua di Caterina cercare la sua.

Michele Deruta si era svegliato all'alba con la frenesia di mettersi a lavorare. Alle sette si alzò dalla sedia e si allontanò di un metro dal cavalletto. Il quadro era finito. Guardò l'olio asciugandosi le mani con uno straccio. Le due mucche erano venute bene, non somigliavano più a due tartarughe dal guscio enorme, si stagliavano sul paesaggio con le loro macchie nere e la groppa bianca, i musi sul prato a ruminare erba, proporzionate. Deruta non faticò a giudicare quel quadro il migliore che avesse mai prodotto. Era stupito, ma la casa di Federico doveva avere degli influssi positivi perché da quando aveva deciso la convivenza il pennello scivolava sulla tela, le immagini gli si presentavano nitide e sicure davanti agli occhi, come se qualcuno guidasse la sua mano felice e dispensasse i colori coi toni giusti, senza pasticci. Una trasformazione che mai si sarebbe aspettato. Si infilò il giubbotto e felice uscì per tornare in ufficio. Sarebbe passato in negozio da Federico per un bacio, magari solo un saluto. Gli venne in mente che doveva comprare il rosso carminio e il blu oltremare, per l'ocra avrebbe aspettato il prossimo stipendio, il conguaglio dell'ENEL l'aveva messo in ginocchio. Poi ricordò i mille euro di Rocco e felice pensò che avrebbe preso pure il verde petrolio.

Arrivato in questura trovò in sala agenti Antonio, D'Intino e Casella seduti a bere il caffè. Lo guardarono con un sorriso sulle labbra. «Che ci hai portato?» chiese Casella. Deruta aprì il pacchetto. Dentro le brioche ancora calde del forno. I colleghi si lanciarono sul vassoio. «Se provi a fare un torto a Federico te la vedi con me!» lo minacciò Scipioni con la bocca piena e le briciole dolci appiccicate alle labbra.

Rocco chiuse a chiave la porta dell'ufficio e si sedette alla scrivania a guardare i monti pieni di neve e il cielo di piombo. Lui lo sapeva, ci sono dei giorni in cui si percepisce che un pezzo della nostra vita se n'è andato, e seppelliamo la nostra faccia di una volta perché non ci appartiene più. La faccia, quella ce la disegna il tempo, ogni ruga per ogni sorriso strappato, le diottrie in meno per ogni riga che non volevamo leggere, i capelli abbandonati chissà dove insieme al loro colore, e quello che vediamo spesso non ci piace, ma è soltanto l'inizio di un nuovo episodio della nostra esistenza. Ci conviene conservare ciò che ci rimane per poterlo portare avanti, fino alla prossima stazione quando anche quest'altro pezzo della vita non ci apparterrà più, e avremo allora un'altra faccia, altre rughe. Non aveva il coraggio di telefonare a Brizio e Furio, non aveva le parole giuste per dire loro la verità, e non aveva neanche il coraggio di pensare a Sebastiano. Bussarono alla porta ma lui non rispose. Anche quando sentì la voce di Deruta che lo chiamava. Poi si erano uniti anche Casella e Antonio. Scuotevano la porta, gridavano, ma Rocco restava lì, seduto, a guardare la neve sui monti e le nuvole che avevano ripreso a correre. Poi la porta cedette di schianto vomitando gli agenti nella stanza. Li guardò. I visi preoccupati, Antonio si toccava la spalla, era stato lui a fare da ariete. «Dottore» mormorò Casella, «avevamo portato le paste...».

Rocco tornò a osservare il panorama. «Non siamo amici, non lo siamo mai stati, e forse non lo saremo mai. Lavoriamo insieme, a volte ci avviciniamo, poi ci allontaniamo, come branchi di pesci in mezzo all'oceano. Ma la sapete la cosa strana? Mi siete rimasti solo voi. Per quanto sia dura e difficile ammetterlo, non ho altri che voi...».

sienza. Ci conviene comunque [illegible] fino a [illegible] per poterlo portare avanti, fino alla prossima stagione quando anche quell'altro pezzo della rete non ci apparterrà più, e avremo allora un'altra [illegible]. [illegible] aveva il coraggio di [illegible] a [illegible] non aveva le parole giuste per dire [illegible] la verità [illegible] aveva neanche il coraggio di pensare a Sebastiano [illegible] pensato ne[illegible] porta, ma [illegible] non [illegible]. Anche quando sentì la voce di Pietro che lo chiamava, [illegible] si erano [illegible] anche Caselli e Antonio. Sentivano la porta [illegible]vano, ma Rocco restava lì seduto, a guardare la neve nel [illegible] che avevano [illegible]. [illegible] la porta continuò [illegible] continuando [illegible] za. [illegible] preoccupati. Antonio [illegible] la [illegible] era stato [illegible] fare da [illegible]. [illegible] Caselli [illegible] portato le [illegible].

«Ecco come [illegible] il paese[illegible]. [illegible] stiamo amici, non [illegible] stati [illegible] mai. Lavoriamo insieme e a volte ci [illegible], per ci allontaniamo come branchi di pesci in mezzo all'oceano. Ma [illegible] saperlo [illegible]? Ma [illegible]si solo voi. Per [illegible] sia [illegible] difficile [illegible]lo, non [illegible]»

Nota dell'autore

Il Premio Telamone è un premio istituito nel 1977 ed è uno dei principali riconoscimenti internazionali assegnati annualmente ai siciliani impegnati nell'imprenditoria, nella ricerca, nel sociale, nella politica, nella cultura, nell'arte, che con la propria azione contribuiscono a dare una visione positiva e talentuosa della terra di Sicilia. Per esigenze di narrazione l'ho trasferito a Milano ed è diventato un premio alle eccellenze nell'ambito della storia dell'arte e dell'archeologia. Non me ne vogliano i fondatori del prestigioso premio, in fin dei conti un po' di Sicilia c'è anche in questo libro.

Grazie a Livia N. e Piergiorgio P.

Indice

Vecchie conoscenze

Lunedì 9
Martedì 31
Mercoledì 60
Giovedì 114
Venerdì 149
Sabato 188
Domenica 214
Lunedì 267
Martedì 317
Mercoledì 355
Giovedì 398

Nota dell'autore 407

Questo volume è stato stampato
su carta Arena Ivory Smooth
delle Cartiere Fedrigoni
nel mese di luglio 2021
presso la Leva srl - Milano
e confezionato
presso IGF s.p.a. - Aldeno (TN)

La memoria

Ultimi volumi pubblicati

1000 La memoria di Elvira
1001 Andrea Camilleri. La giostra degli scambi
1002 Enrico Deaglio. Storia vera e terribile tra Sicilia e America
1003 Francesco Recami. L'uomo con la valigia
1004 Fabio Stassi. Fumisteria
1005 Alicia Giménez-Bartlett, Marco Malvaldi, Antonio Manzini, Santo Piazzese, Francesco Recami, Gaetano Savatteri. Turisti in giallo
1006 Bill James. Un taglio radicale
1007 Alexander Langer. Il viaggiatore leggero. Scritti 1961-1995
1008 Antonio Manzini. Era di maggio
1009 Alicia Giménez-Bartlett. Sei casi per Petra Delicado
1010 Ben Pastor. Kaputt Mundi
1011 Nino Vetri. Il Michelangelo
1012 Andrea Camilleri. Le vichinghe volanti e altre storie d'amore a Vigàta
1013 Elvio Fassone. Fine pena: ora
1014 Dominique Manotti. Oro nero
1015 Marco Steiner. Oltremare
1016 Marco Malvaldi. Buchi nella sabbia
1017 Pamela Lyndon Travers. Zia Sass
1018 Giosuè Calaciura, Gianni Di Gregorio, Antonio Manzini, Fabio Stassi, Giordano Tedoldi, Chiara Valerio. Storie dalla città eterna
1019 Giuseppe Tornatore. La corrispondenza
1020 Rudi Assuntino, Wlodek Goldkorn. Il guardiano. Marek Edelman racconta
1021 Antonio Manzini. Cinque indagini romane per Rocco Schiavone
1022 Lodovico Festa. La provvidenza rossa
1023 Giuseppe Scaraffia. Il demone della frivolezza
1024 Colin Dexter. Il gioiello che era nostro

1025 Alessandro Robecchi. Di rabbia e di vento
1026 Yasmina Khadra. L'attentato
1027 Maj Sjöwall, Tomas Ross. La donna che sembrava Greta Garbo
1028 Daria Galateria. L'etichetta alla corte di Versailles. Dizionario dei privilegi nell'età del Re Sole
1029 Marco Balzano. Il figlio del figlio
1030 Marco Malvaldi. La battaglia navale
1031 Fabio Stassi. La lettrice scomparsa
1032 Esmahan Aykol, Gian Mauro Costa, Alicia Giménez-Bartlett, Marco Malvaldi, Antonio Manzini, Francesco Recami, Gaetano Savatteri. Il calcio in giallo
1033 Sergej Dovlatov. Taccuini
1034 Andrea Camilleri. L'altro capo del filo
1035 Francesco Recami. Morte di un ex tappezziere
1036 Alan Bradley. Flavia de Luce e il delitto nel campo dei cetrioli
1037 Manuel Vázquez Montalbán. Io, Franco
1038 Antonio Manzini. 7-7-2007
1039 Luigi Natoli. I Beati Paoli
1040 Gaetano Savatteri. La fabbrica delle stelle
1041 Giorgio Fontana. Un solo paradiso
1042 Dominique Manotti. Il sentiero della speranza
1043 Marco Malvaldi. Sei casi al BarLume
1044 Ben Pastor. I piccoli fuochi
1045 Luciano Canfora. 1956. L'anno spartiacque
1046 Andrea Camilleri. La cappella di famiglia e altre storie di Vigàta
1047 Nicola Fantini, Laura Pariani. Che Guevara aveva un gallo
1048 Colin Dexter. La strada nel bosco
1049 Claudio Coletta. Il manoscritto di Dante
1050 Giosuè Calaciura, Andrea Camilleri, Francesco M. Cataluccio, Alicia Giménez-Bartlett, Antonio Manzini, Francesco Recami, Fabio Stassi. Storie di Natale
1051 Alessandro Robecchi. Torto marcio
1052 Bill James. Uccidimi
1053 Alan Bradley. La morte non è cosa per ragazzine
1054 Émile Zola. Il denaro
1055 Andrea Camilleri. La mossa del cavallo
1056 Francesco Recami. Commedia nera n. 1
1057 Marco Consentino, Domenico Dodaro, Luigi Panella. I fantasmi dell'Impero
1058 Dominique Manotti. Le mani su Parigi
1059 Antonio Manzini. La giostra dei criceti
1060 Gaetano Savatteri. La congiura dei loquaci
1061 Sergio Valzania. Sparta e Atene. Il racconto di una guerra
1062 Heinz Rein. Berlino. Ultimo atto
1063 Honoré de Balzac. Albert Savarus

1064 Alicia Giménez-Bartlett, Marco Malvaldi, Antonio Manzini, Francesco Recami, Alessandro Robecchi, Gaetano Savatteri. Viaggiare in giallo
1065 Fabio Stassi. Angelica e le comete
1066 Andrea Camilleri. La rete di protezione
1067 Ben Pastor. Il morto in piazza
1068 Luigi Natoli. Coriolano della Floresta
1069 Francesco Recami. Sei storie della casa di ringhiera
1070 Giampaolo Simi. La ragazza sbagliata
1071 Alessandro Barbero. Federico il Grande
1072 Colin Dexter. Le figlie di Caino
1073 Antonio Manzini. Pulvis et umbra
1074 Jennifer Worth. Le ultime levatrici dell'East End
1075 Tiberio Mitri. La botta in testa
1076 Francesco Recami. L'errore di Platini
1077 Marco Malvaldi. Negli occhi di chi guarda
1078 Pietro Grossi. Pugni
1079 Edgardo Franzosini. Il mangiatore di carta. Alcuni anni della vita di Johann Ernst Biren
1080 Alan Bradley. Flavia de Luce e il cadavere nel camino
1081 Anthony Trollope. Potete perdonarla?
1082 Andrea Camilleri. Un mese con Montalbano
1083 Emilio Isgrò. Autocurriculum
1084 Cyril Hare. Un delitto inglese
1085 Simonetta Agnello Hornby, Esmahan Aykol, Andrea Camilleri, Gian Mauro Costa, Alicia Giménez-Bartlett, Marco Malvaldi, Antonio Manzini, Santo Piazzese, Francesco Recami, Alessandro Robecchi, Gaetano Savatteri, Fabio Stassi. Un anno in giallo
1086 Alessandro Robecchi. Follia maggiore
1087 S. N. Behrman. Duveen. Il re degli antiquari
1088 Andrea Camilleri. La scomparsa di Patò
1089 Gian Mauro Costa. Stella o croce
1090 Adriano Sofri. Una variazione di Kafka
1091 Giuseppe Tornatore, Massimo De Rita. Leningrado
1092 Alicia Giménez-Bartlett. Mio caro serial killer
1093 Walter Kempowski. Tutto per nulla
1094 Francesco Recami. La clinica Riposo & Pace. Commedia nera n. 2
1095 Margaret Doody. Aristotele e la Casa dei Venti
1096 Antonio Manzini. L'anello mancante. Cinque indagini di Rocco Schiavone
1097 Maria Attanasio. La ragazza di Marsiglia
1098 Duško Popov. Spia contro spia
1099 Fabio Stassi. Ogni coincidenza ha un'anima
1100
1101 Andrea Camilleri. Il metodo Catalanotti

1102 Giampaolo Simi. Come una famiglia
1103 P. T. Barnum. Battaglie e trionfi. Quarant'anni di ricordi
1104 Colin Dexter. La morte mi è vicina
1105 Marco Malvaldi. A bocce ferme
1106 Enrico Deaglio. La zia Irene e l'anarchico Tresca
1107 Len Deighton. SS-GB. I nazisti occupano Londra
1108 Maksim Gor'kij. Lenin, un uomo
1109 Ben Pastor. La notte delle stelle cadenti
1110 Antonio Manzini. Fate il vostro gioco
1111 Andrea Camilleri. Gli arancini di Montalbano
1112 Francesco Recami. Il diario segreto del cuore
1113 Salvatore Silvano Nigro. La funesta docilità
1114 Dominique Manotti. Vite bruciate
1115 Anthony Trollope. Phineas Finn
1116 Martin Suter. Il talento del cuoco
1117 John Julius Norwich. Breve storia della Sicilia
1118 Gaetano Savatteri. Il delitto di Kolymbetra
1119 Roberto Alajmo. Repertorio dei pazzi della città di Palermo
1120 Andrea Camilleri, Gian Mauro Costa, Alicia Giménez-Bartlett, Marco Malvaldi, Dominique Manotti, Santo Piazzese, Francesco Recami, Gaetano Savatteri. Una giornata in giallo
1121 Giosuè Calaciura. Il tram di Natale
1122 Antonio Manzini. Rien ne va plus
1123 Uwe Timm. Un mondo migliore
1124 Franco Lorenzoni. I bambini ci guardano. Una esperienza educativa controvento
1125 Alicia Giménez-Bartlett. Exit
1126 Claudio Coletta. Prima della neve
1127 Alejo Carpentier. Guerra del tempo
1128 Lodovico Festa. La confusione morale
1129 Jenny Erpenbeck. Di passaggio
1130 Alessandro Robecchi. I tempi nuovi
1131 Jane Gardam. Figlio dell'Impero Britannico
1132 Andrea Molesini. Dove un'ombra sconsolata mi cerca
1133 Yokomizo Seishi. Il detective Kindaichi
1134 Ildegarda di Bingen. Cause e cure delle infermità
1135 Graham Greene. Il console onorario
1136 Marco Malvaldi, Glay Ghammouri. Vento in scatola
1137 Andrea Camilleri. Il cuoco dell'Alcyon
1138 Nicola Fantini, Laura Pariani. Arrivederci, signor Čajkovskij
1139 Francesco Recami. L'atroce delitto di via Lurcini. Commedia nera n. 3
1140 Gian Mauro Costa, Marco Malvaldi, Santo Piazzese, Francesco Recami, Alessandro Robecchi, Gaetano Savatteri, Giampaolo Simi, Fabio Stassi. Cinquanta in blu. Otto racconti gialli
1141 Colin Dexter. Il giorno del rimorso

1142 Maurizio de Giovanni. Dodici rose a Settembre
1143 Ben Pastor. La canzone del cavaliere
1144 Tom Stoppard. Rosencrantz e Guildenstern sono morti
1145 Franco Cardini. Lawrence d'Arabia. La vanità e la passione di un eroico perdente
1146 Giampaolo Simi. I giorni del giudizio
1147 Katharina Adler. Ida
1148 Francesco Recami. La verità su Amedeo Consonni
1149 Graham Greene. Il treno per Istanbul
1150 Roberto Alajmo, Maria Attanasio, Giosuè Calaciura, Davide Camarrone, Giorgio Fontana, Alicia Giménez-Bartlett, Antonio Manzini, Andrea Molesini, Uwe Timm. Cinquanta in blu. Storie
1151 Adriano Sofri. Il martire fascista. Una storia equivoca e terribile
1152 Alan Bradley. Il gatto striato miagola tre volte. Un romanzo di Flavia de Luce
1153 Anthony Trollope. Natale a Thompson Hall e altri racconti
1154 Furio Scarpelli. Amori nel fragore della metropoli
1155 Antonio Manzini. Ah l'amore l'amore
1156 Alejo Carpentier. L'arpa e l'ombra
1157 Katharine Burdekin. La notte della svastica
1158 Gian Mauro Costa. Mercato nero
1159 Maria Attanasio. Lo splendore del niente e altre storie
1160 Alessandro Robecchi. I cerchi nell'acqua
1161 Jenny Erpenbeck. Storia della bambina che volle fermare il tempo
1162 Pietro Leveratto. Il silenzio alla fine
1163 Yokomizo Seishi. La locanda del Gatto nero
1164 Gianni Di Gregorio. Lontano lontano
1165 Dominique Manotti. Il bicchiere della staffa
1166 Simona Tanzini. Conosci l'estate?
1167 Graham Greene. Il fattore umano
1168 Marco Malvaldi. Il borghese Pellegrino
1169 John Mortimer. Rumpole per la difesa
1170 Andrea Camilleri. Riccardino
1171 Anthony Trollope. I diamanti Eustace
1172 Fabio Stassi. Uccido chi voglio
1173 Stanisław Lem. L'Invincibile
1174 Francesco Recami. La cassa refrigerata. Commedia nera n. 4
1175 Uwe Timm. La scoperta della currywurst
1176 Szczepan Twardoch. Il re di Varsavia
1177 Antonio Manzini. Gli ultimi giorni di quiete
1178 Alan Bradley. Un posto intimo e bello
1179 Gaetano Savatteri. Il lusso della giovinezza
1180 Graham Greene. Una pistola in vendita
1181 John Julius Norwich. Il Mare di Mezzo. Una storia del Mediterraneo

1182 Simona Baldelli. Fiaba di Natale. Il sorprendente viaggio dell'Uomo dell'aria
1183 Alicia Giménez-Bartlett. Autobiografia di Petra Delicado
1184 George Orwell. Millenovecentottantaquattro
1185 Omer Meir Wellber. Storia vera e non vera di Chaim Birkner
1186 Yasmina Khadra. L'affronto
1187 Giampaolo Simi. Rosa elettrica
1188 Concetto Marchesi. Perché sono comunista
1189 Tom Stoppard. L'invenzione dell'amore
1190 Gaetano Savatteri. Quattro indagini a Màkari
1191 Alessandro Robecchi. Flora
1192 Andrea Albertini. Una famiglia straordinaria
1193 Jane Gardam. L'uomo col cappello di legno
1194 Eugenio Baroncelli. Libro di furti. 301 vite rubate alla mia
1195 Alessandro Barbero. Alabama
1196 Sergio Valzania. Napoleone
1197 Roberto Alajmo. Io non ci volevo venire
1198 Andrea Molesini. Il rogo della Repubblica
1199 Margaret Doody. Aristotele e la Montagna d'Oro
1200
1201 Andrea Camilleri. La Pensione Eva